여러분의 합격을 응원하는
해커스공무원의 특별 혜택

FREE 공무원 국어 동영상강의

해커스공무원(gosi.Hackers.com) 접속 후 로그인 ▶ 상단의 [무료강좌] 클릭 ▶
좌측의 [교재 무료특강] 클릭

해커스공무원 온라인 단과강의 20% 할인쿠폰

788AA3FE6896D54B

해커스공무원(gosi.Hackers.com) 접속 후 로그인 ▶ 상단의 [나의 강의실] 클릭 ▶
좌측의 [쿠폰등록] 클릭 ▶ 위 쿠폰번호 입력 후 이용

* 쿠폰 이용 기한: 2022년 12월 31일까지(등록 후 7일간 사용 가능) * 쿠폰 이용 관련 문의: 1588-4055

해커스 회독증강 콘텐츠 5만원 할인쿠폰

B2AC52B3D6436D5F

해커스공무원(gosi.Hackers.com) 접속 후 로그인 ▶ 상단의 [나의 강의실] 클릭 ▶
좌측의 [쿠폰등록] 클릭 ▶ 위 쿠폰번호 입력 후 이용

* 쿠폰 이용 기한: 2022년 12월 31일까지(등록 후 7일간 사용 가능)
* 월간 학습지 회독증강 행정학/행정법총론 개별상품은 할인쿠폰 할인대상에서 제외

해커스 매일국어 어플 이용권

1LH5MDMHIEUF9XH7

구글 플레이스토어/애플 앱스토어에서 [해커스 매일국어] 검색 ▶
어플 다운로드 ▶ 어플 이용 시 노출되는 쿠폰 입력란 클릭 ▶ 쿠폰번호 입력 후 이용

▲ 매일국어 어플 바로가기

* 쿠폰 이용 기한 : 2022년 12월 31일까지
* 해당 자료는 [해커스공무원 국어 기본서] 교재 내용으로 제공되는 자료로, 공무원 시험 대비에 도움이 되는 유용한 자료입니다.

단기 합격을 위한
해커스 커리큘럼

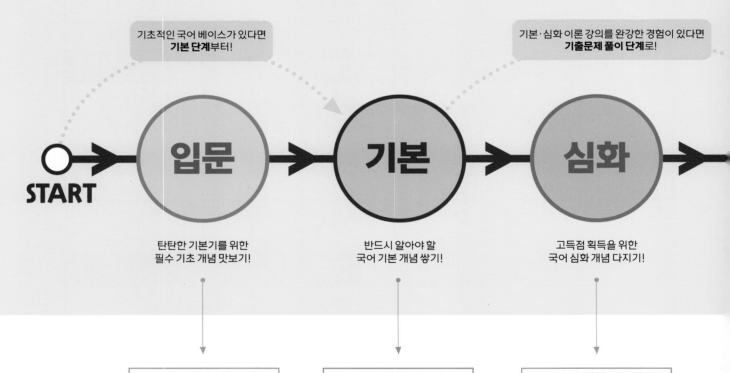

기초적인 국어 베이스가 있다면
기본 단계부터!

기본·심화 이론 강의를 완강한 경험이 있다면
기출문제 풀이 단계로!

START → 입문 → 기본 → 심화 →

탄탄한 기본기를 위한
필수 기초 개념 맛보기!

반드시 알아야 할
국어 기본 개념 쌓기!

고득점 획득을 위한
국어 심화 개념 다지기!

강의 **쌩기초 입문반**

반드시 알아야 할 공무원 국어의 기초
개념을 학습하는 강의로, 공무원 시험
공부를 이제 막 시작한 수험생들을
위한 강의

사용교재
· 해커스공무원 쌩기초 입문서 국어

강의 **기본이론반**

합격에 꼭 필요한 국어의 기본 개념을
체계적·효율적으로 학습하는 강의

사용교재
· 해커스공무원 국어 기본서 (세트)

강의 **심화이론반**

기본 개념을 확실하게 자기 것으로
완성하고, 더불어 고득점 획득을
목표로, 심화 개념을 학습하는 강의

사용교재
· 해커스공무원 국어 기본서 (세트)
· 해커스공무원 단권화 핵심정리 국어

* QR코드를 스캔하시면, 레벨별 수강신청 및 사용교재 확인이 가능합니다.

gosi.Hackers.com

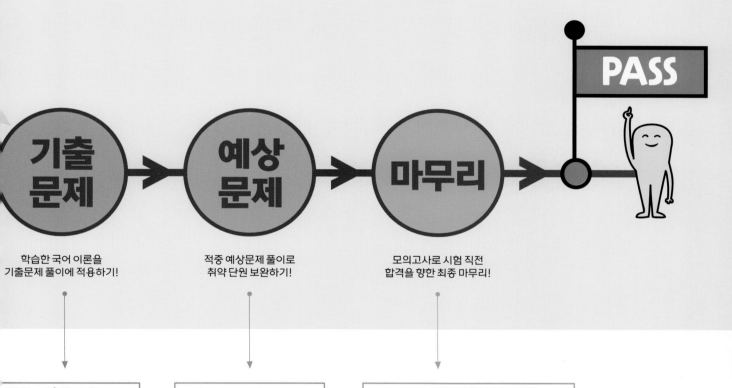

학습한 국어 이론을
기출문제 풀이에 적용하기!

적중 예상문제 풀이로
취약 단원 보완하기!

모의고사로 시험 직전
합격을 향한 최종 마무리!

강의 기출문제 풀이반

본·심화 이론반에서 학습한 내용
을 실제 기출문제 풀이에 적용
면서 문제풀이 감각을 기르는 강의

용교재

해커스공무원 단원별 기출문제집
국어 (세트)

해커스공무원 6개년 기출문제집 국어

해커스공무원 최신 1개년 기출문제집 국어

해커스공무원 8개년 기출문제집
공통과목 통합 국어+영어+한국사

강의 예상문제 풀이반

학습 막바지에 단원별 적중 예상 문제
를 풀어 보고, 취약한 단원을 파악하여
약점을 보완하는 강의

사용교재

· 해커스공무원 국어 비문학 독해 333 Vol. 1, 2

· 해커스공무원 단원별 적중 700제 국어

강의 실전동형모의고사반

최신 출제 경향을 반영한 모의고사를 풀어 보며 실전
감각을 극대화하는 강의

사용교재

· 해커스공무원 실전동형모의고사 국어 1, 2

강의 봉투모의고사반

시험 직전, 실제 시험과 동일한 형태의 봉투모의고사를
풀어보며 실전 감각을 완성하는 최종 마무리 강의

사용교재

· 해커스공무원 FINAL 봉투모의고사 국어

· 해커스공무원 FINAL 봉투모의고사 필수과목
  통합 국어+영어+한국사

해커스공무원

단원별 기출문제집 국어

3권 | 문학

해커스공무원 단원별 기출문제집 국어 **문학**

CONTENTS

만점이 보이는 회독 학습 가이드

> 30일 맞춤 회독 학습 플랜

- 공무원 국어 시험은 주요 출제 포인트가 반복 출제되므로 기출문제를 회독 학습하여 각 출제 포인트의 유형과 대비 방법을 익히는 것이 만점의 비법입니다.
- 단원별 난이도와 문항 수 등을 고려하여 수립한 해커스의 '30일 맞춤 회독 학습 플랜'과 '회독별 학습 방법'을 활용하여 효과적으로 학습하세요.

1일	2일	3일	4일	5일	6일	7일	8일	9일	10일
1. 언어 일반 2. 필수 문법 01	2. 필수 문법 02		2. 필수 문법 03	2. 필수 문법 04	1. 언어 일반 2. 필수 문법 - 복습	3. 옛말의 문법 4. 어문 규정 01	4. 어문 규정 02		4. 어문 규정 03~06

11일	12일	13일	14일	15일	16일	17일	18일	19일	20일
5. 언어 생활 6. 한문	3. 옛말의 문법 ~ 6. 한문 - 복습	1. 작문·화법	2. 비문학 이론 3. 여러 가지 글 4. 사실적 독해 01	4. 사실적 독해 02	4. 사실적 독해 03~04	5. 추론적 독해 01	5. 추론적 독해 02~03	1. 작문·화법 ~ 5. 추론적 독해 - 복습	1. 문학 이론 2. 문학사

21일	22일	23일	24일	25일	26일	27일	28일	29일	30일
3. 운문 문학 01~03	3. 운문 문학 04~06	1. 문학 이론 ~ 3. 운문 문학 - 복습	4. 산문 문학 01~04	4. 산문 문학 05~07	4. 산문 문학 - 복습	1. 어휘 일반 2. 관용 표현	3. 한자어·고유어 01	3. 한자어·고유어 02~04	1. 어휘 일반 ~ 3. 한자어·고유어 - 복습

* 학습 플랜은 'Section(1., 2., 3.) - Chapter(01, 02, 03)'의 순서로 표시하였습니다.

> 회독별 학습 방법

1회독 개념 정리 단계

- 상단의 '30일 맞춤 회독 학습 플랜'에 맞춰 기출문제 풀이를 진행합니다.
- 기출문제를 풀어보며 단원별로 어떤 유형의 문제들이 출제되었는지 확인합니다.
- 문제 풀이 후 「2022 해커스공무원 국어 기본서」와 함께 개념 학습을 진행하고자 할 경우 '회독 학습 점검표'의 기본서 페이지를 참고하여 학습합니다.

2회독 실력 향상 단계

- 상단의 '30일 맞춤 회독 학습 플랜'을 활용하되, 1회독 때보다 학습 시간을 단축하여 학습합니다.
- '난이도 상' 문제를 중점적으로 풀어보고, 자주 출제되지 않았던 생소한 어법 개념, 문학 작품, 어휘 등을 정리합니다.
- 문제 풀이 후 보충·심화 학습을 진행하고자 할 경우 '회독 학습 점검표'의 기본서 페이지를 참고하여 학습합니다.

3회독 약점 극복 단계

- 1, 2회독 때 틀렸거나 어려웠던 문제 위주로 학습을 진행합니다.
- 반복해서 틀리는 문제는 해설과 오답 분석, 이것도 알면 합격을 한 번 더 꼼꼼히 읽고 모르는 부분이 없을 때까지 학습합니다.
- 3회독 이후에도 헷갈리거나 어려운 부분은 '회독 학습 점검표'의 기본서 페이지를 확인하여 관련 내용을 다시 한번 정독하도록 합니다.

> 회독 학습 점검표

- 기출문제를 풀면서 학습이 부족한 부분이 있다면 「2022 해커스공무원 국어 기본서」의 페이지를 참고해 꼭 보충하셔야 합니다.
- 회독 후 학습일을 기록하면 전체적인 학습 상황을 확인할 수 있습니다.

단원	기본서	1회독		2회독		3회독	
Section 1. 문학 이론							
01 문학의 이해	3권 10p ~ 18p	월	일	월	일	월	일
02 갈래에 대한 지식	3권 19p ~ 47p	월	일	월	일	월	일
Section 2. 문학사							
01 고전 문학사	3권 64p ~ 83p	월	일	월	일	월	일
02 현대 문학사	3권 84p ~ 107p	월	일	월	일	월	일
Section 3. 운문 문학							
01 시어 및 시구의 의미	3권 116p ~ 119p	월	일	월	일	월	일
02 화자의 정서 및 태도	3권 120p ~ 125p	월	일	월	일	월	일
03 표현상의 특징과 효과	3권 126p ~ 130p	월	일	월	일	월	일
04 시상 전개 방식	3권 131p ~ 133p	월	일	월	일	월	일
05 시의 주제 파악	–	월	일	월	일	월	일
06 시의 종합적 감상	3권 134p ~ 137p	월	일	월	일	월	일
Section 4. 산문 문학							
01 소재 및 문장의 의미	3권 148p ~ 152p	월	일	월	일	월	일
02 인물의 성격·심리·태도	3권 153p ~ 156p	월	일	월	일	월	일
03 서술상의 특징	3권 157p ~ 163p	월	일	월	일	월	일
04 내용 추리·상상하기	3권 164p ~ 167p	월	일	월	일	월	일
05 글의 주제 파악	–	월	일	월	일	월	일
06 글의 내용 파악	3권 168p ~ 173p	월	일	월	일	월	일
07 글의 종합적 감상	3권 174p ~ 177p	월	일	월	일	월	일

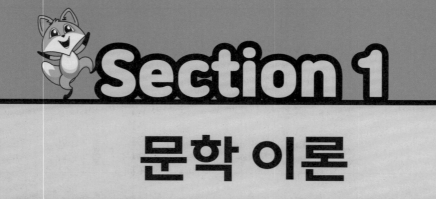

Section 1
문학 이론

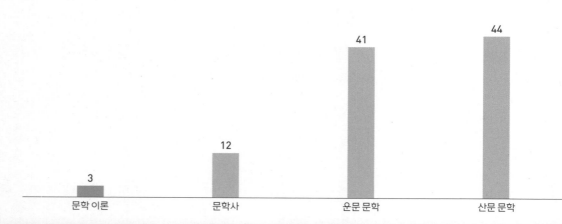

1분 만에 파악하는 **7개년 기출 트렌드**

● Section별 출제율
최근 7개년(2015~2021년) 국가직/지방직/서울시 7·9급

문학 이론	문학사	운문 문학	산문 문학
3	12	41	44

● Section 기출 트렌드

• 문학 이론은 문학에서 가장 출제 비중이 낮습니다.

• 문학 감상의 관점, 문학의 미적 범주, 수사법 등을 묻거나 갈래에 대한 지식을 묻는 유형이 주로 출제됩니다.

• 문학 이론만을 단독으로 묻는 유형은 자주 출제되지 않지만 문학 작품을 감상하기 위해 기본적으로 알아야 하는 개념이므로 반드시 익혀두어야 합니다.

1. 문학 감상의 관점

01
[2019년 지방직 9급]

(가)의 관점에서 (나)를 감상할 때 가장 적절한 것은?

> (가) 반영론은 문학 작품이 사회를 반영하여 현실의 문제를 비판적으로 성찰할 수 있게 하는 매개체라는 관점을 취한 비평적 입장이다.
>
> (나) 강나루 건너서
> 　　밀밭 길을
>
> 　　구름에 달 가듯이
> 　　가는 나그네
>
> 　　길은 외줄기
> 　　남도 삼백리
>
> 　　술 익는 마을마다
> 　　타는 저녁 놀
>
> 　　구름에 달 가듯이
> 　　가는 나그네
>
> 　　　　　　　　　　　- 박목월, '나그네'

① 전통적 민요의 율격을 바탕으로 한 정형적 형식을 통해 정제된 시상이 효과적으로 드러났군.
② 삶의 고통스러운 단면을 외면한 채 유유자적한 삶만을 그린 것은 아닌지 비판할 여지가 있군.
③ 낭만적 감성을 불러일으키는 시적 분위기가 시조에서 보이는 선경후정과 비슷한 양상을 띠는군.
④ 해질 무렵 강가를 거닐며 조망한 풍경의 이미지가 한 폭의 그림을 보는 듯한 감각을 자아내는군.

02
[2018년 서울시 9급 (6월)]

〈보기〉에 나타난 작품 감상의 관점으로 가장 옳은 것은?

> ── 〈보기〉 ──
>
> 나는 지금도 이광수의 『무정』 작품을 읽으면 가슴이 뜨거워지는 것을 느껴. 특히 결말 부분에서 주인공 이형식이 "옳습니다. 우리가 해야지요! 우리가 공부하러 가는 뜻이 여기 있습니다. 우리가 지금 차를 타고 가는 돈이며 가서 공부할 학비를 누가 주나요? 조선이 주는 것입니다. 왜? 가서 힘을 얻어오라고, 지식을 얻어 오라고, 문명을 얻어 오라고 …… 그리해서 새로운 문명 위에 튼튼한 생활의 기초를 세워 달라고 …… 이러한 뜻이 아닙니까?"라고 부르짖는 부분에 가면 금방 내 가슴도 울렁거려 나도 모르게 "네, 네, 네"라고 대답하고 싶단 말이야. 이 작품은 이 소설이 나왔던 1910년대 독자들의 가슴만이 아니라 아직 강대국에 싸여 있는 21세기 우리 시대 독자들에게도 조국을 생각하는 마음에 큰 감동을 주고 있다고 생각해.

① 반영론적 관점　　　　② 효용론적 관점
③ 표현론적 관점　　　　④ 객관론적 관점

2. 문학의 미적 범주

03
[2019년 국가직 9급]

괄호 안에 들어갈 단어를 순서대로 바르게 나열한 것은?

> 한국 문학의 미적 범주에서 눈에 띄는 전통으로 풍자와 해학이 있다. 풍자와 해학은 주어진 상황에 순종하기보다 그것을 극복하고자 하는 건강한 삶의 의지에서 나온 (㉠)을(를) 통해 드러난다. (㉠)은(는) '있어야 할 것'으로 행세해 온 관념을 부정하고, 현실적인 삶인 '있는 것'을 그대로 긍정한다. 이때 있어야 할 것을 깨뜨리는 것에 관심을 집중한 것이 (㉡)이고, 있는 것이 지닌 긍정에 관심을 집중하는 것이 (㉢)이다.

	㉠	㉡	㉢
①	골계(滑稽)	해학(諧謔)	풍자(諷刺)
②	해학(諧謔)	풍자(諷刺)	골계(滑稽)
③	풍자(諷刺)	해학(諧謔)	골계(滑稽)
④	골계(滑稽)	풍자(諷刺)	해학(諧謔)

챕터별 출제 경향
(2015-2021 국가직 / 지방직 / 서울시 7·9급)

01
난이도 ★☆☆

해설 ② (나) 박목월의 '나그네'는 일제 강점기에 쓰인 작품이다. '구름에 달 가듯이/가는 나그네'에서 드러나는 나그네의 달관과 체념의 태도를 통해 당시의 고통스러운 현실 상황이 반영되지 않았음을 알 수 있다. 따라서 (나)는 나그네의 유유자적한 삶을 그렸다는 점에서 (가) 반영론적 관점으로 비판할 수 있다.

오답분석 ① ③ ④ 작품 이외의 사실에 대한 고려를 배제하고, 작품의 율격과 형식, 시적 분위기와 미적 감각 등 내부적 요소만을 분석하고 있으므로 내재적 관점으로 작품을 감상하였다.

이것도 알면 합격
문학 감상(비평)의 관점을 알아두자.
1. 내재적 관점(절대주의적 관점)
   작품 이외의 사실에 대한 고려를 배제하고 어조, 운율, 구성, 표현 기법, 미적 가치 등 작품의 내부적 요소를 분석하는 관점
2. 외재적 관점

표현론적 관점 (생산론적 관점)	• 작품이 작가와 맺는 관계를 중시하는 관점 • 작품 속에 작가의 체험, 사상, 감정 등이 표현되어 있다고 봄
효용론적 관점 (수용론적 관점)	• 작품과 독자의 관계를 중시하는 관점 • 작품이 독자에게 주는 의미, 감동, 교훈 등에 초점을 맞추어 감상함
반영론적 관점	• 작품이 현실 세계를 반영한다고 보는 관점 • 작품과 작품의 대상이 되는 현실 세계와의 관계를 중시함

02
난이도 ★★☆

해설 ② 〈보기〉는 이광수의 '무정'을 읽은 독자가 작품을 통해 느낀 감동에 대해 서술한 글이므로, 이에 해당하는 작품 감상의 관점으로 가장 옳은 것은 ② '효용론적 관점'이다. '효용론적 관점'은 작품 외적인 세계와 작품을 연결하여 이해하는 외재적 관점 중 하나로, 독자를 중심으로 작품을 감상하는 방법이다.

오답분석 ① 반영론적 관점: 외재적 관점에 해당하며 작품이 현실 세계를 어떻게 반영하고 있는지 분석하는 방법이다.

③ 표현론적 관점: 외재적 관점에 해당하며 작가가 자신의 체험, 사상, 감정 등을 작품에 어떻게 표현하였는지 분석하는 방법이다.

④ 객관론적 관점: 작품 외적인 요소와는 무관하게 문학 작품의 내재적인 요소만을 분석하는 방법이다.

03
난이도 ★★☆

해설 ④ 괄호 안에 들어갈 단어를 순서대로 나열하면 '㉠ 골계(滑稽) - ㉡ 풍자(諷刺) - ㉢ 해학(諧謔)'이므로 답은 ④이다.
- ㉠: 풍자와 해학을 모두 포괄하면서, '있어야 할 것'을 부정하고, '있는 것'을 긍정하는 미적 범주가 들어가야 하므로 ㉠에는 '골계'가 들어가야 한다.
- ㉡, ㉢: 풍자와 해학은 모두 웃음을 불러일으키기 위한 문학적 장치라는 점에서 유사하나, 대상을 바라보는 시선에서 차이가 있다. 풍자는 대상이 지닌 결점이나 악행을 부정적인 것으로 인식하고 이를 비판적인 시선으로 바라보며 웃음을 유발하는 반면, 해학은 대상을 비판 또는 비난의 시선으로 바라보기 전에 대상에 대해 호감과 연민을 느끼게 하여 웃음을 유발한다. 따라서 '있어야 할 것'을 깨뜨리는 것에 집중하는 ㉡에는 '풍자'가, '있는 것'이 지닌 긍정에 관심을 집중하는 ㉢에는 '해학'이 들어가야 한다.

이것도 알면 합격
문학의 미적 범주에 대해 알아두자.
'있는 것(현실)'과 '있어야 할 것(이상)'이 어떤 관계를 맺고 있느냐에 따라, 미적 범주를 네 가지로 분류한다.

숭고미	현실을 자신이 바라는 이상과 일치시키려는 상황에서 드러남
우아미	현실이 이상과 융합되어 일치하는 상황에서 드러남
비장미	현실과 이상이 조화를 이루지 못해 어긋나는 상황에서 드러남
골계미	풍자나 해학 등의 수법에 의해 우스꽝스러운 상황이나 인간상을 구현하는 미의식

3. 수사법

04

[2019년 지방직 9급]

(가) ~ (라)에 대한 설명으로 적절하지 않은 것은?

> (가) 고인(古人)도 날 몯보고 나도 고인(古人) 몯 뵈
>   고인(古人)을 몯 뵈도 녀던 길 알퓌잇니
>   녀던 길 알퓌 잇거든 아니 녀고 엇멸고
> (나) 술은 어이ᄒᆞ야 됴ᄒᆞ니 누룩 섯글 타시러라
>   국은 어이ᄒᆞ야 됴ᄒᆞ니 염매(鹽梅) 톨 타시러라
>   이 음식 이 뜯을 알면 만수무강(萬壽無疆)ᄒᆞ리라
> (다) 우레ᄀᆞᆺ치 소ᄅᆞ나는 님을 번기ᄀᆞᆺ치 번뜻 만나
>   비ᄀᆞᆺ치 오락기락 구름ᄀᆞᆺ치 헤여지니
>   흉중(胸中)에 ᄇᆞ룸ᄀᆞᆺ튼 혼슘이 안기 피ᄃᆞᆺ ᄒᆞ여라
> (라) 하하 허허 ᄒᆞᆫ들 내 우음이 정 우움가
>   하 어쳑 업서셔 늣기다가 그리 되게
>   벗님니 웃디들 말구려 아귀 픠여디리라

① (가): 연쇄법을 활용하여 고인의 길을 따르겠다는 의지를 드러내고 있다.
② (나): 문답법과 대조법을 활용하여 임의 만수무강을 기원하고 있다.
③ (다): 'ᄀᆞᆺ치'를 반복적으로 표현하여 운율감을 더하고 있다.
④ (라): 냉소적 어조를 통해 상대에 대한 불편한 심기를 표출하고 있다.

05

[2020년 서울시 9급]

〈보기〉에서 설명한 시의 표현방법이 적용된 시구로 가장 옳은 것은?

> ───── 〈보기〉 ─────
> 본래의 의미와 의도를 더욱 효과적으로 강조하기 위해 그것을 가장하거나 위장하는 것이다. 즉 본래의 의도를 숨기고 반대되는 말로 표현하는 것으로, 표면의미(표현)와 이면의미(의도) 사이에 괴리와 모순을 통해 시적 진실을 전달하는 표현방법이다.

① 돌담에 속삭이는 햇발같이 / 풀 아래 웃음 짓는 샘물같이
   – 김영랑, 「돌담에 속삭이는 햇발같이」
② 내가 그의 이름을 불러 주었을 때 / 그는 나에게로 와서 / 꽃이 되었다   – 김춘수, 「꽃」
③ 산은 나무를 기르는 법으로 / 벼랑에 오르지 못하는 법으로 / 사람을 다스린다   – 김광섭, 「산」
④ 나보기가 역겨워 / 가실 때에는 / 죽어도 아니 눈물 / 흘리오리다   – 김소월, 「진달래꽃」

06

[2019년 서울시 7급 (2월)]

〈보기〉에서 주된 표현 기법을 통해 화자의 정서를 강조하는 표현은?

> ───── 〈보기〉 ─────
> 내 그대를 생각함은 항상 그대가 앉아 있는 배경에서 해가 지고 바람이 부는 일처럼 사소한 일일 것이나 언젠가 그대가 한없이 괴로움 속을 헤매일 때에 오랫동안 전해오던 그 사소함으로 그대를 불러 보리라.
>
> 진실로 진실로 내가 그대를 사랑하는 까닭은 내 나의 사랑을 한없이 잇닿은 그 기다림으로 바꾸어 버린 데 있었다. 밤이 들면서 골짜기엔 눈이 퍼붓기 시작했다. 내 사랑도 어디쯤에선 반드시 그칠 것을 믿는다. 다만 그때 내 기다림의 자세를 생각하는 것뿐이다. 그동안에 눈이 그치고 꽃이 피어나고 낙엽이 떨어지고 또 눈이 퍼붓고 할 것을 믿는다.

① 사소함   ② 괴로움
③ 기다림   ④ 생각함

04

난이도 ★★☆

해설 ② (나)의 초장과 중장에 문답법이 활용된 것은 맞으나, 대조법을 활용하여 임의 만수무강을 기원하는 내용은 없다.

오답분석 ① (가)의 중장과 종장에서 앞 구절의 말을 다시 다음 구절에 연결시키는 연쇄법을 활용하여 고인(옛사람)의 길을 따라 학문을 수양하겠다는 의지를 드러내고 있음을 알 수 있다.

③ (다)의 '우레ᄀᆞᆺ치, 번기ᄀᆞᆺ치, 비ᄀᆞᆺ치, 구름ᄀᆞᆺ치'를 통해 'ᄀᆞᆺ치'를 반복적으로 표현하여 운율감을 더하고 있음을 알 수 있다.

④ (라)의 화자는 나의 웃음이 진짜 웃음이 아니라 어처구니가 없어 울다가 나온 웃음이라고 상대에게 냉소적으로 말하며 불편한 심기를 표출하고 있다.

지문풀이

(가) 고인도 날 못 보고 나도 고인을 못 뵈었으니
고인을 못 뵈었어도 가던 길 앞에 있네
가던 길 앞에 있거늘 아니 가고 어쩔고.
― 이황, '도산십이곡' 제9곡

(나) 술은 어찌 하여 좋은고 누룩 섯은 탓이로다
국은 어찌 하여 좋은고 간을 탄 탓이로다
이 음식 이 뜻을 알면 만수무강 하리라.
― 윤선도, '초연곡' 제2수

(다) 우레 같이 소리 난 님을 번개같이 번쩍 만나
비같이 오락가락 구름 같이 헤어지니
흉중에 바람같은 한숨이 나 안개 피듯 하여라.
― 작자 미상

(라) 하하 허허 하고 웃은들 내 웃음이 정말 웃음인가
하도 어처구니가 없어서 울다가 그리된 것이다.
사람들아 웃지를 말아라. 입이 찢어지리라.
― 권섭, '하하 허허 훈 들'

05

난이도 ★★☆

해설 ④ 〈보기〉는 반어법에 대한 설명으로, 이 표현 방법이 적용된 시구는 ④이다. ④의 화자는 사랑하는 임이 자신을 떠나는 슬픈 상황에서 눈물을 흘리지 않겠다고 자신의 마음과 반대로 표현함으로써 슬픔의 정서를 강조하고 있다.

오답분석 ① **직유법**: 연결어 '같이'를 사용하여 전달하고자 하는 바를 '햇발'과 '샘물'에 직접 빗대어 표현하였다.

② **상징**: 의미 있는 존재라는 추상적인 내용을 구체적인 대상인 '꽃'으로 표현하였다.

③ **의인법**: '산'에 '나무를 기르는 법(인내심)', '벼랑에 오르지 못하는 법(겸손함)'으로 사람을 다스린다는 인격적 특성을 부여하여 사람처럼 행동하는 이미지를 형성하였다.

06

난이도 ★★★

해설 ① 제시된 작품은 황동규의 '즐거운 편지'로, '그대'를 향한 시적 화자의 변함없는 사랑을 나타내고 있으므로 작품의 주된 정서는 '기다림'이나, 문제에서는 주된 표현 기법을 통해 화자의 정서를 강조하는 표현을 묻고 있다. 따라서 시에서 화자의 변함없는 사랑을 '해가 지고 바람이 부는 일처럼 사소한 일'이라고 표현하는 반어적 기법을 통해 '사소함'이라는 정서를 강조하고 있으므로 답은 ①이다.

이것도 알면 합격

황동규, '즐거운 편지'의 주제와 특징을 알아두자.

1. 주제: '그대'를 향한 변함없는 사랑
2. 특징
   • 반어적 기법으로 화자의 간절한 사랑을 강조함
   • 화자의 사랑을 끊임없이 순환하는 자연 현상에 빗대어 표현함

• 1. 서정 갈래

01

[2020년 서울시 9급]

〈보기〉에서 설명한 문학 갈래에 해당하는 작품으로 가장 옳은 것은?

─〈보기〉─

조선 시대 시가문학을 대표하는 갈래이다. 고려 후기에 성립되었지만, 조선 시대의 새로운 지도 이념인 성리학을 기반으로 더욱 융성해졌다. 3장 6구의 절제된 형식과 유장한 기품을 특징으로 하고, 여러 장을 한 편에 담은 연장체 형식으로도 창작되었다.

① 「한림별곡」
② 「월인천강지곡」
③ 「상춘곡」
④ 「도산십이곡」

02

[2017년 서울시 7급]

다음 시가의 양식적 특징에 대한 설명으로 가장 적절한 것은?

인심이 눗 굿투야 보도록 새롭거놀
세사는 구롬이라 머흐도 머흘시고
엊그제 비즌 술이 어도록 니건노니
잡거니 밀거니 슬크장 거후로니
무움의 미친 시름 져그나 흐리노다
거문고 시울 언저 풍입송 이아고야
손인동 주인인동 다 니저 브려셰라

① 조선 왕조의 창업과 번영을 송축하기 위하여 만들어졌다.
② 10구체의 경우 당대의 귀족, 지배층의 정신세계를 노래하였다.
③ 조선 후기의 시정(市井)에서 직업적, 반직업적 소리꾼에 의해 가창된 노래이다.
④ 시조와 상보적인 관계를 형성하면서 활발하게 창작되었다.

• 2. 서사 갈래

03

[2020년 서울시 9급]

〈보기〉에서 설명한 소설의 시점으로 가장 옳은 것은?

─〈보기〉─

소설 속의 한 등장인물이 이야기를 말하는 것으로, 부수적인 인물이 작품 속에서 주인공의 이야기를 말한다. 주인공의 환경이나 행동 등을 관찰자의 입장에서 객관적으로 서술할 수 있다.

① 일인칭 주인공 시점
② 일인칭 관찰자 시점
③ 전지적 작가 시점
④ 작가 관찰자 시점

04

[2018년 서울시 7급 (6월)]

〈보기〉의 밑줄 친 부분에 해당하는 판소리 용어를 바르게 짝지은 것은?

─〈보기〉─

문화센터에서 무료로 〈춘향가〉를 공연한다고 하여 아이들과 함께 방문하였다. 갓을 쓰고 도포를 입은 광대가 서서 노래를 부르고 옆에 앉은 고수는 북으로 장단을 맞추며 이따금 ㉠"얼씨구" 하며 분위기를 돋우었다. 이몽룡이 춘향이를 업고 ㉡사랑을 속삭이는 노래를 부르는 장면에서는 절로 흥이 일었고 암행어사가 된 이몽룡이 거지로 변장하여 ㉢월매와 말을 주고받는 장면에서는 웃음이 터져 나왔다. 암행어사 출두 장면에서 잔치에 모인 벼슬아치들이 ㉣허둥지둥 도망치는 모습을 몸짓으로 흉내내는 것을 보니, 노래뿐만 아니라 연기도 잘해야 판소리 공연을 제대로 할 수 있겠다는 생각이 들었다.

	㉠	㉡	㉢	㉣
①	추임새	소리	발림	아니리
②	너름새	더늠	발림	아니리
③	너름새	더늠	아니리	발림
④	추임새	소리	아니리	발림

01
난이도 ★☆☆

해설 ④ 〈보기〉는 시조에 대한 설명으로, 이에 해당하는 작품은 ④ 「도산십이곡」이다.
- 「도산십이곡」: 조선시대에 퇴계 이황이 지은 연시조로 모두 12수로 구성되어 있으며, 전 6곡은 언지(言志), 후 6곡은 언학(言學)의 내용으로 구성되어 있다.

오답분석 ① 「한림별곡」: 고려 고종 때 한림(翰林)의 학자들이 지은 작품으로 경기체가에 속한다.

② 「월인천강지곡」: 조선 세종 31년(1449)에 세종이 석가모니의 공덕을 찬양하며 지은 노래를 실은 책으로, 악장에 속한다.

③ 「상춘곡」: 조선 성종 때 정극인이 지은 가사로, 우리나라 최초의 가사라는 의의가 있다. 자연 속에서 유유자적(悠悠自適)한 생활을 보내며, 봄날의 경치를 예찬하는 내용으로 구성되어 있다.

02
난이도 ★☆☆

해설 ④ 제시된 작품은 정철의 '성산별곡'으로 가사에 해당한다. 시조와 가사는 모두 조선 시대에 활발하게 창작된 서정 갈래인데, 3장 6구의 단형체 형식인 시조가 개인의 정서를 표현하는 데 특화된 갈래라면, 행수에 제한이 없는 가사는 교훈, 여행의 감상 등의 긴 내용을 담을 수 있는 갈래라는 점에서 시조와 상보적인 관계를 형성하고 있다. 따라서 가사의 양식적 특징에 대한 설명으로 가장 적절한 것은 ④이다.

오답분석 ① '악장'에 대한 설명이다.

② '향가'에 대한 설명이다.

③ '잡가'에 대한 설명이다.

지문풀이
> 인심이 (사람의) 얼굴 같아서 볼수록 새롭거늘
> 세상일이 구름이라 험하기도 험하구나
> 엊그제 빚은 술이 얼마나 익었느냐?
> (술잔을) 잡거니 권하거니 실컷 기울이니
> 마음에 맺힌 시름이 조금이나마 덜어지는구나
> 거문고 줄을 얹어 풍입송을 타자꾸나
> (누가) 손님인지 주인인지 다 잊어버렸도다.
>   - 정철, '성산별곡'

03
난이도 ★☆☆

해설 ② 〈보기〉는 '일인칭 관찰자 시점'에 대한 설명이다. '일인칭 관찰자 시점'은 작품 속 인물인 '나'가 관찰자의 입장에서 주인공에 대해 서술하는 시점을 말한다. 이때 서술의 초점은 '나'가 아니라 주인공에게 있으며 독자는 '나'의 서술을 통해 주인공의 심리나 성격을 추측하게 된다.

오답분석 ① 일인칭 주인공 시점: 작품 속 주인공인 '나'가 자신의 이야기를 서술하는 시점이다.

③ 전지적 작가 시점: 서술자가 전지전능한 입장에서 작품 속 등장인물들의 내면 심리, 성격, 행동 등을 서술하는 시점이다.

④ 작가 관찰자 시점(3인칭 관찰자 시점): 서술자가 외부 관찰자의 입장에서 객관적인 태도로 서술해 나가는 방식이다.

04
난이도 ★★☆

해설 ④ 판소리 용어를 바르게 짝지은 것은 ④이다.
- ㉠ 추임새: 고수와 관객이 창의 사이사이에 흥을 돋우기 위하여 삽입하는 소리
- ㉡ 소리: 광대가 부르는 노래(= 창)
- ㉢ 아니리: 창을 하는 중간에 광대가 이야기하듯 엮어 나가는 사설
- ㉣ 발림: 광대가 소리의 가락이나 사설의 극적인 내용에 따라서 감정을 표현하는 몸짓(= 너름새)

오답분석
- 더늠: 판소리에서 명창이 자신의 독특한 방식으로 다듬어 부르는 어떤 마당의 한 대목

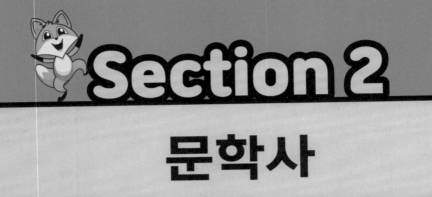

Section 2
문학사

 만에 파악하는 **7개년 기출 트렌드**

● Section별 출제율
최근 7개년(2015~2021년) 국가직/지방직/서울시 7·9급

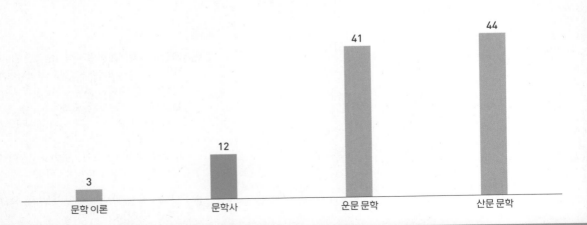

문학 이론	문학사	운문 문학	산문 문학
3	12	41	44

Chapter 01 고전 문학사

Chapter 02 현대 문학사

● **Section 기출 트렌드**

• 문학사는 문학에서 출제 비중이 낮은 편입니다. 주로 서울시 시험에서 출제되었습니다.

• 고전·현대 문학사의 흐름 또는 개별 작품이나 작가에 대한 지식을 묻는 문제가 주로 출제됩니다.

• 고전· 현대 문학사의 전체적인 흐름을 이해하고 시대별 주요 작품 및 작가에 대한 정보를 알아 두
  는 것이 필요합니다.

• 1. 고전 문학사

01

[2020년 서울시 9급]

조선 시대 대표적 문사(文士) 송강 정철이 창작한 가사가 아닌 것은?

① 「속미인곡」
② 「면앙정가」
③ 「관동별곡」
④ 「사미인곡」

02

[2019년 서울시 7급 (2월)]

〈보기〉의 작품들을 시대순으로 바르게 나열한 것은?

─── 〈보기〉 ───

(가) 雨歇長堤草色多
　　 送君南浦動悲歌
　　 大同江水何時盡
　　 別淚年年添綠波

(나) 생사의 길은 / 여기 있으니 두려워하고 / 나는 간다는 말도 / 못다 이르고 가느냐 / 어느 가을 이른 바람에 / 여기 저기 떨어지는 나뭇잎처럼 / 한 가지에 나고서도 / 가는 곳을 모르는구나 / 아으, 미타찰(彌陀刹)에 만날 나 / 도(道) 닦아 기다리리.

(다) 翩翩黃鳥
　　 雌雄相依
　　 念我之獨
　　 誰其與歸

(라) 이화우(梨花雨) 훗뿌릴 제 울며 잡고 이별(離別)훈 님
　　 추풍(秋風) 낙엽(落葉)에 저도 날 생각눈가
　　 천리(千里)에 외로운 꿈만 오락가락 호노매

① (가) - (다) - (나) - (라)
② (가) - (다) - (라) - (나)
③ (다) - (가) - (나) - (라)
④ (다) - (나) - (가) - (라)

03

[2018년 서울시 7급 (6월)]

〈보기〉의 작품들을 시대 순서대로 바르게 나열한 것은?

─── 〈보기〉 ───

ㄱ. 올하 올하 아련 비올하.
　　 여흘란 어듸 두고 소해 자라온다.
　　 소콧 얼면 여흘도 됴후니 여흘도 됴후니.

ㄴ. 龜何龜何
　　 首其現也
　　 若不現也
　　 燔灼而喫也

ㄷ. 출하리 식어디여 범나븨 되오리라.
　　 곳나모 가지마다 간 디 족족 안니다가
　　 향 므틴 놀애로 님의 오시 올므리라.
　　 님이야 날인 줄 모르셔도 내 님 조추려 하노라.

ㄹ. 추강에 밤이 드니 물결이 추노미라.
　　 낙시 드리치니 고기 아니 무노미라.
　　 무심훈 돌빗만 싯고 빈 빈 저어 오노라.

① ㄱ - ㄴ - ㄷ - ㄹ
② ㄴ - ㄱ - ㄷ - ㄹ
③ ㄱ - ㄴ - ㄹ - ㄷ
④ ㄴ - ㄱ - ㄹ - ㄷ

01 난이도 ★★★

해설 ②「면앙정가」는 조선 중종 때 송순이 지은 가사로, 송강 정철이 창작한 작품이 아니다.
- **「면앙정가」**: '송순'이 자신의 고향인 전라남도 담양에 '면앙정'이라는 정자를 짓고 은거하면서 주위 자연의 아름다움에서 얻은 흥취를 사계절의 변화에 따라 노래한 가사이다.

오답분석 ①③④는 모두 송강 정철이 창작한 가사이다.
- ① **「속미인곡」**: 임금을 그리워하는 정을 두 여인의 대화 형식으로 읊은 연군 가사이다.
- ③ **「관동별곡」**: 금강산 및 관동 팔경을 유람하며 그 경치에 대한 감탄과 더불어 관리로서의 책임감(우국, 연군, 애민)과 개인으로서의 욕망(풍류) 사이의 갈등을 노래한 가사이다.
- ④ **「사미인곡」**: 임금에 대한 그리움과 충정을 여성 화자를 통해 노래한 충신연주지사의 가사이다.

03 난이도 ★★★

해설 ④ 제시된 작품들을 시대 순서대로 나열하면 ㄴ-ㄱ-ㄹ-ㄷ이 되므로 답은 ④이다.
- **ㄴ. 구지가**: 고려 시대 이전에 창작된 고대 가요로, 수로왕의 강림을 기원하는 집단적, 주술적 성격의 노래이다.
- **ㄱ. 만전춘**: 고려 시대에 창작된 고려 가요로, 변치 않는 사랑에 대한 소망을 노래한 작품이다.
- **ㄹ. 추강에 밤이 드니**: 조선 성종(1469~1494) 때 월산 대군이 지은 시조로, 자연을 즐기며 세속적 욕망을 버린 화자의 모습을 한 폭의 동양화처럼 선명하게 그려낸 작품이다.
- **ㄷ. 속미인곡**: 조선 선조(1567~1608) 때 정철이 지은 가사로, 1585년에서 1589년 사이에 창작된 것으로 추측된다. '속미인곡'은 '사미인곡'의 속편으로, 두 여인을 등장인물로 설정하여 임(임금)을 향한 그리움을 노래한 작품이다.

02 난이도 ★★★

해설 ④ 제시된 작품들을 시대 순서대로 나열하면 (다) - (나) - (가) - (라)가 되므로 답은 ④이다.
- **(다) 황조가**: 고려 시대 이전에 창작된 고대 가요로, 유리왕이 사랑하는 임을 잃은 외로움과 슬픔을 다정한 꾀꼬리의 모습과 대조하여 노래한 작품이다.
- **(나) 제망매가**: 신라 경덕왕 때 월명사가 지은 향가로, 누이의 죽음으로 인한 슬픔을 종교적으로 승화한 작품이다.
- **(가) 송인**: 고려 인종 때 정지상이 지은 한시로, 자연사와 인간사의 대조를 통하여 이별의 슬픔을 드러낸 작품이다.
- **(라) 이화우 흣뿌릴 제**: 조선 선조 때 계랑이 지은 시조로, 사랑하는 임과의 이별을 소재로 임에 대한 그리움과 애절한 마음을 섬세한 여성적 감성으로 노래한 작품이다.

2. 고전 작품에 대한 지식

04

[2020년 서울시 9급]

〈보기〉에 대한 설명으로 가장 옳지 않은 것은?

> ──────── 〈보기〉 ────────
>
> 거북아 거북아
> 머리를 내어 놓아라.
> 만약 내어 놓지 않으면
> 굽고 구워 먹겠다.
>   - '구지가'

① 향가 발생 이전의 고대시가이다.

② 환기, 명령, 가정의 어법을 지닌 주술적 노래이다.

③ 음악, 시가, 무용이 모두 어우러진 종합 예술의 성격을 띠고 있다.

④ 고조선 곽리자고의 아내 여옥이 지었다고 전해지는 순수 서정시이다.

06

[2018년 서울시 7급 (3월)]

〈보기〉의 작품과 같은 형식의 향가 작품이 아닌 것은?

> ──────── 〈보기〉 ────────
>
> 임금은 아버지요
> 신하는 자애로운 어머니요
> 백성은 어린아이라고 한다면
> 백성이 사랑하심을 알 것입니다. 〈중 략〉
> 아으, 임금답게 신하답게 백성답게 한다면
> 나라 안이 태평할 것입니다.

① 원왕생가　　　　　② 처용가

③ 찬기파랑가　　　　④ 혜성가

05

[2018년 서울시 9급 (6월)]

〈보기〉의 시조를 이해한 내용으로 가장 옳지 않은 것은?

> ──────── 〈보기〉 ────────
>
> 가노라 ㉠三角山아 다시 보쟈 ㉡漢江水야
> ㉢故國山川을 써느고쟈 ᄒ랴마ᄂ
> 時節이 하 ㉣殊常ᄒ니 올동 말동 ᄒ여라
>   - 김상헌

① ㉠의 다른 명칭은 '인왕산'이다.

② ㉡은 여전히 사용하는 명칭이다.

③ ㉢의 당시 국호는 '조선'이다.

④ ㉣은 병자호란 직후의 상황을 뜻한다.

04

 ④ ④는 '구지가'가 아닌 '공무도하가'에 대한 설명이다.

- 공무도하가(公無渡河歌): 고조선의 뱃사공 곽리자고의 아내 여옥이 지었다고 전해지는 작품으로, 우리나라에서 가장 오래된 서정시이며 집단 가요와 개인적 서정시 사이를 잇는 과도기적 작품이다.

오답분석 ① '구지가'는 향가 발생 이전에 창작된 고대 시가이다. 참고로 한국의 시가 문학은 '고대 시가(고대 가요) → 향가 → 고려 가요' 등의 순으로 발전되었다.

② '구지가'는 '환기 – 요구 – 가정 – 위협'의 순서대로 전개되며 가락국의 군중이 임금을 맞이하기 위해 불렀던 주술적인 목적을 지닌 노래이다.
- 1구(환기): 신령한 존재인 거북을 부름
- 2구(요구): 거북에게 머리를 내어놓으라고 요구함
- 3구(가정): 머리를 내어놓지 않는 상황을 가정함
- 4구(위협): 거북을 구워 먹겠다고 위협함

③ '구지가'는 음악, 시가, 무용이 어우러진 원시 종합 예술의 특징을 지니는데, 이는 '구지가'의 배경 설화를 통해 알 수 있다.

이것도 알면 합격

'구지가'의 배경 설화를 알아두자.

계욕일에 구지봉에서 누군가를 부르는 이상한 소리가 들려와 수백 명의 사람들이 모이니, "'거북아, 거북아. 머리를 내놓아라. 내놓지 않으면 구워서 먹으리라.' 하면서 춤을 추면 하늘에서 내려 주는 대왕을 맞이하여 기뻐서 춤추게 될 것이다"라는 말소리가 들렸다. 구간 등이 그 말에 따라 노래하며 춤추고 나니 하늘에서 황금 알 여섯이 내려와 각각 사람으로 변해 여섯 가야의 왕이 되었다.

05

 ① 제시된 작품은 조선 중기 문신인 김상헌의 시조이며, ㉠ '三角山(삼각산)'의 다른 명칭은 '북한산'이므로 시조를 이해한 내용으로 옳지 않은 것은 ①이다. 참고로 이 작품에는 병자호란 때 끝까지 싸울 것을 주장한 작가가 전란 후 볼모로 잡혀가며 느낀 분하고 안타까운 심정이 표현되어 있다.

오답분석 ② ㉡ '漢江(한강)'은 현재 서울의 '한강'을 지칭하는 시어로, 여전히 사용되는 명칭이다.

③ ㉢ '故國(고국)'은 작가인 김상헌이 조국인 조선을 지칭하는 시어이다.

④ ㉣ '殊常ᄒ니(수상하니)'는 현대어로 풀이하면 '뒤숭숭하니'로, 병자호란 직후 혼란스러운 나라 사정을 뜻하는 시어이다.

 가노라 ㉠ 삼각산아, 다시 보자 ㉡ 한강수야. / ㉢ 고국 산천을 떠나고자 하겠는가마는 / 시절이 매우 ㉣ 뒤숭숭하니 올 동 말 동 하여라.

06

 ② 제시된 작품은 충담사의 '안민가'로, 10구체 형식의 향가이다. ① '원왕생가', ③ '찬기파랑가', ④ '혜성가'는 모두 '안민가'와 같은 10구체 향가이나 '처용가'는 8구체 향가이므로 답은 ②이다.

- 안민가: 신라 경덕왕 때 충담사가 지은 10구체 향가로, 임금, 신하, 백성의 관계를 아버지, 어머니, 자식의 관계에 빗대어 나라를 올바르게 다스리는 방법을 노래한 작품이다.
- 처용가: 신라 헌강왕 때 처용이 지은 8구체 향가로, 처용이 자신의 아내를 범한 역신을 보고 이 노래를 부르고 춤을 추었더니 역신이 물러갔다는 설화와 함께 전해져 오는 주술적 성격의 작품이다.

오답분석 ① 원왕생가: 신라 문무왕 때 광덕이 지었다고 전해지는 10구체 향가로, 극락왕생에 대한 의지를 담은 기원적 성격의 노래다.

③ 찬기파랑가: 신라 경덕왕 때 충담사가 지은 10구체 향가로, 고매한 인품의 기파랑을 추모하기 위해 지은 노래이다.

④ 혜성가: 신라 진평왕 때 융천사가 지은 10구체 향가로, 혜성의 변괴를 없애고 왜구의 침략을 막고자 지은 노래이다.

이것도 알면 합격

형식에 따른 향가 작품의 분류를 알아두자.

4구체	백제 무왕, '서동요' / 견우 노인, '헌화가' / 월명사, '도솔가'
8구체	득오, '모죽지랑가' / 처용, '처용가'
10구체	충담사, '안민가' · '찬기파랑가' / 융천사, '혜성가' / 광덕, '원왕생가' / 월명사, '제망매가'

07

[2018년 경찰직 1차]

이 작품에 대한 설명으로 가장 적절하지 않은 것은?

> 德(덕)으란 곰비예 받줍고
> 福(복)으란 림비예 받줍고
> 德(덕)이여 福(복)이라 호놀
> 나ᅀᅡ라 오소이다
> 아으 動動(동동)다리
>
> 正月(정월)ㅅ 나릿므른
> 아으 어져 녹져 ᄒᆞ논ᄃᆡ
> 누릿 가온ᄃᆡ나곤
> 몸하 ᄒᆞ올로 녈셔
> 아으 動動(동동)다리
>
> 二月(이월)ㅅ 보로매
> 아으 노피 현
> 燈(등)ㅅ블 다호라
> 萬人(만인) 비취실 즈ᅀᅵ샷다
> 아으 動動(동동)다리
>
> 三月(삼월) 나며 開(개)ᄒᆞᆫ
> 아으 滿春(만춘) 돌욋고지여
> ᄂᆞ믜 브롤 즈슬
> 디녀 나샷다
> 아으 動動(동동)다리

① 임을 그리는 여인의 심정을 월령체 형식에 맞추어 노래한 고려 가요이다.

② 고려 시대부터 구전되어 내려오다가 조선 시대에 문자로 정착되어 『악장가사』에 전한다.

③ 후렴구를 사용하여 연을 구분하고 음악적 흥취를 고조시 켰다.

④ 1연은 서사(序詞)로서 송축(頌祝)의 내용을 담고 있는데, 이는 민간의 노래가 궁중으로 유입되면서 덧붙여진 것으 로 추측된다.

08

[2018년 경찰직 1차]

이 작품에 대한 설명으로 가장 적절한 것은?

> 제6과장 양반춤
>
> 말뚝이: (벙거지를 쓰고 채찍을 들었다. 굿거리장단에 맞추 어 양반 삼 형제를 인도하여 등장)
>
> 양반 삼 형제: (말뚝이 뒤를 따라 굿거리장단에 맞추어 점잔 을 피우나, 어색하게 춤을 추며 등장. 양반 삼 형제 맏이 는 샌님[生員], 둘째는 서방님[書房], 끝은 도련님[道令] 이다. 샌님과 서방님은 흰 창옷에 관을 썼다. 도련님은 남 색 쾌자에 복건을 썼다. 샌님과 서방님은 언청이이며(샌 님은 언청이 두 줄, 서방님은 한 줄이다.) 부채와 장죽을 가지고 있고, 도련님은 입이 삐뚤어졌고 부채만 가졌 다. 도련님은 일절 대사는 없으며, 형들과 동작을 같이 하면서 형들의 면상을 부채로 때리며 방정맞게 군다.)
>
> 말뚝이: (가운데쯤에 나와서) 쉬이. (음악과 춤 멈춘다.) 양 반 나오신다아! 양반이라고 하니까 노론(老論), 소론 (少論), 호조(戶曹), 병조(兵曹), 옥당(玉堂)을 다 지내 고 삼정승(三政丞), 육판서(六判書)를 다 지낸 퇴로 재 상(退老宰相)으로 계신 양반인 줄 아지 마시오. 개잘량 이라는 '양'자에 개다리소반이라는 '반'자 쓰는 양반이 나오신단 말이오.
>
> 양반들: 야아, 이놈, 뭐야아!
>
> 말뚝이: 아, 이 양반들, 어찌 듣는지 모르갔소. 노론, 소 론, 호조, 병조, 옥당을 다 지내고 삼정승, 육판서 다 지내고 퇴로재상으로 계신 이 생원네 삼 형제분이 나 오신다고 그리하였소.
>
> 양반들: (합창) 이 생원이라네. (굿거리장단으로 모두 춤을 춘다. 도령은 때때로 형들의 면상을 치며 논다. 끝까지 그 런 행동을 한다.)

① 경상도 안동 지방에서 전해 내려오는 가면극의 일종이다.

② '양반의 위엄 → 말뚝이의 조롱 → 양반의 호통 → 말뚝이 의 변명 → 양반의 안심'의 재담 구조를 보인다.

③ 등장인물은 공연 상황에 따라 대사를 바꾸어 표현하지 못 한다.

④ 말뚝이는 무능한 지배 계층을 대변하는 인물이다.

07

난이도 ★★☆

해설 ② 제시된 작품은 작자 미상의 고려 가요 '동동(動動)'이다. '동동'은 고려 시대에 창작된 이후 구전되어 내려오다 조선 시대에 문자로 정착되어 『악학궤범』에 전해진다. 『악장가사』와 『악학궤범』은 별개의 문헌이므로 작품에 대한 설명으로 가장 적절하지 않은 것은 ②이다.

오답분석 ① 제시된 작품은 현존하는 가장 오래된 월령체 형식의 작품으로, 시간의 흐름에 따라 임을 떠나보낸 여인의 그리움을 노래하고 있다.
- **월령체**: 작품의 형식이 일 년 열두 달을 차례대로 맞추어 가며 구성된 시가들을 총칭하는 말

③ 후렴구 '아으 **動動**(동동)다리'는 각 연의 끝에 반복적으로 사용되어 연을 구분하고 음악적 흥취를 고조시키는 역할을 하고 있다.

④ 제시된 작품이 후대에 궁중 속악 가사로 사용되면서, 궁중 의식에 맞게 송축(頌祝)의 내용을 담은 '서사(序詞)'가 작품의 1연에 덧붙여졌다.

이것도 알면 합격

작자 미상, '동동(動動)'의 주제와 특징을 알아두자.

1. **주제**: 임에 대한 송도와 연모의 감정
2. **특징**
- 우리 문학 최초의 월령체 문학임
- 은유법, 직유법, 영탄법이 사용됨
- 세시 풍속에 따라 사랑의 감정을 노래함
- 분절체 형식(서사 1연, 본사 12연)으로 구성됨

08

난이도 ★★☆

해설 ② 제시된 작품에는 ②의 재담 구조가 드러나므로 가장 적절한 설명은 ②이다. 참고로, 제6과장 '양반춤'을 구성하는 재담들은 모두 유사한 구조를 지니고 있다.
- **양반의 위엄**: 양반 삼 형제가 말뚝이의 인도를 받으며 등장함
- **말뚝이의 조롱**: 말뚝이가 언어유희를 활용하여 양반들을 우스꽝스럽게 소개함
- **양반의 호통**: 화가 난 양반들이 말뚝이에게 호통을 침
- **말뚝이의 변명**: 말뚝이가 말을 바꾸어 양반들에게 변명을 함
- **양반의 안심**: 양반 삼 형제가 말뚝이의 말에 속아 끝까지 춤을 추며 놂

오답분석 ① 제시된 작품은 황해도 봉산 지방에서 전해 내려오는 가면극이다.

③ 전통 가면극은 무대와 객석이 명확하게 구분되지 않으므로 극의 전개 상황과 관객의 참여에 따라 대사가 변경될 수 있다.

④ 말뚝이는 지배 계층을 희화화하여 웃음을 유발하고, 이를 통해 지배 계층의 무능함과 어리석음을 비판하는 인물이다. 참고로 무능한 지배 계층을 대변하는 인물은 양반 삼 형제이다.

1. 현대 문학사

01

[2019년 서울시 7급 (2월)]

〈보기〉와 시대적 배경이 같은 작품은?

― 〈보기〉 ―

하꼬방 유리 딱지에 애새끼들
얼굴이 불타는 해바라기마냥 걸려 있다.

내려 쪼이던 햇발이 눈부시어 돌아선다.
나도 돌아선다.

울상이 된 그림자 나의 뒤를 따른다.
어느 접어든 골목에서 걸음을 멈춰라.

잿더미가 소복한 울타리에
개나리가 망울졌다.

① 김승옥의 『무진기행』
② 황석영의 『삼포가는 길』
③ 이문구의 『우리동네 김씨』
④ 황순원의 『나무들 비탈에 서다』

02

[2018년 서울시 9급 (6월)]

1960년대 한국 문학의 특징으로 가장 옳지 않은 것은?

① 전후 문학의 한계에 대한 극복이 주요한 과제로 제기되었다.
② 4·19혁명의 영향으로 현실비판문학이 가능하게 되었다.
③ 참여 문학과 순수 문학 진영 간의 논쟁이 발생하였다.
④ 민족 문학과 민중 문학에 대한 논의가 활발히 전개되었다.

03

[2018년 국회직 8급]

작품 창작 연대가 앞선 것부터 순서대로 나열한 것은?

ㄱ. 아아, 날이 저믄다. 서편(西便) 하늘에, 외로운 강물 우에, 스러져 가는 분홍빛 놀…… 아아 해가 저믈면 해가 저믈면, 날마다 살구나무 그늘에 혼자 우는 밤이 또 오것마는, 오늘은 사월(四月)이라 파일날, 큰길을 물밀어 가는 사람 소리는 듯기만 하여도 흥성시러운 거슬웨 나만 혼자 가슴에 눈물을 참을 수 업는고?

ㄴ. 잘 있거라, 짧았던 밤들아 / 창밖을 떠돌던 겨울안개들아 / 아무것도 모르던 촛불들아, 잘 있거라 / 공포를 기다리던 흰 종이들아 / 망설임을 대신하던 눈물들아 / 잘 있거라, 더 이상 내 것이 아닌 열망들아 // 장님처럼 나 이제 더듬거리며 문을 잠그네 / 가엾은 내 사랑 빈집에 갇혔네

ㄷ. "가고 오지 못한다"는 말을 / 철업든 내 귀로 드렀노라 / 만수산(萬壽山)을 나서서 / 옛날에 갈라선 그 내 님도 / 오늘날 뵈올 수 잇엇스면 / 나는 세상 모르고 사랏노라 / 고락(苦樂)에 겨운 입술로는 / 갓튼 말도 죠금 더 영리하게 / 말하게도 지금은 되엇건만 / 오히려 세상 모르고 사랏스면!

ㄹ. 풀이 눕는다 / 비를 몰아오는 동풍에 나부껴 / 풀은 눕고 / 드디어 울었다 / 날이 흐려서 더 울다가 / 다시 누웠다 // 풀이 눕는다 / 바람보다도 더 빨리 눕는다 / 바람보다도 더 빨리 울고 / 바람보다 먼저 일어난다

ㅁ. 낙엽은 폴―란드 망명정부의 지폐 / 포화(砲火)에 이즈러진 / 도룬 시의 가을 하늘을 생각케 한다 / 길은 한 줄기 구겨진 넥타이처럼 풀어져 / 일광(日光)의 폭포 속으로 사라지고 / 조그만 담배 연기를 내어 뿜으며 / 새로 두 시의 급행열차가 들을 달린다

① ㄱ - ㄴ - ㄷ - ㄹ - ㅁ
② ㄱ - ㄷ - ㅁ - ㄴ - ㄹ
③ ㄱ - ㄷ - ㅁ - ㄹ - ㄴ
④ ㄷ - ㄱ - ㄴ - ㅁ - ㄹ
⑤ ㄷ - ㄱ - ㅁ - ㄹ - ㄴ

01

난이도 ★★☆

해설 ④ 제시된 작품과 ④ '황순원의 『나무들 비탈에 서다』'는 모두 시대적 배경이 6·25 전쟁 직후인 작품이다.

- 구상, 『초토의 시 1』: 6·25 전쟁이 낳은 비극적 현실 속에서도 희망을 잃지 않으려는 화자의 굳센 의지를 표현한 시이다.
- 황순원, 『나무들 비탈에 서다』: 6·25 전쟁을 겪은 인물들이 상처와 후유증을 극복해 가는 과정을 그린 소설이다.

오답분석 ① 김승옥의 『무진기행』: 1960년대를 시대적 배경으로 하는 소설로, 일상에서 벗어나 꿈의 세계로 도피하여 일탈하고자 하는 현대인의 심리를 그린 소설이다.

② 황석영의 『삼포가는 길』: 1970년대를 시대적 배경으로 하는 소설로, 근대화와 산업화의 흐름 속에서 소외된 하층민들의 애환과 연대 의식을 그린 소설이다.

③ 이문구의 『우리동네 김씨』: 1970년대를 시대적 배경으로 하는 소설로, 가뭄으로 인해 고통받는 농민들의 힘겨운 삶과 농민을 위한 국가 정책의 부재를 드러낸 소설이다.

03

난이도 ★★★

해설 ③ 작품의 창작 연대가 앞선 것부터 순서대로 나열하면 'ㄱ - ㄷ - ㅁ - ㄹ - ㄴ'이므로 답은 ③이다.

- ㄱ. 주요한의 '불놀이': 1919년에 발표된 우리나라 최초의 자유시로, 임을 잃은 상실과 절망감, 이를 극복하려는 의지를 표현하였다.
- ㄷ. 김소월의 '나는 세상 모르고 살았노라': 1925년에 발표되었으며, 이별과 죽음 간의 긴밀한 연관성이 나타난다.
- ㅁ. 김광균의 '추일서정': 1940년에 발표된 모더니즘 시로, 가을의 황량함과 고독함을 다양한 이미지로 표현하였다.
- ㄹ. 김수영의 '풀': 1968년에 발표되었으며, 부정한 권력에 대항하는 민중의 끈질긴 생명력을 '풀'의 모습으로 형상화하였다.
- ㄴ. 기형도의 '빈집': 1989년에 발표되었으며, 사랑을 잃은 화자의 상실감과 공허함을 표현하였다.

02

난이도 ★★☆

해설 ④ 민족 문학과 민중 문학에 대한 논의가 전개된 시기는 1970~1980년대이므로 1960년대 한국 문학의 특징으로 옳지 않은 것은 ④이다. 1970~1980년대에는 급격한 산업화로 인한 여러 사회 문제가 발생하였고 이를 계기로 노동자, 농민, 도시 빈민 등 민중이 창작의 주체이자 수용자가 되는 민중 문학이 등장하였다. 또한 문학의 사회 참여를 적극적으로 주장하는 민족 문학이 부흥하였다.

오답분석 ① 1960년대 한국 문학의 주요 과제는 1950년대에 활발히 전개되었던 전후 문학의 한계를 극복하는 것이었다.

② 1960년 4·19혁명 이후 현실의 문제를 고발하는 사회 참여적 성격의 현실 비판 문학이 등장하였다.

③ 1960년대에는 문학의 현실 참여 문제를 둘러싼 참여 문학과 순수 문학 간의 논쟁이 수차례 전개되었다. 참여 문학이란, 목적이 사회문제 해결에 있는 문학을 뜻한다. 반면 순수 문학은 현실 및 시대의 상황과는 무관하게 예술로서의 작품 자체에 목적을 둔 문학을 의미한다.

04
[2017년 서울시 9급]

다음 예문에 제시된 시사(詩史)의 전개가 순서에 맞게 배열된 것은?

> ㉠ 농민의 애환을 다룬 신경림의 「농무」를 비롯하여, 고은이나 김지하 등 참여 시인들의 작품은 현실에 저항하는 문학의 실천성을 보여주었다.
> ㉡ 한용운의 시집 『님의 침묵』이 출간되어 이 시기를 대표 하는 시인으로 떠올랐고, 다른 한편으로는 조선 프롤레타리아 예술가 동맹(KAPF)이 결성되어 리얼리즘 계열의 시가 창작되기도 했다.
> ㉢ 전쟁에 참여한 시인들은 선전 선동시 등을 창작하기도 했으나 구상의 「초토의 시」처럼 황폐화된 국토의 모습을 통해 전쟁이 남긴 비극을 그려내는 작품들이 나타났다.
> ㉣ 모더니즘 시운동을 선도한 시인들이 도시적 감수성을 세련된 기교로 노래했다. 김기림은 장시 「기상도」를 통해 현대 문명을 비판했다.

① ㉡ - ㉣ - ㉠ - ㉢
② ㉡ - ㉣ - ㉢ - ㉠
③ ㉣ - ㉡ - ㉠ - ㉢
④ ㉣ - ㉡ - ㉢ - ㉠

05
[2017년 서울시 7급]

다음 시들을 발표 순서대로 배열한 것은?

> ㉠ 여승은 합장하고 절을 했다.
> 가지취의 내음새가 났다.
> 쓸쓸한 낮이 옛날같이 늙었다.
> 나는 불경처럼 서러워졌다.
> ㉡ 눈은 살아 있다.
> 떨어진 눈은 살아 있다.
> 마당 위에 떨어진 눈은 살아 있다.
> ㉢ 산에는 꽃 피네.
> 꽃이 피네.
> 갈 봄 여름 없이
> 꽃이 피네.
> ㉣ 껍데기는 가라.
> 사월도 알맹이만 남고
> 껍데기는 가라.

① ㉠ - ㉢ - ㉡ - ㉣
② ㉠ - ㉢ - ㉣ - ㉡
③ ㉢ - ㉠ - ㉡ - ㉣
④ ㉢ - ㉠ - ㉣ - ㉡

06
[2017년 경찰직 2차]

1930년대 한국 문학에 대한 설명 중 가장 적절한 것은?

① 이 시기에 발표된 이광수의 장편 소설 〈무정〉은 신소설을 발전적으로 계승하였다.
② 이 시기에는 일제의 탄압이 극에 달했으며, 민족어 말살 정책으로 많은 문인들이 친일적인 작품을 쓰거나 붓을 꺾었다.
③ 김기림, 정지용 등의 시인들은 감성보다 지성, 리듬보다 이미지에 호소하는 주지주의 경향을 바탕으로 한 시를 창작하였다.
④ 이 시기의 시는 3·1 운동의 좌절로 인한 허무와 패배 의식의 영향으로 감상적·퇴폐적 낭만주의 경향을 보였으며, 황석우, 홍사용, 박영희 등이 대표적이었다.

07
[2016년 서울시 9급]

다음 중 〈보기〉와 작품 속 시대적 배경이 같은 것은?

> ─── 〈보기〉 ───
>
> 오호, 여기 줄지어 누웠는 넋들은
> 눈도 감지 못하였겠구나.
>
> 어제까지 너희의 목숨을 겨눠
> 방아쇠를 당기던 우리의 그 손으로
> 썩어 문드러진 살덩이와 뼈를 추려
> 그래도 양지 바른 두메를 골라
> 고이 파묻어 떼마저 입혔거니
> 죽음은 이렇듯 미움보다도 사랑보다도
> 더욱 너그러운 것이로다.

① 김주영의 「객주」
② 이범선의 「오발탄」
③ 박경리의 「토지」
④ 황석영의 「장길산」

04

난이도 ★★☆

해설 ② 제시된 시사를 순서에 맞게 배열하면 ㉢ – ㉣ – ㉡ – ㉠이 되므로 답은 ②이다.

- ㉢ 1920년대: 한용운의 『님의 침묵』은 1926년에 출간되었으며, KAPF는 1925년에 결성된 단체이다.
- ㉣ 1930년대: 모더니즘은 1930년대에 활발하게 퍼진 문예 사조로, 주로 시각적 이미지를 통해 현대 도시 문명을 형상화하였다. 모더니즘 시 운동을 주도한 김기림은 1936년 「기상도」를 발표하여 현대 문명에 대한 비판을 드러냈다.
- ㉡ 1950년대: 6·25 전쟁이 남긴 비극을 다룬 구상의 「초토의 시」는 1956년에 발표되었다.
- ㉠ 1970년대: 신경림은 1973년에 「농무」를 발표했으며, 고은과 김지하 등 참여 시인은 1970년대의 부당한 현실에 저항하는 실천적인 작품을 창작하였다.

05

난이도 ★★★

해설 ③ 시들을 발표 순서대로 배열하면 ㉢ – ㉠ – ㉡ – ㉣이 되므로 답은 ③이다.

- ㉢ 김소월의 '산유화': 1925년에 발표되었으며, 꽃이 피고 지는 단순한 현상을 통하여 자연의 순환적 질서를 표현하였다.
- ㉠ 백석의 '여승': 1936년에 발표되었으며, 한 여승의 비극적인 인생을 통해 일제의 식민지 수탈로 힘겹게 살아가는 민중의 고달픈 삶을 표현하였다.
- ㉡ 김수영의 '눈': 1956년에 발표되었으며, '눈'을 소재로 하여 순수한 생명의 회복과 부정적 현실을 극복하려는 의지를 표현하였다.
- ㉣ 신동엽의 '껍데기는 가라': 1967년에 발표되었으며, 명령형 종결 어미를 사용하여 부정적 세력에 대한 강렬한 저항 의식을 표현하였다.

06

난이도 ★★☆

해설 ③ 김기림과 정지용은 1930년대를 대표하는 모더니즘 시인이다. 이들은 주지주의 경향을 바탕으로 감각적 이미지가 두드러지는 작품들을 창작하였는데, 대표작으로는 김기림의 〈바다와 나비〉, 정지용의 〈유리창 1〉 등이 있다. 따라서 1930년대 한국 문학에 대한 설명으로 옳은 것은 ③이다.

오답분석 ① 이광수의 장편 소설 〈무정〉은 1917년에 발표된 우리나라 최초의 장편 현대 소설로, 고전 소설과 현대 소설의 과도기적 성격인 신소설에서 탈피한 작품이라고 할 수 있다.

② 일제가 침략 전쟁을 확대하고 문학 활동을 극심하게 탄압하면서 우리나라 문인들이 친일 작품을 쓰거나 절필한 시기는 1940년대이다. 1942년에는 민족어 말살 정책의 일환으로 한글학자들이 투옥되는 '조선어학회사건'이 발생하기도 하였다.

④ 1919년 3·1 운동의 실패로 인해 사회적으로 허무함과 좌절감이 형성된 시기는 1920년대이다. 이때 감상적·퇴폐적 낭만주의 경향의 작품들이 발표되었다.

07

난이도 ★★☆

해설 ② 〈보기〉와 ②는 모두 6·25 전쟁 직후를 시대적 배경으로 하고 있다. 〈보기〉는 구상의 「초토의 시 8 – 적군 묘지에서」로, 적군의 죽음을 애도하며 통일을 염원하는 작품이고, ②의 '오발탄'은 전후의 부조리한 현실을 형상화한 작품이다.

오답분석 ① 김주영의 「객주」: 1878~1885년을 시대적 배경으로 하는 소설로, 조선 후기 보부상들의 삶과 활약상을 그린 소설이다.

③ 박경리의 「토지」: 구한말인 1897년부터 일제 강점기까지를 시대적 배경으로 하는 소설로, 지주 집안인 최 씨 일가의 몰락과 재기 과정을 그린 작품이다.

④ 황석영의 「장길산」: 조선 후기 숙종 때를 시대적 배경으로 하는 소설로, 당대 실재했던 의적 장길산 부대의 활약을 그린 소설이다.

08

[2016년 서울시 9급]

〈보기〉의 문학사적 사실들을 발생 순서대로 배열한 것은?

─── 〈보기〉 ───

㉠ 「삼대」, 「흙」, 「태평천하」 등 다양한 장편소설들이 발표되었다.

㉡ 이광수의 「무정」이 매일신보에 연재되어 세간의 화제를 불러일으켰다.

㉢ 『창조』, 『백조』, 『폐허』 등의 동인지가 등장하고 『조선일보』, 『동아일보』와 같은 민간 신문들이 발행되었다.

㉣ 『인문평론』, 『문장』 등 유수한 문학잡지들과 한글 신문 등의 발행이 어려워지게 되었다.

㉤ 이인직의 「혈의 누」, 이해조의 「자유종」과 같은 소설들이 발표되었다.

① ㉡ - ㉤ - ㉠ - ㉢ - ㉣

② ㉡ - ㉤ - ㉢ - ㉣ - ㉠

③ ㉤ - ㉡ - ㉢ - ㉠ - ㉣

④ ㉤ - ㉢ - ㉠ - ㉡ - ㉣

09

[2015년 기상직 9급]

각 시대별로 나타난 문학의 특징을 설명한 것으로 적절하지 않은 것은?

① 1910년대 - 전근대적 사회를 극복하고자 하였으며, 서구 문학의 유입에 따라 우리 민족의 역량을 길러야 한다는 민족주의적 계몽주의가 주류를 이루었다.

② 1920년대 - 《백조》, 《장미촌》, 《폐허》 등과 같은 문예 동인지가 발간되면서 전문적인 문인들이 등장하여 문학의 저변이 확대되었다.

③ 1930년대 - 문학의 순수성과 예술성을 지향하는 문인들이 문단의 주류를 형성하였고, 브나로드 운동의 영향으로 농촌 계몽을 목적으로 하는 문학이 등장하였다.

④ 1950년대 - 정치적 격동기를 배경으로 사회 현실에 대한 통찰과 인식, 역사에 대한 반성과 비판을 주류로 하는 참여문학이 형성되었다.

• 2. 현대 작품에 대한 지식

10

[2020년 서울시 9급]

〈보기〉에 제시된 소설의 시대적 배경을 시간 순으로 바르게 나열한 것은?

─── 〈보기〉 ───

ㄱ. 최인훈의 「광장」

ㄴ. 황석영의 「무기의 그늘」

ㄷ. 한강의 「소년이 온다」

ㄹ. 염상섭의 「삼대」

① ㄱ → ㄷ → ㄹ → ㄴ

② ㄱ → ㄹ → ㄷ → ㄴ

③ ㄹ → ㄱ → ㄴ → ㄷ

④ ㄹ → ㄴ → ㄱ → ㄷ

11

[2018년 서울시 9급 (6월)]

6·25전쟁과 가장 거리가 먼 소설은?

① 손창섭, 「비오는 날」

② 박경리, 「토지」

③ 장용학, 「요한시집」

④ 박완서, 「엄마의 말뚝」

12

[2015년 서울시 9급]

다음 중 서울을 주요 배경으로 한 소설이 아닌 것은?

① 박태원의 '천변 풍경'

② 염상섭의 '두 파산'

③ 박완서의 '엄마의 말뚝'

④ 이청준의 '당신들의 천국'

08

난이도 ★★★

해설 ③〈보기〉의 사실을 발생 순서대로 배열하면 ⑩ - ⓒ - ⓒ - ⓒ - ⓒ - ⓒ이 되므로 답은 ③이다.

- ⑩ **개화기**: 「혈의 누」는 1906년에, 「자유종」은 1910년에 발표되었다.
- ⓒ **1910년대**: 「무정」은 1917년부터 『매일신보』에 연재되었다.
- ⓒ **1920년대**: 『창조』, 『백조』, 『폐허』는 각각 1919년, 1922년, 1920년에 등장하였고, 『조선일보』와 『동아일보』는 1920년에 발행되었다.
- ⓒ **1930년대**: 염상섭의 「삼대」, 이광수의 「흙」, 채만식의 「태평천하」는 각각 1931년, 1932년, 1938년에 발표되었다.
- ⓒ **1940년대**: 일제의 탄압으로 인해 『인문평론』과 『문장』은 1941년에 폐간되었고, 한글 신문인 『조선일보』와 『동아일보』는 1940년에 폐간되었다.

10

난이도 ★★★

해설 ③〈보기〉에 제시된 소설의 시대적 배경을 시간 순으로 나열한 것은 ③ 'ㄹ → ㄱ → ㄴ → ㄷ'이다.

- ㄹ. **염상섭의 「삼대」**: 1919년 3·1 운동을 전후한 우리나라의 암담하고 혼란스러운 시대상을 사실적으로 그려낸 작품이다.
- ㄱ. **최인훈의 「광장」**: 1945년 해방 이후부터 1950년 6·25 전쟁까지의 혼란스러운 시대 상황을 당대 지식인의 시선으로 나타낸 작품이다.
- ㄴ. **황석영의 「무기의 그늘」**: 1960년~1975년에 일어난 베트남 전쟁의 숨겨진 본질을 다룬 작품이다.
- ㄷ. **한강의 「소년이 온다」**: 1980년 5월 18일에 일어난 광주 민주화 운동을 배경으로 하는 작품이다.

11

난이도 ★★☆

해설 ②박경리의 『토지』는 1897년부터 1945년 광복까지를 시대적 배경으로 하는 소설이므로 1950년에 일어난 6·25 전쟁과는 거리가 멀다. 반면 ①③④는 모두 6·25 전쟁 시기를 시대적 배경으로 하는 소설이므로 답은 ②이다.

오답 분석 ①손창섭, 『비오는 날』: 6·25 전쟁 직후의 부산을 배경으로 주인공 남매의 불행한 삶을 그린 소설이다.

③장용학, 『요한시집』: 6·25 전쟁 중 포로가 된 주인공의 의식을 중심으로, 1950년대의 이데올로기 문제를 탐구하고 폭로한 소설이다.

④박완서, 『엄마의 말뚝』: 6·25 전쟁과 분단의 비극을 겪은 어머니의 삶을 통해 전쟁의 상처를 안고 살아가는 개인의 피해 의식을 나타낸 소설이다.

09

난이도 ★★☆

해설 ④④의 내용은 1960년대 문학에 대한 설명이므로 적절하지 않다. 참고로, 1950년대 문학의 특징은 아래와 같다.

- **전후 문학**: 구상, 황순원, 이범선 등이 6·25 전쟁 이후의 현실 인식과 사회적 문제를 주된 내용으로 다루는 작품을 창작함
- **순수 서정시**: 서정주, 박목월 등이 전통적인 순수 서정시를 계승하여 인간의 본질에 주목한 작품을 창작함
- **모더니즘 시**: 김수영, 박인환 등은 청록파의 시 세계를 부정하고 1930년대의 모더니즘 시를 계승한 작품을 창작함

12

난이도 ★★★

해설 ④이청준의 '당신들의 천국'은 나환자(한센병 환자)들의 수용 공간인 소록도를 배경으로 하는데, 이곳은 전라남도 고흥군 도양읍에 속한 섬이다. 따라서 서울을 주요 배경으로 한 소설이 아닌 것은 ④이다.

오답 분석 ①박태원의 '천변 풍경': 서울 청계천변을 배경으로, 서민들의 다양한 삶의 모습을 그린 소설이다.

②염상섭의 '두 파산': 서울 황토현 부근을 배경으로, 해방 후 사회적 혼란으로 인해 물질적·정신적으로 파산해 가는 인간의 모습을 그린 소설이다.

③박완서의 '엄마의 말뚝': 서울 서대문 근처를 배경으로, 6·25 전쟁으로 인한 한 가족의 고통과 이를 극복해 나가는 모습을 그린 소설이다.

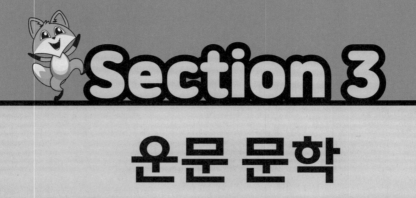

Section 3
운문 문학

1분 만에 파악하는 **7개년 기출 트렌드**

● Section별 출제율
최근 7개년(2015~2021년) 국가직/지방직/서울시 7·9급

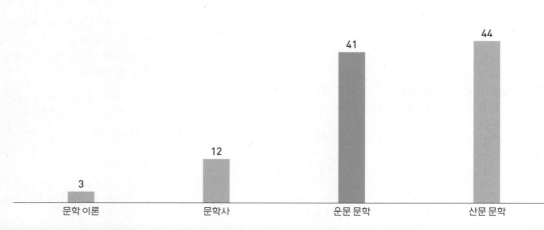

문학 이론	문학사	운문 문학	산문 문학
3	12	41	44

● **Section 기출 트렌드**

· 운문 문학은 산문 문학과 함께 문학에서 가장 많이 출제되고 있습니다.

· 작품에 쓰인 시어 및 시구가 의미하는 바를 파악하는 문제나 작품의 종합적 감상 능력을 요구하는
  문제가 주로 출제되며, 화자의 정서 및 태도를 묻는 문제도 종종 출제됩니다.

· 최근에는 낯선 작품이 출제되는 경향이 있으므로 공무원 시험에 빈출된 주요 작품을 중심으로
  학습하되, 개별 작품의 특징을 암기하는 것이 아니라 생소한 작품도 해석할 수 있도록 학습해야
  합니다.

● 1. 시어의 의미

01
[2021년 국가직 9급]

㉠ ~ ㉣의 의미로 적절하지 않은 것은?

> 二月ㅅ 보로매 아으 노피 ㉠현 燈ㅅ블 다호라
> 萬人비취실 즈싀 샷다 아으 動動다리
> 三月 나며 開훈 아으 滿春 돌욋고지여
> 누믜 브롤 ㉡즈슬 디녀 나샷다 아으 動動다리
> 四月 아니 ㉢니저 아으 오실셔 곳고리새여
> ㉣므슴다 錄事니믄 녯 나룰 닛고신뎌 아으 動動다리
> - 작자 미상, '動動'

① ㉠은 '켠'을 의미한다.
② ㉡은 '모습을'을 의미한다.
③ ㉢은 '잊어'를 의미한다.
④ ㉣은 '무심하구나'를 의미한다.

02
[2019년 서울시 9급 (6월)]

〈보기〉의 밑줄 친 시어를 현대어로 옮길 때 가장 적절하지 않은 것은?

> ──── 〈보기〉 ────
> 매운 계절의 ㉠챗죽에 갈겨
> ㉡마츰내 북방으로 휩쓸려오다
>
> 하늘도 그만 지쳐 끝난 고원
> 서리빨 칼날진 ㉢그우에서다
>
> 어데다 무릎을 꾸러야하나?
> 한발 ㉣재겨디딜 곳조차 없다
>
> 이러매 눈깜아 생각해볼밖에
> 겨울은 강철로된 무지갠가보다
> - 이육사, '절정'

① ㉠: 채찍
② ㉡: 마침내
③ ㉢: 그 위
④ ㉣: 재겨 디딜

03
[2020년 서울시 9급]

〈보기〉의 밑줄 친 ㉠ ~ ㉣ 중 나머지 셋과 성격이 다른 하나는?

> ──── 〈보기〉 ────
> 해야 솟아라. 해야 솟아라. 말갛게 씻은 얼굴 고운 ㉠해야 솟아라. 산 넘어 산 넘어서 어둠을 살라먹고, 산 넘어서 밤새도록 어둠을 살라먹고, 이글이글 애띈 얼굴 고운 해야 솟아라.
>
> 달밤이 싫여, 달밤이 싫여, 눈물 같은 ㉡골짜기에 달밤이 싫여, 아무도 없는 뜰에 달밤이 나는 싫여……,
>
> 해야, 고운 해야. 늬가 오면 늬가사 오면, 나는 나는 ㉢청산이 좋아라. 훨훨훨 깃을 치는 청산이 좋아라. 청산이 있으면 홀로래도 좋아라.
>
> 사슴을 따라, 사슴을 따라, 양지로 ㉣양지로 사슴을 따라 사슴을 만나면 사슴과 놀고,
> 칡범을 따라 칡범을 따라 칡범을 만나면 칡범과 놀고,……
>
> 해야, 고운 해야. 해야 솟아라. 꿈이 아니래도 너를 만나면, 꽃도 새도 짐승도 한자리 앉아, 워어이 워어이 모두 불러 한자리 앉아 애띠고 고운 날을 누려 보리라.
> - 박두진, '해'

① ㉠
② ㉡
③ ㉢
④ ㉣

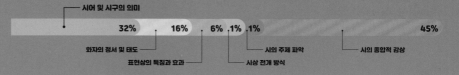

01

난이도 ★★★

해설 ④ ㉣ '므슴다'는 '무엇 때문에'라는 뜻이므로 적절하지 않은 것은 ④이다.

지문 풀이

> 2월 보름에 아아, 높이 ㉠켜 놓은 등불 같구나.
> 만인을 비추실 모습이시도다.
> 3월 지나며 핀 아아, 늦봄의 진달래꽃이여.
> 남이 부러워할 ㉡모습을 지니고 태어나셨구나.
> 4월을 아니 ㉢잊어 아아, 오는구나 꾀꼬리여
> ㉣무엇 때문에 녹사님은 옛날을 잊고 계신지요.

02

난이도 ★★☆

해설 ④ ㉣ '재겨디딜'은 '발끝이나 발뒤꿈치만으로 땅을 디디다'를 의미하는 현대어 '제겨디디다'를 가리키는 말이다. 따라서 ㉣ '재겨디딜'을 '재껴 디딜'로 옮긴 것은 적절하지 않다.

이것도 알면 합격

이육사, '절정(絶頂)'의 주제와 특징을 알아두자.

1. 주제: 현실적 한계 상황에서의 초월적 인식
2. 특징
   • 역설적 표현을 통해 주제를 효과적으로 드러냄
   • 남성적 어조를 통해 화자 자신의 의지와 결단을 보임
   • 한시의 '기-승-전-결'과 유사한 시상 전개 방식을 따름

03

난이도 ★★☆

해설 ② 제시된 작품은 어둠과 밝음의 이미지를 대비시켜 밝음의 세계가 오기를 바라는 화자의 소망을 드러내고 있다. 이때 어둠을 살라먹는 ㉠ '해'와 화자가 좋아하는 공간인 ㉢ '청산', 그리고 볕이 바로 드는 곳을 의미하는 ㉣ '양지'는 밝음의 세계를 의미한다. 그러나 골짜기의 달밤이 싫다는 표현을 통해 ㉡ '골짜기'는 어둠의 세계를 의미함을 알 수 있다. 따라서 답은 ②이다.

이것도 알면 합격

박두진 '해'에 사용된 대립적 이미지에 대해 알아두자.

밝음과 어둠의 대립적 이미지를 활용하여 밝고 평화로운 세계가 오기를 바라는 화자의 소망을 노래하고 있다.

밝음		어둠
해, 청산, 양지	⇔ 대립	어둠, 달밤, 눈물 같은 골짜기, 아무도 없는 뜰

04

밑줄 친 단어가 가리키는 대상을 노래한 것은?

> 珠簾을 고텨 것고 玉階룰 다시 쓸며
> 啓明星 돗도록 곳초 안자 브라보니
> 白蓮花 혼 가지롤 뉘라셔 보내신고
>   - 정철, '관동별곡(關東別曲)'

① 구룸 빗치 조타 ᄒ나 검기롤 ᄌ로 ᄒ다
   바람 소리 몱다 ᄒ나 그칠 적이 하노매라
   조코도 그츨 뉘 업기는 믈뿐인가 ᄒ노라

② 고즌 므스 일로 퓌며셔 쉬이 디고
   플은 어이ᄒ야 프르는 둣 누르ᄂ니
   아마도 변티 아닐손 바회뿐인가 ᄒ노라

③ 나모도 아닌 거시 플도 아닌 거시
   곳기는 뉘 시기며 속은 어이 뷔연ᄂ다
   뎌러코 四時예 프르니 그룰 됴하ᄒ노라

④ ᄌ근 거시 노피 떠셔 萬物을 다 비취니
   밤듕의 光明이 너만ᄒ니 또 잇ᄂ냐
   보고도 말 아니 ᄒ니 내 벋인가 ᄒ노라

05

㉠~㉣의 문맥적 이해로 적절하지 않은 것은?

> 당신의 손끝만 스쳐도 소리 없이 열릴 돌문이 있습니다. 뭇사람이 조바심치나 굳이 닫힌 이 돌문 안에는, 석벽 난간 열두 층계 위에 이제 ㉠검푸른 이끼가 앉았습니다.
>
> 당신이 오시는 날까지는, 길이 꺼지지 않을 ㉡촛불 한 자루도 간직하였습니다. 이는 당신의 그리운 얼굴이 이 희미한 불 앞에 어리울 때까지는, 천년이 지나도 눈 감지 않을 저의 슬픈 영혼의 모습입니다.
>
> 길숙한 속눈썹에 항시 어리운 이 두어 방울 이슬은 무엇입니까? 당신의 남긴 푸른 도포 자락으로 이 눈썹을 씻으랍니까? 두 볼은 옛날 그대로 복사꽃빛이지만, 한숨에 절로 입술이 푸르러 감을 어찌합니까?
>
> 몇만 리 굽이치는 강물을 건너와 당신의 따슨 손길이 저의 흰 목덜미를 어루만질 때, 그때야 저는 자취도 없이 ㉢한 줌 티끌로 사라지겠습니다. 어두운 밤 하늘 허공 중천에 바람처럼 사라지는 저의 옷자락은, 눈물 어린 눈이 아니고는 보이지 못하오리다.
>
> 여기 돌문이 있습니다. 원한도 사무칠 양이면 지극한 정성에 ㉣열리지 않는 돌문이 있습니다. 당신이 오셔서 다시 천년토록 앉아 기다리라고, 슬픈 비바람에 낡아 가는 돌문이 있습니다.
>   - 조지훈, '석문'

① ㉠: 임에 대한 오랜 기다림
② ㉡: 임에 대한 변하지 않는 사랑
③ ㉢: 기약할 수 없는 임에 대한 체념
④ ㉣: 임에 대한 사무치는 원한

04

난이도 ★★★

해설 ④ 제시된 작품에서 화자는 정자(망양정)에 앉아 월출을 바라보고 있다. 이때 '白蓮花(백련화)'는 바다에서 떠오르는 '달'의 모습을 '흰 연꽃'에 비유한 것으로, '白蓮花'가 가리키는 대상은 '달'이다. 따라서 '달'의 포용성과 과묵함을 예찬하고 있는 ④가 답이다. 참고로, 선택지에 제시된 작품은 윤선도의 '오우가'로, 다섯 가지 자연물을 화자의 벗으로 표현하며 그 속성을 예찬하는 연시조이다.

오답분석 ① 구름, 바람과 달리 깨끗하면서도 변하지 않는 '물'을 대상으로 노래하고 있다.

② 꽃, 풀과 달리 시간이 흘러도 변치 않는 '바위'를 대상으로 노래하고 있다.

③ 곧고 속이 비어 있지만 사시사철 푸르른 '대나무'를 대상으로 노래하고 있다.

지문풀이
〈제시된 가사〉
주렴(구슬로 만든 발)을 다시 걷어 올리고 옥계(옥으로 만든 계단)를 다시 쓸며
계명성(샛별)이 돋아 오를 때까지 꼿꼿이 앉아 바라보니
백련화(흰 연꽃 한 가지)같은 달을 어느 누가 보내셨는가?
　　　　　　　　　　　　　　　- 정철, '관동별곡'

① 구름 빛깔이 깨끗하다고 하나 검기를 자주한다.
　바람 소리가 맑다고 하나 그칠 때가 많도다.
　깨끗하고도 그칠 때가 없기는 물뿐인가 하노라.
　　　　　　　　　　　　- 윤선도, '오우가' 〈제2수〉
② 꽃은 무슨 일로 피자마자 쉽게 지고
　풀은 어찌하여 푸르러지자 곧 누른빛을 띠는가?
　아마도 변하지 않는 것은 바위뿐인가 하노라.
　　　　　　　　　　　　- 윤선도, '오우가' 〈제3수〉
③ 나무도 아닌 것이, 풀도 아닌 것이,
　곧기는 누가 시켰으며, 속은 어찌 비었느냐?
　저러고도 사시사철 푸르니 그를 좋아하노라.
　　　　　　　　　　　　- 윤선도, '오우가' 〈제5수〉
④ 작은 것이 높이 떠서 만물을 다 비추니
　밤중에 밝은 빛이 너만한 것이 또 있겠느냐?
　보고도 말을 하지 않으니 내 벗인가 하노라.
　　　　　　　　　　　　- 윤선도, '오우가' 〈제6수〉

05

난이도 ★★☆

해설 ③ 화자는 오랫동안 기다리던 '당신'의 손길이 닿게 되면 그제서야 자취도 없이 '한 줌 티끌'로 사라지겠다고 말하고 있다. © '한 줌 티끌'은 문맥상 '당신'과의 재회에 대한 화자의 태도를 나타내는 시어이므로, 이를 ③'기약할 수 없는 임에 대한 체념'으로는 이해하기 어렵다. 참고로 화자는 '한 줌 티끌로 사라지겠습니다'라고 단정하여 '당신'에 대한 절개를 끝까지 지키겠다는 의지를 표현하고 있다.

오답분석 ① ⑤ 검푸른 이끼: 긴 세월 동안 '당신'이 화자를 찾아 주지 않았음을 시각적으로 표현한 것으로, 임에 대한 오랜 기다림을 의미한다.

② © 촛불 한 자루: 2연에서 화자는 '당신'이 올 때까지 꺼지지 않을 '촛불 한 자루'를 간직하겠다고 말하고 있다. 따라서 © '촛불 한 자루'는 임에 대한 변하지 않는 사랑을 의미함을 알 수 있다.

④ © 열리지 않는 돌문: 5연에서 화자는 원한에 사무쳐 정성을 다해도 돌문이 열리지 않는다고 하였으므로 © '열리지 않는 돌문'은 문맥상 임에 대한 사무치는 원한을 의미함을 알 수 있다.

이것도 알면 합격
조지훈, '석문'에 쓰인 '돌문'의 의미를 알아두자.
'돌문'은 화자의 기다림과 원한을 동시에 상징하는 시어이다.

기다림	1연에서 '돌문'이 당신의 손끝만 스쳐도 열리지만 다른 사람은 열지 못한다는 말을 통해 임에 대한 자신의 기다림을 드러냄
원한	5연에서 '돌문'이 원한에 사무쳐서 지극한 정성에도 열리지 않는다는 말을 통해 오랜 기다림으로 인한 자신의 원한을 드러냄

06

[2020년 국회직 8급]

다음 시의 밑줄 친 ㉠ ~ ㉤에 대한 설명으로 옳은 것은?

> 나는 일손을 멈추고 잠시 무엇을 생각하게 된다
> ―살아있는 보람이란 이것뿐이라고―
> 하루살이의 ㉠광무여
>
> 하루살이는 지금 나의 일을 방해한다
> ―나는 확실히 하루살이에게 졌다고 생각한다―
> 하루살이의 유희여
>
> 너의 모습과 너의 몸짓은
> 어쩌면 이렇게 자연스러우냐
> 소리없이 기고 소리없이 날으다가
> 되돌아오고 되돌아가는 무수한 하루살이
> ―그러나 나의 머리 위의 ㉡천장에서는 너의 소리가
> 들린다―
> ㉢하루살이의 반복이여
>
> 불 옆으로 모여드는 하루살이여
> ㉣벽을 사랑하는 하루살이여
> 감정을 잊어버린 시인에게로
> 모여드는 모여드는 하루살이여
> ―나의 시각을 쉬게 하라―
> 하루살이의 ㉤황홀이여
>
> — 김수영, '하루살이'

① ㉠: 화자를 성찰하게 하는 춤
② ㉡: 화자가 추구하는 긍정적 공간
③ ㉢: 화자가 처한 부정적 현실
④ ㉣: 비애와 애환의 공간
⑤ ㉤: 구체적인 화자의 내면

07

[2019년 서울시 9급 (6월)]

밑줄 친 부분이 〈보기〉의 ㉠ '쇠항아리'와 의미가 통하는 시어로 가장 적절한 것은?

> ───〈보기〉───
>
> 누가 하늘을 보았다 하는가
> 누가 구름 한 송이 없이 맑은
> 하늘을 보았다 하는가.
>
> 네가 본 건, 먹구름
> 그걸 하늘로 알고
> 일생을 살아갔다.
>
> 네가 본 건, 지붕 덮은
> ㉠쇠항아리,
> 그걸 하늘로 알고
> 일생을 살아갔다.
>
> 닦아라, 사람들아
> 네 마음속 구름
> 찢어라, 사람들아,
> 네 머리 덮은 쇠항아리.   - 신동엽, '누가 하늘을 보았다 하는가'

① 조국아 / 한번도 우리는 우리의 심장 / 남의 발톱에 주어
본 적 / 없었나니(「조국」中)
② 아사달과 아사녀가 / 중립의 초례청 앞에 서서 / 부끄럼
빛내며 / 맞절할지니(「껍데기는 가라」中)
③ 꽃피는 반도는 / 남에서 북쪽 끝까지 / 완충지대(「술을 많
이 마시고 잔 어젯밤은」中)
④ 마을 사람들은 되나 안 되나 쑥덕거렸다. / 봄은 발병 났
다커니 / 봄은 위독하다커니(「봄의 소식」中)

06

난이도 ★★★

해설 ① 1연에서 화자는 일손을 멈추고 자신의 일상과 대비되는 생명력 넘치는 하루살이의 몸짓인 ㉠ '광무'를 보며 자신의 살아 있는 보람에 대해 성찰한다. 따라서 ㉠ '광무'는 '화자를 성찰하게 하는 춤'을 의미함을 알 수 있다.

오답분석 ② ㉡ '천장': 하루살이가 자유롭게 비행하고 있으므로, ㉡은 '하루살이가 비행하는 공간'을 의미한다.

③ ㉢ '하루살이의 반복': 이때 '반복(反覆)'은 '언행이나 일 등을 이랬다저랬다 하여 자꾸 고침'이라는 의미로, 화자의 일상과 대조적으로 자연스럽게 움직이는 하루살이의 모습을 나타낸다. 따라서 ㉢은 '하루살이의 자연스러운 몸짓'을 의미한다.

④ ㉣ '벽': 일반적으로 '벽'은 단절이나 장애를 의미하는 소재로, 제시된 작품에서는 하루살이가 사랑하는 존재로 드러난다. 따라서 '벽을 사랑하는 하루살이'는 단절이나 장애를 두려워하지 않는 하루살이의 모습을 드러내므로 ㉣은 '단절과 장애의 공간'을 의미한다.

⑤ ㉤ '황홀': 4연에서 화자는 자신과 대비되는 열정적인 하루살이의 모습에 부러움을 느낀다. 따라서 ㉤은 '하루살이에 대한 부러움'을 의미한다.

이것도 알면 합격

김수영, '하루살이'의 주제와 특징을 알아두자.

1. **주제**: 열정적 삶에 대한 동경
2. **특징**
   - 하루살이의 모습과 '나'의 태도를 대조적으로 드러냄
   - 영탄적 표현을 통해 하루살이의 열정에 대한 동경을 효과적으로 나타냄
   - 같은 형태의 구절이 매 연마다 반복되는 통사적 구조를 통해 구조적 안정감과 함께 대상에 대한 핵심어를 제시하여 주제를 형상화함

07

난이도 ★★☆

해설 ① ㉠은 사람들이 하늘로 착각하고 있는 대상이자, 맑은 하늘을 바라볼 수 없게 만드는 장애물이고, ① '발톱'은 조국에 위협을 가하는 부정적인 대상이다. 따라서 ㉠과 ① '발톱' 모두 억압과 위협을 상징하는 부정적인 시어이므로 답은 ①이다.

오답분석 ② '초례청'은 이념의 대립을 초월한 화합의 장소를 의미하는 시어이다.

③ '완충지대'는 분단과 대립이 사라진 화해를 의미하는 시어이다.

④ '봄'은 평화와 민주주의를 의미하는 시어이다.

이것도 알면 합격

신동엽, '누가 하늘을 보았다 하는가'에 대해 알아두자.

1. **주제**: 억압 및 구속의 역사에 대한 비판적 인식과 희망찬 미래에 대한 소망

2. **대립적 시어의 상징적 의미**

하늘	억압적인 시대적 상황에서 민중들이 추구했던 진정한 자유, 평화로운 세상을 상징함
⇕	
먹구름, 쇠항아리	민중들이 진정한 형태의 하늘을 바라볼 수 없도록 만드는 장애물로, 억압과 구속을 상징함

08

[2019년 국회직 8급]

밑줄 친 ㉠~㉤에 대한 설명으로 옳지 않은 것은?

지상(地上)에는 / 아홉 켤레의 신발.
아니 현관에는 아니 들깐에는
아니 어느 ㉠시인의 가정에는
알 전등이 켜질 무렵을
문수(文數)가 다른 아홉 켤레의 신발을.
내 ㉡신발은 / 십구문반(十九文半).
눈과 얼음의 길을 걸어,
그들 옆에 벗으면
육문삼(六文三)의 코가 납작한
귀염둥아 귀염둥아 / 우리 막내둥아

미소하는 / 내 얼굴을 보아라
얼음과 눈으로 벽(壁)을 짜올린
여기는 / 지상.
㉢연민한 삶의 길이여.
내 신발은 십구문반(十九文半).

아랫목에 모인 / 아홉 마리의 강아지야
㉣강아지 같은 것들아.
굴욕과 굶주림과 추운 길을 걸어
㉤내가 왔다. / 아버지가 왔다.
아니 십구문반(十九文半)의 신발이 왔다.
아니 지상에는
아버지라는 어설픈 것이 / 존재한다.
미소하는 / 내 얼굴을 보아라.

① ㉠: 시적 화자가 냉정한 현실 속에서 지켜야 할 소중한 공간을 의미한다.
② ㉡: 가장 밑바닥에서 고단한 삶을 함께 하는 동반자로서의 의미가 있다.
③ ㉢: 사랑하는 가족을 만날 수 없는 나약한 아버지의 슬픔이 짙게 배어 있다.
④ ㉣: 보살펴 주어야 할 사랑스럽고 귀여운 자식들을 나타낸다.
⑤ ㉤: 반복을 통해 아버지의 가족에 대한 짙은 애정과 책임감이 부각되고 있다.

09

[2017년 서울시 7급]

다음 밑줄 친 시어의 의미에 대한 설명으로 가장 옳지 않은 것은?

꽃이 지기로소니
바람을 탓하랴.

주렴 밖에 ㉠성긴 별이
하나 둘 스러지고

㉡귀촉도 울음 뒤에
머언 산이 다가 서다.

촛불을 꺼야 하리
꽃이 지는데

꽃 지는 그림자
뜰에 어리어

하이얀 미닫이가
㉢우련 붉어라.

묻혀서 사는 이의
고운 마음을

아는 이 있을까
㉣저허하노니

꽃이 지는 아침은
울고 싶어라.

- 조지훈, '낙화'

① ㉠ 성긴: 물건 사이가 떠서 빈 공간이 많음을 뜻한다.
② ㉡ 귀촉도: 소쩍새, 두견새를 뜻한다.
③ ㉢ 우련: 갑자기, 불쑥 나타남을 뜻한다.
④ ㉣ 저허하노니: 두려워하노니

10

[2015년 사회복지직 9급]

㉠ ~ ㉣ 중 내포적 의미가 다른 하나는?

> 이것은 소리 없는 아우성
> 저 푸른 ㉠해원(海原)을 향하여 흔드는
> 영원한 노스탤지어의 ㉡손수건
> 순정은 물결같이 바람에 나부끼고
> 오로지 맑고 곧은 이념의 푯대 끝에
> ㉢애수는 백로처럼 날개를 펴다.
> 아! 누구인가?
> 이렇게 슬프고도 애닯은 ㉣마음을
> 맨 처음 공중에 달 줄을 안 그는.
>
>   - 유치환, '깃발'

① ㉠　　　　　　　　② ㉡
③ ㉢　　　　　　　　④ ㉣

08

난이도 ★☆☆

해설 ③ 1연과 3연의 내용을 통해 화자는 현관에 신발을 벗어 두고 아랫목에 모인 자식들을 바라보고 있음을 알 수 있다. 따라서 화자가 가족을 만날 수 없다는 ③의 설명은 적절하지 않다. 참고로 ㉢'연민한 삶의 길'은 가족을 위해 현실의 고달픔을 견뎌야 하는 화자 자신에 대한 연민을 나타내는 시어이다.

오답분석 ① ㉠'시인의 가정'은 화자가 가족들과 함께 살아가는 공간으로, 냉정한 현실 속에서 화자가 지키고자 하는 곳이다.

② ㉡'신발'은 사람의 신체 중에서 가장 아래에 위치하는 발이 온몸의 무게를 견디는 것처럼 화자의 삶의 무게를 견디는 동반자적인 성격을 지니는 시어이다.

④ ㉣'강아지 같은 것들'은 화자가 자식들을 비유한 표현으로 자식들에 대한 화자의 애정이 드러난다.

⑤ ㉤'내가 왔다'와 같이 '~가 왔다'라는 표현을 반복하여 아버지로서의 책임과 가족에 대한 애정을 드러내고 있다.

09

난이도 ★☆☆

해설 ③ 제시된 작품은 문 밖에 있는 꽃의 그림자가 미닫이에 비치는 모습을 묘사하고 있으므로, 미닫이가 갑자기(불쑥) 붉어졌다는 표현은 맥락상 어색하다는 것을 알 수 있다. 따라서 옳지 않은 설명은 ③이다.
- 우련: 1. 형태가 약간 나타나 보일 정도로 희미함 2. 빛깔이 엷고 희미함

오답분석 ④ ㉣ '저허하다'는 '저어하다'의 옛말로 '염려하거나 두려워하다'를 뜻한다.

10

난이도 ★★☆

해설 ① 내포적 의미가 다른 것은 ①로 ㉠은 '이상향'을 의미하나, ㉡㉢㉣은 모두 '깃발'을 가리키는 시어이다.
- 해원(海原: 바다 해, 언덕 원): 바다

이것도 알면 합격

유치환, '깃발'에서 '깃발'을 상징하는 시어를 알아두자.

소리 없는 아우성, 노스탤지어의 손수건, 순정, 애수, 슬프고도 애닯은 마음

11

〈보기〉의 밑줄 친 단어가 가리키는 것이 가장 다른 하나는?

─────〈보기〉─────

안녕히 계세요
도련님.

지난 오월 단옷날, 처음 만나던 날
우리 둘이서, 그늘 밑에 서 있던
그 무성하고 푸르던 ⊙나무같이
늘 안녕히 안녕히 계세요.

저승이 어딘지는 똑똑히 모르지만
춘향의 사랑보단 오히려 더 먼
딴 나라는 아마 아닐 것입니다.

천 길 땅 밑을 ⓛ검은 물로 흐르거나
도솔천의 하늘을 ⓒ구름으로 날더라도
그건 결국 도련님 곁 아니어요?

더구나 그 구름이 ⓔ소나기 되어 퍼부을 때
춘향은 틀림없이 거기 있을 거여요.

① ⊙   ② ⓛ
③ ⓒ   ④ ⓔ

12

밑줄 친 시어에서 '외롭고 쓸쓸한 화자의 심정'을 나타내기 위해 동원된 객관적 상관물로서 화자 자신과 동일시되는 소재는?

─────────────────────
⊙春雨暗西池 / 봄비 내리니 서쪽 못은 어둑한데
輕寒襲ⓛ羅幕 / 찬바람은 비단 장막으로 스며드네.
愁依小ⓒ屛風 / 시름에 겨워 작은 병풍에 기대니
墙頭ⓔ杏花落 / 담장 위에 살구꽃이 떨어지네.
─────────────────────

① ⊙   ② ⓛ
③ ⓒ   ④ ⓔ

13

⊙과 ⓛ에 대한 설명으로 적절한 것은?

─────────────────────
헌 먼덕1) 숙여 쓰고 축 없는 짚신에 설피설피 물러오니
풍채 적은 형용에 ⊙개 짖을 뿐이로다
와실(蝸室)에 들어간들 잠이 와서 누었으랴
북창(北窓)을 비겨 앉아 새벽을 기다리니
무정한 ⓛ대승(戴勝)2)은 이내 한을 돋우도다
종조(終朝) 추창(惆悵)3)하며 먼 들을 바라보니
즐기는 농가(農歌)도 흥 없이 들리나다
세정(世情) 모르는 한숨은 그칠 줄을 모르도다

　　　　　　　　　　　　- 박인로, '누항사(陋巷詞)'

※ 1) 먼덕: 짚으로 만든 모자
　 2) 대승(戴勝): 오디새
　 3) 추창(惆悵): 슬퍼하는 모습
─────────────────────

① ⊙은 실재하는 존재물이고, ⓛ은 상상적 허구물이다.
② ⊙은 화자의 절망을 나타내고, ⓛ은 화자의 희망을 나타낸다.
③ ⊙은 화자의 내면을 상징하고, ⓛ은 화자의 외양을 상징한다.
④ ⊙은 화자의 초라함을 부각시키고, ⓛ은 화자의 수심을 깊게 한다.

14

⊙ ~ ⓔ에 대한 설명으로 적절하지 않은 것은?

─────────────────────
삼동(三冬)에 ⊙베옷 입고 암혈(巖穴)에 ⓛ눈비 맞아
구름 낀 볕뉘도 쬔 적이 없건마는
ⓒ서산에 해 지다 하니 ⓔ눈물겨워 하노라.
─────────────────────

① ⊙: 화자의 처지나 생활을 추측할 수 있게 한다.
② ⓛ: 화자와 중심 대상 사이를 연결하는 매개체이다.
③ ⓒ: 화자가 머물고 있는 공간과 구별되는 공간이다.
④ ⓔ: 상황에 대한 화자의 감정이 직접 표출되고 있다.

11

난이도 ★★☆

해설 ① ⊙ '나무'는 춘향이 도련님과 행복했던 과거를 회상하게 하는 매개체이자 도련님(이몽룡)을 비유하는 소재인 반면, ⓒ ⓒ ⓔ은 모두 춘향을 가리키는 말이므로 밑줄 친 단어가 가리키는 것이 가장 다른 하나는 ①이다.

오답 분석 ② ⓒ '검은 물'은 춘향이 저승에서 변하게 될 모습으로, 저승에서의 춘향을 가리킨다.

③ ⓒ '구름'은 춘향이 극락세계에서 변하게 될 모습으로, 극락에서의 춘향을 가리킨다.

④ ⓔ '소나기'는 춘향이 환생하여 나타나게 될 모습으로, 이승에서의 춘향을 가리킨다.

이것도 알면 **합격**

서정주, '춘향 유문(春香遺文)'에 대해 알아두자.

1. 주제: 삶과 죽음, 시공간을 초월한 영원한 사랑
2. 특징
   • 고전 소설을 독특한 발상으로 차용함
   • 불교의 윤회 사상을 바탕으로 변하지 않는 사랑을 표현함
   • 대화체를 사용하여 춘향의 유언 형식으로 서술함
3. 주요 시어의 의미

무성하고 푸르던 나무	• 도련님과 행복했던 지난날을 회상하는 매개체 • 사랑하는 대상(이몽룡)
검은 물	저승에서의 춘향을 가리키는 소재
구름	극락세계의 춘향을 가리키는 소재
소나기	이승으로 환생한 춘향을 가리키는 소재로, 춘향의 적극적인 사랑을 표현함

12

난이도 ★★☆

해설 ④ 제시된 작품은 선경후정(先景後情)의 방식으로, 1~2구에는 자연 풍경이 나타나고 3~4구에는 화자의 정서가 나타난다. 3~4구에서 시름에 겨운 화자의 정서를 나타내기 위해 떨어지는 살구꽃이 동원되었으므로, 화자 자신과 동일시되는 객관적 상관물은 ⓔ '杏花(행화: 살구꽃)'이다.

오답 분석 ① ⊙ 春雨(봄비)는 작품의 외롭고 쓸쓸한 분위기를 조성하는 객관적 상관물이나, 화자와 동일시되는 소재는 아니다.

이것도 알면 **합격**

객관적 상관물에 대해 알아두자.

객관적 상관물이란, 문학 작품의 표현 방식 중 하나로, 화자의 감정을 환기시키는 모든 사물을 가리킨다. 시적 화자와 동일한 감정뿐만 아니라 대조적인 감정을 떠올리게 하는 것도 객관적 상관물이다.

예 훨훨 나는 저 꾀꼬리 / 암수 정답게 노니는데, / 외로울사 이내 몸은 / 뉘와 함께 돌아갈꼬?
→ 정답게 노는 꾀꼬리가 화자의 외로움을 환기시키고 있으므로 이때의 꾀꼬리는 객관적 상관물이다.

13

난이도 ★☆☆

해설 ④ 제시된 부분은 시적 화자가 이웃집에 소를 빌리러 갔다가 거절당한 상황을 노래한 부분이다. 이때 ⊙ '개'는 소를 빌리지 못하고 풍채 적은 형용을 하고 있는 시적 화자를 향해 짖어 대 화자의 초라함을 부각시키는 존재이고, ⓒ '대승'은 가난하여 밭을 가는 것이 어려운 처지에 놓인 시적 화자의 한을 돋우고 있으므로 화자의 수심을 깊게 하는 존재이다. 따라서 답은 ④이다.

지문 풀이 헌 모자를 숙여 쓰고 축 없는 짚신을 신고 맥없이 어슬렁어슬렁 물러 나오니 풍채 적은 내 모습에 개만 짖을 뿐이로다. 누추한 집에 들어간들 잠이 와서 누워 있겠느냐. 북창에 기대 앉아 새벽을 기다리니 무정한 오디새는 나의 한을 돋우는구나. 아침이 끝날 때까지 슬퍼하며 먼 들을 바라보니 즐기는 농가도 흥 없이 들리는구나. 세상 물정을 모르는 한숨은 그칠 줄을 모른다.

이것도 알면 **합격**

박인로, '누항사'의 주제와 특징을 알아두자.

1. 주제
   • 빈이무원(貧而無怨)하며 신의, 우애, 충효를 추구하는 삶
   • 자연을 벗삼아 안빈낙도(安貧樂道)하고자 하는 선비의 궁핍한 생활
2. 특징
   • 화자의 감정을 현실적인 언어로 드러냄
   • 일상생활을 생생하게 묘사함

14

난이도 ★☆☆

해설 ② 화자는 암혈(바위 굴)에서 눈비를 맞는다는 표현을 통해 벼슬을 하지 않고 산중에 은거하는 자신의 처지를 나타내고 있다. 따라서 ⓒ '눈비'가 화자와 중심 대상 사이를 연결하는 매개체라는 설명은 적절하지 않다.

오답 분석 ① ⊙ 베옷: '베옷'은 벼슬을 하지 않은 선비의 옷을 의미한다. 이를 통해 벼슬 없이 산림에 은거하고 있는 화자의 처지를 알 수 있다.

③ ⓒ 서산: '서산에 해 지다'는 임금의 승하를 의미하므로, '서산'은 화자가 머물고 있는 공간과 구별된다.

④ ⓔ 눈물겨워: 임금의 승하로 인한 화자의 슬픔이 직접적으로 표출되고 있다.

이것도 알면 **합격**

조식, '삼동(三冬)에 베옷 입고'에 대해 알아두자.

1. 작품의 창작 배경: 벼슬을 하지 않고 초야에 은거하며 후학을 양성하는 일만 하였던 화자가 임금(중종)의 승하 소식을 듣고 이를 애도하기 위해 창작한 시조이다.
2. 주요 시어 및 시구의 의미

시어 및 시구	의미
베옷, 암혈(바위 굴)	화자가 벼슬을 하고 있지 않음
구름 낀 볕뉘도 쬔 적이 없건마는	• 벼슬을 하지 않은 몸이라 임금의 은총을 입은 바가 없음 • 볕뉘: 햇볕의 기운, 임금의 은혜
서산에 해 지다	• 임금의 승하 • 해: 임금(중종)

15

[2018년 경찰직 2차]

밑줄 친 단어를 설명한 것으로 가장 적절하지 않은 것은?

> (가) 믈외(物外)예 조흔 일이 어부 싱애(生涯) 아니러냐
> 비 떠라 비 떠라
> 어옹(漁翁)을 욷디 마라 그림마다 그렷더라
> ㉠지국총(至匊悤) 지국총(至匊悤) 어ᄉ와(於思臥)
> ᄉ시(四時) 흥(興)이 ᄒ가지나 츄강(秋江)이 으듬이라
>
> (나) 간밤의 눈 갠 후(後)에 경믈(景物)이 달랃고야
> ㉡이어라 이어라
> 압희눈 ㉢만경류리(萬頃琉璃) 뒤희눈 ㉣쳔텹옥산
> (千疊玉山)
> 지국총(至匊悤) 지국총(至匊悤) 어ᄉ와(於思臥)
> 션계(仙界)ㄴ가 불계(佛界)ㄴ가 인간(人間)이 아니로
> 다

① ㉠: 노 젓는 소리를 표현한 의성어이다.
② ㉡: '배를 매어라'는 의미의 여음구이다.
③ ㉢: '반반하고 아름다운 바다'를 비유적으로 이르는 말이
다.
④ ㉣: '수없이 겹쳐 있는 아름다운 산'을 의미한다.

16

[2016년 지방직 7급]

다음 시의 '나'를 형상화한 표현이 아닌 것은?

> 나는 떠난다. 청동(青銅)의 표면에서
> 일제히 날아가는 진폭(振幅)의 ㉠새가 되어
> 광막한 하나의 울음이 되어
> 하나의 소리가 되어.
>
> 인종(忍從)은 끝이 났는가.
> 청동의 벽에
> '역사'를 가두어 놓은
> 칠흑의 ㉡감방에서.
>
> 나는 바람을 타고
> 들에서는 푸름이 된다.
> 꽃에서는 웃음이 되고
> 천상에서는 ㉢악기가 된다.
>
> 먹구름이 깔리면
> 하늘의 꼭지에서 터지는
> 뇌성(雷聲)이 되어
> 가루 가루 가루의 ㉣음향이 된다.
>
> — 박남수, '종소리'

① ㉠   ② ㉡
③ ㉢   ④ ㉣

15

난이도 ★★☆

해설 ② ㉡은 '노를 저어라'라는 의미의 여음구이므로 ②의 설명은 적절하지 않다.

오답분석 ① ㉠은 노를 젓는 소리를 표현한 의성어로, 제시된 작품의 여음구(후렴구) 중 일부이다.

③ ㉢은 '만 이랑의 유리'라는 뜻으로, 유리처럼 반반하고 아름다운 바다를 이르는 말이다.

④ ㉣은 수없이 겹쳐 있는 아름다운 산을 이르는 말로, 이때 '백옥(玉)'은 흰 눈이 내린 산의 모습을 나타낸 표현이다.

지문풀이

> (가) 물외에 깨끗한 일이 어부 생애 아니더냐
> 　　배 띄워라 배 띄워라
> 　　어옹을 비웃지 마라 그림마다 그렸더라
> 　　㉠ 찌그덩 찌그덩 어여차
> 　　사시 흥이 한가지나 가을 강이 으뜸이라
> 　　　　　　　　　　　- 윤선도, '어부사시사(추사(秋詞) 1)'
>
> (나) 지난밤 눈 갠 후에 경치가 달라졌구나
> 　　㉡ 노 저어라 노 저어라
> 　　앞에는 ㉢ 유리처럼 맑고 잔잔한 넓은 바다, 뒤에는 ㉣ 첩첩
> 　　이 둘러싸인 백옥 같은 산
> 　　찌그덩 찌그덩 어여차
> 　　신선의 세계인가 불교의 세계인가 속세는 아니로다
> 　　　　　　　　　　　- 윤선도, '어부사시사(동사(冬詞) 4)'

16

난이도 ★★☆

해설 ② 제시된 작품의 '나'는 종소리를 의인화한 표현이다. ㉠ '새', ㉢ '악기', ㉣ '음향'은 '나(종소리)'를 가리키나, ㉡ '감방'은 억압과 구속의 장소로서 '나(종소리)'를 형상화한 표현이 아니다. 따라서 답은 ②이다.

이것도 알면 합격

박남수, '종소리'에 대해 알아두자.

1. **표현**
   - 종소리가 퍼져 나가는 모습을 형상화함으로써, 역사의 질곡에서 벗어나 자유가 확산되는 기세를 표현함
   - 남성적이고 역동적인 심상들이 생동감을 더함

2. **시상 전개**

1 ~ 2연	청동의 벽과 칠흑의 감방 안에서 벗어나 자유를 향해 비상함
3연	올려 퍼지면서 자유를 확산함
4연	뇌성이 되어 '먹구름(폭력과 억압, 횡포)'에 저항함

3. **사용된 수사법**

의인법	종소리를 '나'로 의인화함
도치법	나는 떠난다. 청동의 표면에서: 말의 순서가 뒤바뀌어 있음
은유법	종소리를 '새, 울음, 소리, 푸름, 웃음, 악기, 뇌성, 음향'에 비유함

17

[2015년 국가직 9급]

〈보기〉를 참고하여 ㉠ ~ ㉢을 이해한 내용으로 적절하지 않은 것은?

―――― 〈보기〉 ――――

　이용악은 1945년 해방이 되자 고향인 함경북도 경성에 가족을 두고 홀로 상경한다. '그리움'은 몹시 추웠던 그 해 겨울밤 고향에 두고 온 가족을 그리워하며 쓴 시이다.

눈이 오는가 ㉠북쪽엔
함박눈 쏟아져 내리는가.

험한 벼랑을 굽이굽이 돌아간
백무선 철길 위에
느릿느릿 밤새워 달리는
화물차의 검은 지붕에

연달린 산과 산 사이
㉡너를 남기고 온
작은 마을에도 복된 눈 내리는가.

잉크병 얼어드는 ㉢이러한 밤에
어쩌자고 ㉣잠을 깨어
그리운 곳 차마 그리운 곳.

눈이 오는가 북쪽엔
함박눈 쏟아져 내리는가.

　　　　　　　　　　　　　　- 이용악, '그리움'

① ㉠은 자신이 떠나온 공간인 고향을 가리키는 것이겠군.
② ㉡은 고향에 남겨 두고 온 가족을 의미하는 표현이겠군.
③ ㉢은 극심한 추위 속에서도 가족을 떠올리는 시간이겠군.
④ ㉣은 그리운 이를 볼 수 없는 화자의 절망적 심정을 투영한 대상물이겠군.

18

[2018년 국가직 9급]

㉠ ~ ㉣에 대한 이해로 가장 적절한 것은?

막차는 좀처럼 오지 않았다
대합실 밖에는 밤새 송이눈이 쌓이고
㉠흰 보라 수수꽃 눈시린 유리창마다
톱밥난로가 지펴지고 있었다
그믐처럼 몇은 졸고
몇은 감기에 쿨럭이고
그리웠던 순간들을 생각하며 나는
한 줌의 톱밥을 불빛 속에 던져 주었다
내면 깊숙이 할 말들은 가득해도
㉡청색의 손바닥을 불빛 속에 적셔 두고
모두들 아무 말도 하지 않았다
산다는 것이 때론 술에 취한 듯
한 두릅의 굴비 한 광주리의 사과를
만지작거리며 귀향하는 기분으로
침묵해야 한다는 것을
모두들 알고 있었다
㉢오래 앓은 기침소리와
쓴 약 같은 입술담배 연기 속에서
싸륵싸륵 눈꽃은 쌓이고
그래 지금은 모두들
눈꽃의 화음에 귀를 적신다
자정 넘으면
낯설음도 뼈아픔도 다 설원인데
단풍잎 같은 몇 잎의 차창을 달고
밤열차는 또 어디로 흘러가는지
㉣그리웠던 순간들을 호명하며 나는
한 줌의 눈물을 불빛 속에 던져 주었다

　　　　　　　　　　　　- 곽재구, '사평역에서'

① ㉠ - 여러 개의 난로가 지펴져 안온한 대합실의 상황을 비유적으로 표현하였다.
② ㉡ - 대조적 색채 이미지를 통해, 눈 오는 겨울 풍경의 서정적 정취를 강조하였다.
③ ㉢ - 오랜 병마에 시달린 이들의 비관적 심리와 무례한 행동을 묘사하였다.
④ ㉣ - 화자가 그리워하는 지난 때를 떠올리며 느끼는 정서를 화자의 행위에 투영하였다.

17

해설 ④ 화자는 ㉣'잠'에서 깨어난 어느 겨울밤에 고향과 가족에 대한 그리움을 느끼고 있을 뿐, ㉣'잠'을 통해 화자의 절망적인 심정을 투영하고 있지는 않다.

오답 분석
① 〈보기〉를 통해 작가의 고향이 함경북도 경성이나, 당시에는 혼자 서울에서 지내고 있었음을 알 수 있다. 이를 통해 ㉠'북쪽'이 화자의 고향을 가리키는 시어임을 알 수 있다.

② ㉡'너'를 작은 마을에 남기고 왔다는 표현을 통해 ㉡'너'가 고향에 두고 온 가족을 의미한다는 것을 알 수 있다.

③ ㉢'이러한 밤'은 잉크병이 얼어들 정도로 추운 겨울이며, 화자는 ㉢'이러한 밤'에 잠에서 깨어 가족들을 떠올리며 그리워하고 있다.

18

해설 ④ ㉣: 제시된 작품의 화자는 막차를 기다리는 대합실에서 고단한 삶에 지친 사람들을 바라보고 있다. ㉣에서 화자는 지친 사람들의 모습을 통해 자신의 그리운 순간들을 떠올리고 있으며, 소외된 사람들에 대한 동정과 연민을 한 줌의 눈물(톱밥)을 던지는 행위에 투영하고 있으므로 답은 ④이다.

오답 분석
① ㉠: 유리창마다 난로가 지펴지고 있다는 표현은 각각의 유리창에 비친 난로의 모습을 비유한 것이다. 따라서 '여러 개'의 난로가 지펴졌다는 설명은 적절하지 않다.

② ㉡: 차가운 손을 나타내는 '청색의 손바닥'과 뜨거운 난로의 '붉은 열기'는 색채적으로 대조를 이룬다. 하지만 '모두들 아무 말도 하지 않았다'라는 구절을 통해 고단한 삶에 지친 이들의 모습을 표현하고 있으므로, 눈 오는 겨울 풍경의 서정적 정취를 강조하였다는 설명은 적절하지 않다.

③ ㉢: '기침 소리'와 '쓴 약'은 사람들의 힘겨운 삶을 암시하는 표현으로, 사람들이 오랫동안 병마에 시달렸는지는 알 수 없으며 비관적 심리나 무례한 행동과도 관련이 없다.

이것도 알면 **합격**

곽재구, '사평역에서'의 주제와 특징을 알아두자.

1. 주제: 막차를 기다리는 사람들의 삶의 애환
2. 특징
   • 간결하고 절제된 어조를 사용함
   • 따뜻함과 차가움의 대조적인 이미지를 통해 시적 대상을 표현함
   • 소외되고 가난한 사람들의 삶의 애환을 잔잔하면서도 간결하게 그려냄

• 2. 시구의 의미

19

[2019년 국가직 7급]

다음 작품에 대한 독자의 반응으로 가장 적절한 것은?

> 대조선국 건양 원년 자주독립 기뻐하세.
> 천지간에 사람 되어 진충보국 제일이니,
> 임금께 충성하고 정부를 보호하세.
> 인민들을 사랑하고 나라기를 높이 다세.
> 나라 도울 생각으로 시종여일 동심하세.
> 부녀 경대 자식 교육 사람마다 할 것이라.
> 집을 각기 흥하려면 나라 먼저 보전하세.
> 우리나라 보전하기 자나 깨나 생각하세.
> 나라 위해 죽는 죽음 영광이지 원한 없네.
> 국태평 가안락은 사농공상 힘을 쓰세.
> 우리나라 흥하기를 비나이다 하나님께.
> 문명개화 열린 세상 말과 일과 같게 하세.

① 여성을 존중할 것을 사람들에게 피력하고 있군.
② 위급한 나라의 형세를 구체화하면서 언행일치를 요구하고 있군.
③ 남을 부러워하지 말고 부국강병을 위해 노력하자고 주장하고 있군.
④ 외세의 침략으로 국가의 독립성이 훼손되고 서구적 가치관이 범람하는 상황을 우려하고 있군.

20

[2017년 국가직 7급 (10월)]

㉠~㉣에 대한 설명으로 적절하지 않은 것은?

> 時時로 멀이 드러 北辰을 바라보며
> ㉠傷時 老淚를 天一方의 디이느다.
> ㉡吾東方 文物이 漢唐宋애 디랴마는
> 〈중 략〉
> 吾王 聖德이 欲幷生ㅎ시나라.
> ㉢太平天下애 堯舜君民 되야 이셔
> 日月光華는 朝復朝ㅎ얏거든
> ㉣戰船 투던 우리 몸도 漁舟에 唱晚ㅎ고
> 秋月春風에 놉히 베고 누어 이셔
> 聖代 海不揚波룰 다시 보려 ㅎ노라.
>
> - 박인로, '선상탄(船上歎)'

① ㉠: 나라의 운명을 염려하는 화자의 충정을 볼 수 있다.
② ㉡: 우리나라의 문물에 대한 화자의 자부심을 볼 수 있다.
③ ㉢: 평안하고 조화로운 세상을 향한 화자의 바람을 볼 수 있다.
④ ㉣: 안빈낙도보다 부국강병을 희망하는 화자의 태도를 볼 수 있다.

21

[2015년 서울시 9급]

다음 밑줄 친 ㉠~㉣ 중 그 의미가 나머지 셋과 가장 다른 것은?

> 뭐락카노, 저편 강기슭에서
> ㉠니 뭐락카노, 바람에 불려서
>
> 이승 아니믄 저승으로 떠나는 뱃머리에서
> ㉡나의 목소리도 바람에 날려서
>
> 뭐락카노 뭐락카노
> ㉢썩어서 동아밧줄은 삭아 내리는데
>
> 하직을 말자 하직을 말자
> ㉣인연은 갈밭을 건너는 바람
>
> - 박목월, '이별가'

① ㉠   ② ㉡
③ ㉢   ④ ㉣

19

난이도 ★★★

해설 ① 6행의 '부녀 경대 자식 교육 사람마다 할 것이라'에서 '경대'는 '공경하며 대접함'이라는 뜻으로, 부녀자를 존중할 것을 사람들에게 권하고 있음을 알 수 있다. 따라서 작품에 대한 독자의 반응으로 적절한 것은 ①이다.

오답 분석 ② 위급한 나라의 형세를 구체화한 부분은 나타나지 않으나, 마지막 행의 '말과 일과 같게 하세'를 통해 언행일치를 요구하고 있는 것은 확인할 수 있다.

③ 부국강병을 위해 노력하자고 주장하는 부분은 반복적으로 제시되고 있으나 남을 부러워하지 말라고 언급하는 부분은 찾을 수 있다.

④ 외세의 침략으로 인해 국가의 독립성이 훼손되거나 서구적 가치관이 범람하는 상황은 나타나지 않는다.

이것도 알면 합격

최돈성, '애국가'에 대해 알아두자.

1. **갈래**: 개화 가사
2. **주제**: 자주독립에 대한 의지와 애국심 고취
3. **특징**
   • 4(3)·4조, 4음보의 율격을 지님
   • 독립에 대한 의지와 애국정신을 고취하려는 작품으로 유교적 의식이 반영됨

20

난이도 ★★☆

해설 ④ ㉣은 전쟁하는 배가 아닌 고기를 잡는 배에 타고 늦도록 노래하고 싶다는 표현을 통해 태평성대에 대한 화자의 소망을 드러낸 구절이다. 따라서 ㉣에는 안빈낙도보다 부국강병을 희망하는 화자의 태도가 드러나지 않으므로 ④의 설명은 적절하지 않다.

• **안빈낙도(安貧樂道)**: 가난한 생활을 하면서도 편안한 마음으로 도를 즐겨 지킴
• **부국강병(富國强兵)**: 나라를 부유하게 만들고 군대를 강하게 함. 또는 그 나라나 군대

오답 분석 ① '때를 근심하는 늙은이(화자)의 눈물'을 뜻하는 상시 노루(傷時 老淚)라는 표현을 통해 전란 속에서 나라의 운명을 염려하는 화자의 충정을 확인할 수 있다.

② '우리나라'를 뜻하는 오동방(吾東方)의 문물이 한나라, 당나라, 송나라에 지지 않는다는 표현을 통해 우리나라 문물에 대한 화자의 자부심을 확인할 수 있다.

③ 태평천하(太平天下)의 백성이 되고 싶다는 표현을 통해 화자가 평안하고 조화로운 세상을 바라고 있음을 알 수 있다.

지문 풀이

> 때때로 머리를 들어 임금님 계신 곳을 바라보며,
> ㉠때를 근심하는 늙은이의 눈물을 하늘 한 모퉁이에 떨어뜨리는구나.
> ㉡우리나라의 문물이 한나라, 당나라, 송나라에 지랴마는,
> 〈중 략〉
> 우리 왕 선조의 성덕이 같이 살기를 원하시니라.
> ㉢태평천하에 요순의 군민처럼 되어
> 해와 달의 빛에 아침이 거듭되거든,
> ㉣전투 배에 타던 우리 몸도 고기잡이배에서 늦도록 노래하고,
> 가을 달 봄바람에 베개를 높이 베고 누워 있어,
> 성군 치하의 태평성대를 다시 보려 하노라.
>
> – 박인로, '선상탄'

21

난이도 ★★☆

해설 ④ ㉠~㉢은 화자와 청자가 있는 공간(이승과 저승)이 서로 단절되었음을 표현한 시구이나, ㉣은 화자가 청자와 인연으로 연결되어 있음을 확신하는 부분이므로 의미가 가장 다른 것은 ④ '㉣'이다.

이것도 알면 합격

박목월, '이별가'의 특징을 알아두자.

1. 생사를 초월한 이별의 정한(情恨)을 표현함
2. 경상도 사투리를 통해 정감을 더함
3. 대화 형식으로 시상이 전개됨
4. 반복과 점층을 통해 그리움과 안타까움의 정서를 강조함

22　　　　　　　　　　　[2016년 국가직 9급]

⑦ ~ ㉣을 시의 흐름에 맞게 설명한 것으로 적절하지 않은 것은?

> 열무 삼십 단을 이고 / 시장에 간 우리 엄마
> 안 오시네, ⑦해는 시든 지 오래
> 나는 ㉡찬밥처럼 방에 담겨
> ㉢아무리 천천히 숙제를 해도
> 엄마 안 오시네, 배춧잎 같은 발소리 타박타박
> 안 들리네, 어둡고 무서워
> ㉣금 간 창틈으로 고요히 빗소리
> 빈방에 혼자 엎드려 훌쩍거리던
>
> 아주 먼 옛날 / 지금도 내 눈시울을 뜨겁게 하는
> 그 시절, 내 유년의 윗목.
> 　　　　　　　　　　　- 기형도, '엄마 걱정'

① ⑦: 해가 지고 밤이 깊어 간 시간의 경과가 나타나 있다.

② ㉡: 관심 받지 못해 외로운 상황이 나타나 있다.

③ ㉢: 공부하기 싫은 어린이의 마음이 나타나 있다.

④ ㉣: 넉넉하지 않은 가정 형편이 나타나 있다.

3. 시어 및 시구의 의미

23　　　　　　　　　　[2019년 서울시 9급 (2월)]

〈보기〉의 밑줄 친 시어 가운데 내적 연관성이 가장 적은 것은?

> ───── 〈보기〉 ─────
> 유리에 차고 슬픈 것이 어린거린다.
> 열없이 붙어서서 입김을 흐리우니
> 길들은 양 언 날개를 파다거린다.
> 지우고 보고 지우고 보아도
> 새까만 밤이 밀려나가고 밀려와 부디치고,
> 물먹은 별이, 반짝, 보석처럼 백힌다.
> 밤에 홀로 유리를 닦는 것은
> 외로운 황홀한 심사이어니,
> 고운 폐혈관이 찢어진 채로
> 아아, 늬는 산ㅅ새처럼 날아갔구나!

① 차고 슬픈 것　　　　② 새까만 밤

③ 물먹은 별　　　　　④ 늬

24　　　　　　　　　[2017년 국가직 7급 (8월)]

⑦ ~ ㉣의 뜻풀이로 옳지 않은 것은?

> 뎨 가는 뎌 각시 본 듯도 흔뎌이고.
> 텬샹(天上) 빅옥경(白玉京)을 엇디흐야 니별(離別)흐고,
> 히 다 뎌 져믄 날의 눌을 보라 가시눈고.
>
> 어와 네여이고 내 스셜 드러 보오.
> 내 얼굴 이 거동이 님 ⑦괴얌즉 흔가마눈
> 엇딘디 날 보시고 네로다 녀기실시
> 나도 님을 미더 ㉡군뜨디 전혀 업서
> ㉢이릭야 교틱야 어즈러이 구돗쩐디
> 반기시눈 눗비치 녜와 엇디 다르신고. 〈중 략〉
>
> 어와, 허亽(虛事)로다. 이 님이 어디 간고.
> 결의 니러 안자 창(窓)을 열고 부라보니
> 어엿븐 그림재 날 조촐 뿐이로다.
> 출하리 싀여디여 낙월(落月)이나 되야이셔
> 님 겨신 창(窓) 안히 ㉣번드시 비최리라.
>
> 각시님 돌이야크니와 구준 비나 되쇼셔.
> 　　　　　　　　　　　- 정철, '속미인곡'

① ⑦: 사랑받음직　　　② ㉡: 다른 생각이

③ ㉢: 아양이야　　　　④ ㉣: 반드시

22

난이도 ★☆☆

해설 ③ⓒ에서 시적 화자가 천천히 숙제를 하는 것은 엄마를 기다리는 동안 느끼는 외로움과 무료함을 잊기 위해서이다. 이는 공부하기 싫은 마음과는 관련이 없으므로 적절하지 않은 설명은 ③이다.

오답분석 ② ⓛ에서 시적 화자는 자신을 '찬밥'으로 비유하고 있는데, '찬밥'은 중요하지 않은 인물이나 사물을 비유적으로 일컫는 말이다. 따라서 ⓛ에는 관심 받지 못해 외로운 시적 화자의 상황이 나타나 있다.

④ '금 간 창'에 넉넉하지 않은 가정 형편이 나타나 있다.

이것도 알면 합격

기형도, '엄마 걱정'의 특징을 알아두자.

1. 유사한 문장의 반복과 변조를 통한 리듬감 형성과 의미 심화
   예 안 오시네, 엄마 안 오시네, 안 들리네

2. 비종결 어미로 각 시행이 끝을 맺어, 내용상 마지막 행의 '내 유년의 윗목'이 수식됨 → 시상이 '내 유년의 윗목'으로 집중되면서 유년기의 고통이 현재까지로 연장됨

3. 아이가 시장에 간 엄마를 기다리는 상황을 제시하여 시적 화자의 심리를 섬세하게 묘사

4. 감각적 이미지를 사용하여 '엄마'의 고된 삶과 '나'의 정서를 생생하게 표현
   예 해는 시든 지 오래, 찬밥처럼 방에 담겨, 배춧잎 같은 발소리 타박타박

23

난이도 ★★☆

해설 ② ①'차고 슬픈 것', ③'물먹은 별', ④'늬'는 모두 죽은 아이의 이미지를 드러내는 시어 및 시구이다. 하지만 ②'새까만 밤'은 죽음의 세계를 의미하는 시구이므로 내적 연관성이 가장 적은 것은 ②이다.

24

난이도 ★★☆

해설 ④ ⓔ '번드시'는 '환히, 뚜렷이'를 의미하는 옛말이다. 또한 ⓔ의 앞뒤에서 달이 되어 임이 계신 창문 안에 비치겠다는 내용이 전개되는데, ⓔ을 '반드시'로 풀이하면 '임이 계신 창문 안에 반드시 비치리라'가 되어 문맥상 자연스럽지 않다.

지문풀이

〈갑녀의 질문〉
저기 가는 저 각시 본 듯도 하구나.
천상의 백옥경(궁궐)을 어찌하여 이별하고,
해 다 저문 날에 누구를 보러 가시는가?
〈을녀의 대답〉
아, 너로구나. 내 사정 들어 보오.
내 모습과 이 태도가 임에게 ⓣ사랑받음직 하다마는
어쩐지 나를 보시고 너로구나(하며 특별하게) 여기시므로
나도 임을 믿어 ⓛ다른 생각이 전혀 없어
ⓒ아양이야, 교태야 어지럽게 굴었던지
(임께서 나를) 반기시는 얼굴빛이 옛날과 어찌 다르신고.
〈중 략〉
아, 헛된 일이로구나. 이 임이 어디 갔는가?
꿈결에 일어나 앉아 창을 열고 바라보니
가엾은 그림자만이 나를 따를 뿐이로다.
차라리 죽어 없어져서 지는 달이나 되어
임 계신 창 안에 ⓔ환하게 비치리라.
〈갑녀의 위로〉
각시님, 달은커녕 궂은비나 되십시오.   – 정철, '속미인곡'

이것도 알면 합격

정철, '속미인곡'의 주제와 특징을 알아두자.

1. **주제**: 임금을 향한 그리움
2. **특징**
   • 우리말을 뛰어나게 구사한 가사 문학
   • 두 여인의 대화 형식으로 된 작품으로, 구성상의 참신함이 돋보임
   • 임을 향한 그리움을 진솔하게 표현하는 여성 화자를 통해 주제가 효과적으로 구현됨

25

[2017년 지방직 7급]

밑줄 친 시어 중 내포적 의미가 유사하지 않은 것끼리 묶은 것은?

> 제 손으로 만들지 않고
> 한꺼번에 싸게 사서
> 마구 쓰다가
> 망가지면 내다 버리는
> 플라스틱 물건처럼 느껴질 때
> 나는 당장 버스에서 뛰어내리고 싶다
> 현대 아파트가 들어서며
> 홍은동 사거리에서 사라진
> 털보네 대장간을 찾아가고 싶다
> 풀무질로 이글거리는 불 속에
> 시우쇠처럼 나를 달구고
> 모루 위에서 벼리고
> 숫돌에 갈아
> 시퍼런 무쇠낫으로 바꾸고 싶다
> 땀 흘리며 두들겨 하나씩 만들어 낸
> 꼬부랑 호미가 되어
> 소나무 자루에서 송진을 흘리면서
> 대장간 벽에 걸리고 싶다
> 지금까지 살아온 인생이
> 온통 부끄러워지고
> 직지사 해우소
> 아득한 나락으로 떨어져 내리는
> 똥덩이처럼 느껴질 때
> 나는 가던 길을 멈추고 문득
> 어딘가 걸려 있고 싶다
>
> — 김광규, '대장간의 유혹'

① 플라스틱 물건, 똥덩이
② 찾아가고 싶다, 바꾸고 싶다
③ 털보네 대장간, 직지사 해우소
④ 무쇠낫, 꼬부랑 호미

26

[2016년 국가직 7급]

'고공'이 조정의 신하를 비유한다고 볼 때, ㉠ ~ ㉣에 대한 이해로 적절하지 않은 것은?

> 집의 옷 밥을 두고 빌어먹는 저 고공(雇工)아
> 우리 집 기별을 아느냐 모르느냐
> 비 오는 날 일 없을 때 새끼 꼬면서 이르리라
> ㉠처음의 한어버이 살림살이 하려 할 때
> 인심(仁心)을 많이 쓰니 사람이 절로 모여
> 풀 베고 터를 닦아 큰 집을 지어 내고
> 써레 보습 쟁기 소로 전답(田畓)을 기경(起耕)하니
> 올벼논 텃밭이 ㉡여드레 갈이로다
> 자손(子孫)에 전계(傳繼)하여 대대(代代)로 내려오니
> 논밭도 좋거니와 고공도 근검터라
> 저희마다 농사지어 부유하게 살던 것을
> 요사이 고공들은 생각이 어이 아주 없어
> 밥 사발 크나 작으나 동옷이 좋고 궂으나
> 마음을 다투는 듯 ㉢호수(戶首)를 시기하는 듯
> 무슨 일 감겨들어 흘깃할깃 하는가
> 너희들 일 아니하고 시절(時節)조차 사나워
> 가뜩이나 내 세간이 줄어지게 되었는데
> 엊그제 ㉣화강도(火强盜)에 가산(家産)이 탕진하니
> 집 하나 불타 버리고 먹을 것이 전혀 없다
> 크나큰 세간을 어찌하여 일으키려느냐
> 김가 이가 고공들아 새 마음 먹으려무나
>
> — 허전, '고공가(雇工歌)'

① ㉠: 태조 이성계
② ㉡: 조선 팔도
③ ㉢: 임금
④ ㉣: 왜적

25

난이도 ★★☆

해설 ③ 의미가 유사하지 않은 것끼리 묶은 것은 ③이다.

- **털보네 대장간**: 무가치한 것(플라스틱 물건)을 가치 있는 것(무쇠 낫, 꼬부랑 호미)으로 바꾸는 곳이므로 긍정적인 의미를 내포한다.
- **직지사 해우소**: 화자는 부끄러워진 인생을 '똥덩이'에 비유하였는데, 이때 '해우소'는 '똥덩이'를 배출하는 공간이므로 부정적인 의미를 내포한다. 참고로 '해우소'는 '변소'를 달리 이르는 말이다.

오답분석 ① '플라스틱 물건'과 '똥덩이' 모두 화자에게 무가치한 존재로서 부정적인 의미를 내포하는 대상이다.

② '찾아가고 싶다', '바꾸고 싶다' 모두 가치 있는 존재로 변모하고 싶은 화자의 소망과 의지를 드러내는 표현이다.

④ '무쇠낫', '꼬부랑 호미' 모두 '털보네 대장간'에서 만들어진 것으로 화자에게 가치 있는 것으로 비춰지는 대상이다.

이것도 알면 합격

김광규, '대장간의 유혹'의 주제와 특징을 알아두자.

1. 주제: 가치 있는 삶을 되찾고 싶은 마음
2. 특징
   - 대립적인 이미지를 지닌 시어들을 통해 주제 의식을 강조함
   - 유사한 통사 구조(-고 싶다)를 반복하여 간절한 심정을 드러냄

26

난이도 ★★☆

해설 ③ '고공(雇工, 머슴)'이 조정의 신하를 비유한다면 (머슴들의) 우두머리를 의미하는 ⓒ의 '호수(戶首)'는 임금이 아닌 높은 신하를 가리키는 시어이다.

지문풀이

> 제 집 옷과 밥을 두고 빌어먹는 저 머슴(고공, 조정의 신하)아.
> 우리 집 소식(내력, 조선의 역사)을 아느냐 모르느냐?
> 비 오는 날 일 없을 때 새끼 꼬면서 말하리라.
> ㉠ 처음에 조부모님(태조 이성계)께서 살림살이를 시작할 때에,
> 어진 마음을 베푸시니 사람들이 저절로 모여,
> 풀을 베고 터를 닦아 큰 집을 지어 내고,
> 써레, 보습, 쟁기, 소로 논밭을 기경(起耕, 땅을 갈아 논밭을 만듦)하니,
> 올벼(일찍 수확하는 벼)논과 텃밭이 ⓒ 여드레 동안 갈 만한 큰 땅(조선의 팔도)이 되었도다.
> 자손에게 물려주어 대대로 내려오니,
> 논밭도 좋거니와 머슴들도 근검하더라.
> 저희들이 각각 농사지어 부유하게 살던 것을,
> 요새 머슴들은 생각이 어찌 아주 없어서,
> 밥그릇(녹봉)이 크거나 작거나 동옷(남자가 입는 저고리)이 좋거나 나쁘거나,
> 마음을 다투는 듯 ⓒ 우두머리를 시기하는 듯,
> 무슨 일에 감겨들어 흘깃흘깃 시기하고 미워하는가
> 너희들 일 아니하고 시절조차 사나워서(흉년조차 들어서),
> 가뜩이나 내 살림이 줄어들게 되었는데,
> 엊그제 ㉣ 강도(왜적)를 만나 가산이 탕진하니,
> 집은 불타 버리고 먹을 것이 전혀 없네.
> 크나큰 세간살이(국가의 재정)를 어떻게 해서 일으키려는가?
> 김가 이가 머슴들아, 새 마음을 먹으려무나.

이것도 알면 합격

허전, '고공가(雇工歌)'의 특징을 알아두자.

1. 국사(國事)를 한 집안의 농사일로 비유하여, 정서에 힘쓰지 않고 사리사욕만을 추구하는 신하들을 집안의 게으르고 어리석은 머슴에 빗대어 비판함
2. 이 작품에 대한 화답가로 이원익의 '고공답주인가'가 있음
   - **고공답주인가(雇工答主人歌)**: 임진왜란 이후 집권층이 정사(政事)보다는 당파 싸움에 힘쓰자 작가가 '어른 종(영의정)'의 입장에서 '종(신하)'들을 나무라고 '마나님(임금)'을 경계하려는 의도로 지은 작품

01

다음 작품에 대한 감상으로 적절하지 않은 것은?

> (가) 슬프나 즐거오나 옳다 하나 외다 하나
> 　　내 몸의 해올 일만 닦고 닦을 뿐이언정
> 　　그 밧긔 여남은 일이야 분별(分別)할 줄 이시랴
>
> (나) 내 일 망녕된 줄 내라 하여 모랄손가
> 　　이 마음 어리기도 님 위한 탓이로세
> 　　아뫼 아무리 일러도 임이 혜여 보소서
>
> (다) 추성(秋城) 진호루(鎭胡樓) 밧긔 울어 예는 저 시내
> 　　야
> 　　무음 호리라 주야(晝夜)에 흐르는다
> 　　님 향한 내 뜻을 조차 그칠 뉘를 모르나다
>
> (라) 뫼흔 길고 길고 물은 멀고 멀고
> 　　어버이 그린 뜻은 많고 많고 하고 하고
> 　　어디서 외기러기는 울고 울고 가느니
>
> 　　　　　　　　　　　　　　　　　　 - 윤선도, '견회요'

① (가)에서 슬프든 즐겁든 자신의 할 일만 닦을 뿐이라는 것
으로 보아 화자의 강직한 태도를 엿볼 수 있군.
② (나)에서 자신의 잘못을 잘 안다고 한 것으로 보아 타인을
원망하기보다는 화자 스스로의 잘못을 더 뉘우치고 있군.
③ (다)에서 임을 향한 뜻을 밤낮 흐르는 시냇물에 비유한 것
으로 보아 화자가 지닌 변함없는 연군의 심정을 느낄 수
있군.
④ (라)에서 어버이를 그리는 절절한 정이 표현되는 것으로
보아 화자의 인간적인 면모를 짐작할 수 있군.

02

다음 글의 화자에 대한 설명으로 가장 적절한 것은?

> 열 두 째 김도 길샤 설흔 날 지리(支離)하다. 옥창(玉
> 窓)에 심근 매화(梅花) 몃 번이나 픠여진고. 겨울 밤 차
> 고 찬 제 자최눈 섯거 치고, 여름날 길고 길 제 구즌 비
> 는 므스 일고. 삼춘 화류(三春花柳) 호시절(好時節)의
> 경물(景物)이 시름업다. 가을 돌 방에 들고 실솔(蟋蟀)
> 이 상(床)에 울 제, 긴 한숨 디는 눈물 속절 업시 혬만
> 만타. 아마도 모진 목숨 죽기도 어려울사. 도로혀 풀쳐
> 혜니 이리 하여 어이 하리. 청등(靑燈)을 돌라 노코 녹
> 기금(綠綺琴) 빗기 안아, 벽련화(碧蓮花) 한 곡조를 시
> 름 조차 섯거 타니, 소상(瀟湘) 야우(夜雨)의 댓소리 섯
> 도는 닷, 화표(華表) 천년(千年)의 별학(別鶴)이 우니
> 는 닷, 옥수(玉手)의 타는 수단(手段) 녯 소래 잇다마
> 는, 부용장(芙蓉帳) 적막(寂寞)하니 뉘 귀에 들리소니.
> 간장(肝腸)이 구곡(九曲)되야 구븨구븨 쯘쳐서라. 출
> 하리 잠을 드러 쑴의나 보려 하니, 바람의 디는 닢과
> 풀 속에 우는 즘생, 므스 일 원수로서 잠조차 깨오는
> 다. 천상(天上)의 견우 직녀(牽牛織女) 은하수(銀河水)
> 막혀셔도, 칠월 칠석(七月七夕) 일년 일도(一年一度)
> 실기(失期)치 아니거든, 우리 님 가신 후는 무슨 약수
> (弱水) 가렷관듸, 오거나 가거나 소식(消息)조차 쯔쳣
> 는고. 난간(欄干)의 비겨 셔서 님 가신 딕 바라보니, 초
> 로(草露)눈 맷쳐 잇고 모운(暮雲)이 디나갈 제, 죽림(竹
> 林) 푸른 고딕 새 소리 더욱 설다. 세상의 서룬 사람 수
> 업다 하려니와, 박명(薄命)한 홍안(紅顔)이야 날 가투
> 니 쏘 이실가. 아마도 이 님의 지위로 살동말동 하여
> 라.
>
> 　　　　　　　　　　　　　　　　　　 - '규원가(閨怨歌)'

① 시간 변화를 통해 슬픔과 기쁨의 감정 변화를 나타내고 있
다.
② 자신이 처한 상황과 그 심정을 자연물에 의탁해서 드러내
고 있다.
③ 자신에게 가해지는 차별과 억압의 원인을 연인과의 이별
에서 찾고 있다.
④ 운명에 순응하여 힘든 결혼 생활을 견뎌 온 것에 대해 자
부심을 가지고 있다.

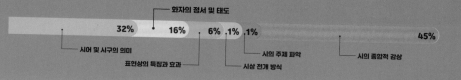

01

난이도 ★★☆

해설 ② (나)에서 화자는 과거 자신의 일이 잘못인 줄 알지만 이러한 일들은 모두 임(임금)을 위한 것이므로 임이 이를 헤아려 주기를 바라고 있다. 따라서 화자가 자신의 잘못을 더 뉘우치고 있다는 ②의 설명은 적절하지 않다.

오답 분석 ① (가)에서 화자는 슬프거나 즐겁거나 자신이 할 일만 닦을 뿐 그 밖의 다른 일은 걱정하지 않겠다고 말하며 강직한 태도를 드러내고 있다.

③ (다)에서 화자는 임을 향한 뜻을 밤낮으로 그치지 않고 흐르는 시냇물에 빗대어 표현함으로써 자신의 충성심도 영원할 것임을 드러내고 있다.

④ (라)의 중장에서 화자는 부모님을 그리워하는 마음이 많음을 표현하여 인간적인 면모를 드러내고 있다.

지문 풀이

(가) 슬프나 즐거우나 옳다 하나 그르다 하나
　　　내 몸의 할 일만 닦고 닦을 뿐이로다.
　　　그 밖의 다른 일이야 생각할 필요가 있는가?　〈제1수〉

(나) 나의 일이 잘못된 줄 나라고 하여 모르겠는가?
　　　이 마음 어리석은 것도 모두가 임을 위한 탓이로구나.
　　　그 누가 아무리 일러도 임께서 헤아려 주십시오.　〈제2수〉

(다) 경원성 진호루 밖에서 울며 흐르는 저 시냇물아.
　　　무엇을 하려고 밤낮으로 흐르느냐?
　　　임을 향한 내 뜻을 따라 그칠 줄을 모르는구나.　〈제3수〉

(라) 산은 길고 길고 물은 멀고 멀고
　　　부모님 그리워하는 뜻은 많기도 많구나.
　　　어디서 외기러기는 슬피 울며 가는구나.　〈제4수〉

02

난이도 ★★☆

해설 ② 제시된 작품은 가정을 돌보지 않는 남편으로 인해 독수공방하고 있는 여인의 삶과 그로 인한 한의 정서를 드러낸 것으로, 화자는 자신이 느끼는 슬픔과 외로움의 감정을 자연물인 '실솔(귀뚜라미)'과 '새'에 이입하여 표현하고 있다. 참고로 감정 이입은 자신의 감정을 다른 대상에 이입하여 대상도 자신과 같은 감정을 느끼는 것처럼 표현하는 방법이다.

[관련 부분]
- 실솔(蟋蟀)이 상(床)에 올 제, 긴 한숨 디는 눈물 속절 업시 헴만 만타.
- 죽림(竹林) 푸른 고딕 새 소리 더욱 설다.

오답 분석 ① 규방 앞에 심은 매화가 몇 번이나 피고 졌다는 표현을 통해 계절이 순환될 만큼 많은 시간이 흘렀음을 확인할 수 있지만 외롭고 서글픈 화자의 심정은 변하지 않으므로 적절하지 않다.

[관련 부분] 옥창(玉窓)에 심근 매화(梅花) 몇 번이나 픠여진고.

③ 제시된 작품에서 확인할 수 없다.

④ 자신만큼 기구한 운명의 여자가 세상에 없을 것이라고 표현할 만큼 힘든 결혼 생활을 하고 있음을 알 수 있지만, 이러한 결혼 생활을 견뎌 온 것에 대한 자부심은 드러나지 않으므로 적절하지 않다.

[관련 부분] 세상의 서룬 사람 수업다 흐려니와, 박명(薄命)흔 홍안(紅顔)이야 날 가투니 또 이실가.

지문 풀이

하루가 길기도 길구나, 한 달이 지루하기만 하다. 규방 앞에 심은 매화는 몇 번이나 피고 졌는가? 겨울 밤 차고 찬 때는 진눈깨비 섞어 내리고 여름날 길고 긴 때 궂은비는 무슨 일인가? 봄날 온갖 꽃이 피고 버들잎이 돋아나는 좋은 시절에 아름다운 경치를 보아도 아무 생각이 없다. 가을 달빛이 방 안을 비추어 들어오고 귀뚜라미가 침상에서 올 때, 긴 한숨으로 흘리는 눈물 헛되이 생각만 많도다. 아마도 모진 목숨이 죽기도 어려운가 보구나. 돌이켜 여러 가지 일을 하나하나 생각하니 이렇게 살아서 어찌할 것인가? 등불을 돌려놓고 푸른 거문고를 비스듬히 안아 벽련화 한 곡조를 시름으로 함께 섞어서 연주하니 소상강 밤비에 댓잎 소리가 섞여 들리는 듯, 망주석에 천 년 만에 찾아온 이별한 학이 울고 있는 듯, 아름다운 여자의 손(나의 손)으로 타는 거문고 솜씨는 옛날 가락이 그대로 있다마는 연꽃무늬의 휘장이 드리워진 방 안이 텅 비었으니, 누구의 귀에 들리겠는가? 간장이 아홉 굽이가 되어 굽이굽이 끊어질 듯 애통하구나. 차라리 잠이 들어 꿈에나 임을 보려고 하였더니 바람에 지는 잎과 풀속에 우는 벌레는 무슨 일로 원수가 되어 잠마저 깨우는가? 하늘의 견우와 직녀는 은하수가 막혔을지라도 칠월 칠석 일 년에 한 번씩 때를 어기지 않고 만나는데 우리 임 가신 후는 무슨 장애물이 가려졌길래 온다간다는 소식마저 그쳤을까? 난간에 기대어 서서 임 가신 데를 바라보니 풀 이슬은 맺혀 있고 저녁 구름이 지나가는 때이구나. 대숲 우거진 푸른 곳에 새 소리가 더욱 서럽다. 세상에 서러운 사람이 많다고 하겠지만 운명이 기구한 젊은 여자야 나 같은 이가 또 있을까? 아마도 임의 탓으로 살 듯 말 듯 하구나.
　　　　　　　　　　　　　　　　　　　　- 허난설헌, '규원가'

03   [2019년 국가직 7급]

다음 시에 나타난 시적 화자의 정서와 가장 유사한 것은?

> 내 가슴에 독(毒)을 찬 지 오래로다.
> 아직 아무도 해(害)한 일 없는 새로 뽑은 독
> 벗은 그 무서운 독 그만 흘어 버리라 한다.
> 나는 그 독이 선뜻 벗도 해할지 모른다 위협하고,
>
> 독 안 차고 살아도 머지않아 너 나 마주 가 버리면
> 억만 세대(億萬世代)가 그 뒤로 잠자코 흘러가고
> 나중에 땅덩이 모지라져 모래알이 될 것임을
> '허무(虛無)한듸!' 독은 차서 무엇 하느냐고?
>
> 아! 내 세상에 태어났음을 원망 않고 보낸
> 어느 하루가 있었던가. '허무한듸!', 허나
> 앞뒤로 덤비는 이리 승냥이 바야흐로 내 마음을 노리매
> 내 산 채 짐승의 밥이 되어 찢기우고 할퀴우라 내맡긴 신세임을
>
> 나는 독을 차고 선선히 가리라.
> 막음 날 내 외로운 혼(魂) 건지기 위하여.
>   - 김영랑, '독을 차고'

① 수양산(首陽山) 부라보며 이제(夷齊)를 한(恨)ᄒ노라.
   주려 주글진들 채미(採薇)도 ᄒ는것가.
   비록애 푸새앳 거신들 그 뉘 짜헤 낫ᄃ니.

② 짚방석(方席) 내지 마라, 낙엽(落葉)엔들 못 안즈랴.
   솔불 혀지 마라, 어제 진 ᄃ 도다 온다.
   아ᄒ야, 박주산채(薄酒山菜)ㄹ망정 업다 말고 내여라.

③ 내 언제 무신(無信)ᄒ야 님을 언제 속엿관듸
   월침삼경(月沈三更)에 온 뜻지 전혀 업다.
   추풍(秋風)에 지는 닙 소릐야 낸들 어이ᄒ리오.

④ 흥망(興亡)이 유수(有數)ᄒ니 만월대(滿月臺)도 추초(秋草)ㅣ로다.
   오백 년(五百年) 왕업(王業)이 목적(牧笛)에 부쳐시니,
   석양(夕陽)에 지나는 객(客)이 눈물계워 ᄒ노라.

04   [2018년 지방직 7급]

다음 글에 나타난 시적 화자의 정서와 가장 유사한 것은?

> 흰 구름 뿌연 연하(煙霞) 푸른 것은 산람(山嵐)이라
> 천암만학(千巖萬壑)을 제 집으로 삼아 두고
> 나명셩 들명셩 이래도 구는지고
> 오르거니 내리거니 장공(長空)에 떠나거니 광야(廣野)로 건너거니
> 푸르락 붉으락 옅으락 짙으락
> 사양(斜陽)과 섞어지어 세우(細雨)조차 뿌리는가.
>   〈중 략〉
> 초목 다 진 후의 강산(江山)이 매몰커늘
> 조물(造物)이 헌사하여 빙설(氷雪)로 꾸며 내니
> 경궁요대(瓊宮瑤臺)와 옥해은산(玉海銀山)이 안저(眼底)의 벌렸구나.
> 건곤(乾坤)도 가암열사* 간 데마다 경이로다.
>   - 송순, '면앙정가'
>
> * 가암열사: 풍성하다는 뜻

① 수간모옥(數間茅屋)을 벽계수(碧溪水) 앞에 두고 송죽(松竹) 울울리(鬱鬱裏)에 풍월주인(風月主人) 되어셔라.

② 이 술 가져다가 사해(四海)에 고루 나누어 억만창생(億萬蒼生)을 다 취(醉)케 만든 후에 그제야 고쳐 만나 또 한 잔 하잤고야.

③ 모첨(茅簷) 찬 자리에 밤중만 돌아오니 반벽청등(半壁靑燈)은 눌 위하여 밝았는고.

④ 종조추창(終朝惆愴)하며 먼 들을 바라보니 즐기는 농가(農歌)도 흥(興) 없어 들리나다.

03
난이도 ★★☆

해설 ① 제시된 작품과 ⑦은 모두 결연한 저항 의지를 표현하고 있다.
- 제시된 작품: 3연의 3~4행을 통해 시적 화자는 고통과 억압의 현실에 놓여있으나 '나는 독을 차고 선선히 가리라'라는 시구를 통해 결연한 저항 의지를 표현하였다.
  [관련 부분] 앞 뒤로 덤비는 이리 승냥이 바야흐로 내 마음을 노리매 / 내 산 채 짐승의 밥이 되어 찢기우고 할퀴우라 내맡긴 신세임을
- ⑦: 성삼문의 시조로 수양대군의 왕위 찬탈이라는 부정적인 현실에 저항하는 화자의 절의와 강인한 의지를 표현하였다.

오답분석 ② **한호의 시조**: 자연에서 안빈낙도하는 소박한 풍류

③ **황진이의 시조**: 사랑하는 임을 향한 애절한 그리움과 안타까움

④ **원천석의 시조**: 고려 왕조의 멸망에 대한 한탄과 무상감

지문풀이
> ① 수양산을 바라보면서 지조를 끝까지 지키지 못한 백이와 숙제를 원망하며 한탄하노라.
> 차라리 굶주려 죽을망정 고사리는 왜 캐어 먹었는가?
> 비록 산에서 아무렇게나 자라는 풀이라 하더라도 그것이 누구의 땅에서 났단 말인가? - 성삼문의 시조
>
> ② 짚으로 만든 방석을 내지 마라. 낙엽엔들 앉지 못하겠느냐.
> 관솔불을 켜지 마라. 어제 졌던 밝은 달이 다시 떠오른다.
> 아이야, 변변하지 않은 술과 나물일지라도 좋으니 없다 말고 내오너라. - 한호의 시조
>
> ③ 내가 언제 믿음이 없어서 임을 언제 속였기에
> 달마저 잠든 깊은 밤에도 임이 찾아오려는 뜻이(기척이) 전혀 없네.
> 가을바람에 떨어지는 잎 소리야(임이 오시는 소리로 들리는 것을) 낸들 어떻게 하겠는가? - 황진이의 시조
>
> ④ 나라가 흥하고 망하는 것이 운수에 달렸으니 만월대도 가을 풀만이 우거져 있구나.
> 오백 년 고려 왕조의 업적이 목동의 피리 소리에 담겨 있으니, 석양에 지나는 나그네가 눈물겨워 하는구나. - 원천석의 시조

04
난이도 ★★☆

해설 ① 제시된 작품과 ⑦은 모두 화자의 자연 친화적 정서를 표현하고 있다. 따라서 답은 ①이다.
- 제시된 작품: 송순의 '면앙정가' 중 일부분으로, 화자는 '면앙정'의 봄 경치를 묘사하며 그 아름다움에 대해 감탄하고 있다.
- ①: 정극인의 '상춘곡' 중 일부분으로, 아름다운 자연에 묻혀 사는 즐거움을 표현하였다.

오답분석 ② 정철의 '관동별곡' 중 일부분으로, '사해(四海)에 고루 나누어 억만창생(億萬蒼生)을 다 취(醉)케 만든 후(온 세상에 고루 나눠 온 백성을 다 취하게 만든 후에)'를 통해 백성들을 생각하는 화자의 애민 정신을 알 수 있다.

③ 정철의 '속미인곡' 중 일부분으로, 독수공방으로 인한 화자의 외로운 정서를 표현하였다.

④ 박인로의 '누항사' 중 일부분으로, '즐기는 농가(農歌)도 흥(興) 없어 들리나다(즐기는 농가도 흥 없이 들리는구나)'를 통해 화자의 실망과 안타까움의 정서를 표현하고 있다.

지문풀이
> 〈제시된 가사〉
> 흰구름, 뿌연 안개와 노을, 푸른 것은 산 아지랑이로구나. 수많은 바위와 골짜기를 제 집으로 삼아 두고 나왔다 들어갔다 아양도 부리는구나. 오르거니 내리거니 하늘에 떠나거니 광야로 건너거니, 푸르락붉으락, 옅을락 짙을락 석양과 섞어져서 가랑비조차 뿌리는구나. 〈중 략〉
> 초목 다 진 후에 강산이 (눈에) 묻혔거늘 조물주가 야단스러워 빙설로 꾸며내니 경궁요대와 옥해 은산이 눈 아래 펼쳐졌구나. 천지도 풍성하구나. 가는 곳마다 경이롭구나. - 송순, '면앙정가'
>
> ① 몇 칸짜리 초가집을 맑은 시냇물 앞에 지어 놓고, 소나무와 대나무가 우거진 속에 자연의 주인이 되었구나! - 정극인, '상춘곡'
>
> ② 이 신선주를 가져다가 온 세상에 고루 나눠 온 백성을 다 취하게 만든 후에, 그때에야 다시 만나 또 한 잔 하자꾸나. - 정철, '관동별곡'
>
> ③ 초가집 찬 잠자리에 밤중에 돌아오니, 벽에 걸린 등불은 누구를 위하여 밝았는가? - 정철, '속미인곡'
>
> ④ 아침이 끝날 때까지 슬퍼하며 먼 들을 바라보니 즐기는 농가도 흥 없이 들리는구나. - 박인로, '누항사'

05   [2017년 지방직 7급]

다음 글에 나타난 화자의 상황 및 정서와 가장 유사한 것은?

> 하루도 열두 때 한 달도 서른 날. 저근덧 생각마라. 이 시름 잊자 하니 마음에 맺혀 있어 골수에 께쳤으니 편작이 열이오나 이 병을 어찌하리. 어와 내 병이야 이 임의 탓이로다. 차라리 죽어서 범나비 되오리라. 꽃나무 가지마다 간 데 족족 앉아 있다가 향 묻은 날개로 임의 옷에 앉으리라. 임이야 날인 줄 모르셔도 내 임 좇으려 하노라.

① 서방님 병(病) 들여 두고 쓸 것 없어
　종루 저자에 다리 팔아 배 사고 감 사고 유자 사고 석류 샀다.
　아차차 잊었구나. 오화당(五花糖)을 잊어 버렸구나.
　수박에 술 꽂아 놓고 한숨계워 하노라.

② 갓나희들이 여러 층(層)이오매
　송골매도 같고 줄에 앉은 제비도 같고 백화원리(百花園裡)에 두루미도 같고 녹수파란(綠水波瀾)에 비오리도 같고 따헤 퍽 앉은 소리개도 같고 썩은 등걸에 부엉이도 같데.
　그려도 다 각각 임의 사랑이니 개(皆) 일색(一色)인가 하노라.

③ 공명도 날 꺼리고 부귀도 날 꺼리니
　청풍명월 외에 어떤 벗이 있사올꼬.
　단표누항에 허튼 혜음 아니하니
　아모타 백년행락이 이만한들 어떠하리.

④ 내 임을 그리워하여 울고 있나니
　산 접동새 난 비슷하요이다.
　아니시며 거츠르신 것을
　아으 잔월효성이 알으시리이다.

06   [2017년 사회복지직 9급]

다음 작품과 가장 유사한 정서를 지니는 것은?

> 가시리 가시리잇고 나는
> 부리고 가시리잇고 나는
> 　　위 증즐가 대평셩디(大平盛代)
>
> 날러는 엇디 살라 하고
> 부리고 가시리잇고 나는
> 　　위 증즐가 대평셩디(大平盛代)
>
> 잡스와 두어리마ᄂᆞᆫ
> 선ᄒᆞ면 아니 올셰라
> 　　위 증즐가 대평셩디(大平盛代)
>
> 셜온 님 보내압노니 나는
> 가시ᄂᆞᆫ 듯 도셔 오쇼셔 나는
> 　　위 증즐가 대평셩디(大平盛代)

① 한용운, 「님의 침묵」
② 김상용, 「남으로 창을 내겠소」
③ 서정주, 「국화 옆에서」
④ 김소월, 「진달래꽃」

05
난이도 ★★☆

해설 ④ 제시된 작품은 정철의 '사미인곡'으로, 범나비가 되어 임을 따르겠다는 표현을 통해 시적 대상과 이별한 후 화자가 느끼는 그리움을 그리고 있다. 이와 화자의 상황 및 정서가 가장 유사한 것은 ④로, 자신의 처지가 접동새와 비슷하다고 표현하며 임을 그리워하고 있다.

오답 분석 ① 남편에 대한 아내의 사랑과 정성을 표현한 김수장의 시조이다.

② 임의 사랑을 받고 살아가는 뭇 여인들을 표현한 김수장의 시조이다.

③ 자연을 벗하는 삶에 대한 만족감을 표현한 정극인의 '상춘곡'이다.

지문 풀이

> 〈제시된 가사〉
> 하루도 열두 때, 한 달도 서른 날, 잠시라도 임 생각을 말아 이 시름을 잊자 하여도 마음속에 맺혀 있어 뼛속까지 사무쳤으니 편작과 같은 명의가 열 명이 온다 한들 이 병을 어찌하랴. 아, 내 병이야 임의 탓이로다. 차라리 죽어서 범나비가 되리라. 꽃나무 가지마다 가는 곳마다 앉아 다니다가, 향 묻은 날개로 임의 옷에 가 앉으리라. 임께서야 나인 줄 모르셔도 나는 끝까지 임을 따르려 하노라.
> — 정철, '사미인곡'
>
> ① 서방님이 병이 들어 두고 쓸 것이 없어서(돈이 될 만한 것이 없어서) / 종루 시장에 머리카락 팔아 배 사고 감 사고 유자 사고 석류 샀다. 아차차 잊었구나, 오색 사탕을 잊었구나. / (화채를 만들려고) 수박에 숟가락 꽂아 놓고 한숨 못 이겨 하노라.
> — 김수장의 시조
>
> ② 계집들이 여러 층이더라.
> 송골매 같기도 하고, 줄에 앉은 제비 같기도 하고, 온갖 꽃들이 핀 뜰의 두루미 같기도 하고, 크고 작은 푸른 물결 위의 비오리 같기도 하고, 땅에 퍽 앉아 있는 솔개 같기도 하고, 썩은 등걸에 있는 부엉이 같기도 하네.
> 그래도 각각 님의 사랑이니 각자가 다 뛰어난 미인인가 하노라.
> — 김수장의 시조
>
> ③ 공명도 날 꺼리고 부귀도 날 꺼리니 / 청풍명월 외에 어떤 벗이 있겠는가. / 간소한 음식과 누추한 거처에서 번잡한 생각을 하지 않네. / 아무튼 평생을 즐겁게 지내는 일이 이만하면 족하지 않겠는가?
> — 정극인, '상춘곡'
>
> ④ 내 임을 그리며 울고 지내더니 / 산 접동새와 난 (처지가) 비슷합니다. / (나에 대한 참소가) 옳지 않으며 거짓이라는 것을 / 잔월효성(지는 달과 새벽 별)이 알고 계실 것입니다.
> — 정서, '정과정'

06
난이도 ★☆☆

해설 ④ 제시된 작품은 고려 가요 '가시리'로, 전통적 정서인 이별의 정한을 노래하고 있다. 이와 가장 유사한 정서를 지니는 것은 사랑하는 임을 떠나보내는 슬픔을 나타낸 ④ '김소월, 「진달래꽃」'이다.

오답 분석 ① 한용운의 「님의 침묵」은 불교의 역설적 진리를 바탕으로 하여 임을 향한 기다림과 변함없는 사랑을 노래한 작품이다.

② 김상용의 「남으로 창을 내겠소」는 전원생활을 통한 여유와 달관의 삶을 노래한 작품이다.

③ 서정주의 「국화 옆에서」는 국화가 피어나는 과정을 보며 느끼는 삶의 원숙한 경지를 노래한 작품이다.

지문 풀이

> 가시렵니까? 가시렵니까?
> (나를) 버리고 가시렵니까?
> 나는 어찌 살라 하고
> (나를) 버리고 가시렵니까?
> 붙잡아 두고 싶지만
> 서운하면 아니 오실까 두렵습니다.
> 서러운 임을 보내 드리오니
> 가시자마자 곧 (떠날 때와 같이) 돌아서 오소서. — '가시리'

이것도 알면 합격

작자 미상, '가시리'의 특징을 알아두자.
이별의 노래인 '가시리'에는 분위기와 어울리지 않는 후렴구 '위 증즐가 태평성대'가 반복적으로 사용되고 있다. 후렴구를 제외하고 가사를 재편해 보면 4행을 1연으로 하는 2연의 민요체 가요가 되는데, 이를 통해 '가시리'는 민요였던 원작이 고려의 궁중음악으로 개편되면서 후렴구가 첨가된 것임을 추정할 수 있다.

07

[2015년 서울시 7급]

다음 고전 시가에 대한 설명으로 가장 옳은 것은?

> 내 님믈 그리ᅀ와 우니다니
> 산(山) 졉동새 난 이슷ᄒ요이다.
> 아니시며 거츠르신ᄃᆞᆯ 아으
> 잔월효성이 아ᄅ시리이다.
> 넉시라도 님은 ᄒᆞᆫ디 녀져라 아으
> 벼기더시니 뉘러시니잇가.
> 과(過)도 허믈도 천만(千萬) 업소이다.
> 믈힛마리신뎌
> 술읏븐뎌 아으
> 니미 나ᄅᆞᆯ ᄒᆞ마 니ᄌ시니잇가.
> 아소 님하, 도람 드르샤 괴오쇼셔
> 　　　　　　　　　　　　 - 정서, '정과정'

① 현재 자신의 처지에서 벗어나고 싶은 심정을 담고 있다.
② 이상과 현실의 괴리에 대한 담담한 마음을 담고 있다.
③ 다가올 미래에 대한 비관적인 심경을 담고 있다.
④ 일상적인 소재를 통해서 삶의 교훈을 담고 있다.

08

[2015년 서울시 9급]

다음 시조와 가장 유사한 정서가 나타난 것은?

> 방안에 혓는 촛불 눌과 이별 ᄒ엿관디
> 겻트로 눈물 디고 속 타는 줄 모르는고
> 뎌 촛불 날과 갓트여 속 타는 줄 모르도다

① 이화에 월백ᄒ고 은한이 삼경인 제 / 일지춘심을 자규야 알랴마ᄂ / 다정도 병인냥ᄒ여 좀 못 드러 ᄒ노라
② ᄒᆞᆫ 손에 막디잡고 또 ᄒᆞᆫ 손에 가싀 쥐고 / 늙는 길은 가싀로 막고 오는 백발은 막디로 칠엿튼이 / 백발이 제 몬져 알고 지름길로 오건야
③ 이화우 흣ᄲ릴 제 울며 잡고 이별ᄒᆞᆫ 님 / 추풍낙엽에 저도 날 싱각ᄂᆞᆫ가 / 천리에 외로운 꿈만 오락가락 ᄒ노매
④ ᄆᆞᄋᆞᆯ 사ᄅᆞᆷ들아 올ᄒᆞᆫ일 ᄒᆞ쟈ᄉᆞ라 / 사ᄅᆞᆷ이 되어 나셔 올티 옷 못ᄒᆞ면 / ᄆᆞ쇼ᄅᆞᆯ 갓 곳갈 싀워 밥머기나 다르랴

07

난이도 ★★★

해설 ① 제시된 작품에서 화자는 자신의 억울함을 드러내고 임에게 다시 자신을 사랑해 달라고 말하고 있다. 이를 통해 화자가 임과 이별한 상황이며, 이러한 자신의 처지에서 벗어나고 싶은 심정을 작품에 담고 있음을 알 수 있다. 참고로, 제시된 작품의 갈래는 고려 가요로, 작가인 정서가 유배지에서 자신의 결백을 밝히기 위해 창작한 작품이다.

오답 분석 ② 이상(임과 함께하고 싶음)과 현실(임과 이별한 상황)의 괴리가 드러나지만 화자는 이러한 상황을 담담하게 받아들이지 못하고 괴로워하고 있다.

③ 다가올 미래에 대한 비관적인 심경은 드러나지 않는다.

④ '산 접동새'와 같은 일상적인 소재는 드러나지만, 이를 통해 삶의 교훈을 담고 있지 않다.

지문 풀이
> 내가 임을 그리며 울고 지내더니
> 산 접동새와 난 (처지가) 비슷합니다.
> (나에 대한 참소가) 옳지 않으며 거짓이라는 것을
> 잔월효성(새벽녘의 달과 별)이 알고 계실 것입니다.
> 넋이라도 님과 함께 지내고 싶어라.
> (내 죄를) 우기던 이가 누구입니까.
> (나는) 잘못도 허물도 전혀 없습니다.
> 뭇 사람들의 참언입니다.
> 슬프구나!
> 임께서 나를 벌써 잊으셨습니까.
> 아아 임이여, (마음을) 돌려 (제 말을) 들으시고 사랑해 주소서.

08

난이도 ★★☆

해설 ③ 제시된 작품(이개의 시조)과 ③(계랑의 시조)은 모두 시적 대상과 이별한 후 화자가 느끼는 외로움과 슬픔을 표현하고 있다.

오답 분석 ① 이조년, '다정가(多情歌)': 봄밤에 느끼는 애상적인 정서

② 우탁, '탄로가(歎老歌)': 늙음을 한탄함

④ 정철, '훈민가(訓民歌)': 옳은 일을 할 것을 권유함

지문 풀이
> 〈제시된 시조〉
> 방 안에 켜 있는 촛불 누구와 이별하였기에 / 겉으로 눈물 흘리고 속 타는 줄 모르는고, / 저 촛불도 나와 같아 속 타는 줄 모르는구나. — 이개의 시조
>
> ① 하얗게 핀 배꽃에 달빛은 은은히 비추고 은하수는 삼경(밤 11시에서 새벽 1시)을 알리는 때에 / 배꽃 가지에 어린 봄기운을 소쩍새는 알고서 저리 우는 것일까마는 / 정이 많은 것도 병인 듯하여 잠 못 들어 하노라. —이조년, '다정가(多情歌)'
> ② 한 손에 막대 잡고 또 한 손에는 가시를 쥐고 / 늙는 길 가시로 막고 오는 백발은 막대로 치려 했더니 / 백발이 제가 먼저 알고 지름길로 오더라. — 우탁, '탄로가(歎老歌)'
> ③ 배꽃이 비처럼 흩날리는 때에 울며 잡으며 이별한 임 / 가을바람에 지는 낙엽을 보며 나를 생각하고 계실까? / 천릿길 머나먼 곳에 외로운 꿈만 오락가락하는구나. — 계랑의 시조
> ④ 마을 사람들아 옳은 일 하자꾸나 / 사람으로 태어나 옳지 못하면 / 말과 소에 갓이나 고깔을 씌워 밥을 먹이는 것과 무엇이 다르랴. — 정철, '훈민가(訓民歌)'

09

[2018년 법원직 9급]

화자의 봉선화에 대한 태도와 가장 일치하는 것은?

백옥섬 좋은 흙에 종종이 심어 내니
춘삼월 지난 후에 향기 없다 웃지 마소
취한 나비 미친 벌이 따라올까 저허하네
정정한 저 기상을 여자밖에 뉘 벗갈고
옥난간 긴긴 날에 보아도 다 못 보아
사창을 반개하고 차환*을 불러 내어
다 핀 꽃을 캐어다가 수(繡)상자에 담아 놓고
여공(女工)*을 그친 후에 중당에 밤이 깊고 납촉이 밝았을 제
나옴나옴 고초 앉아 흰 구슬을 갈아 마아
빙옥(氷玉) 같은 손 가운데 난만이 개여 내어
파사국* 저 제후의 홍산궁을 펼쳤는 듯
심궁 풍류 절고에 홍수궁을 마아는 듯
섬섬한 십지상(十指上)에 수실로 감아 내니
종이 위에 붉은 물이 미미히 숨의는 양
가인의 얕은 뺨에 홍로를 끼쳤는 듯
단단히 봉한 모양 춘나옥자 일봉서를 왕모에게 부치는 듯
춘면을 늦게 깨어 차례로 풀어 놓고
옥경대를 대하여서 팔자미*를 그리려니
난데없는 붉은 꽃이 가지에 붙었는 듯
손으로 우희려니 분분히 흩어지고
입으로 불려 하니 섞인 안개 가리었다
여반(女伴)을 서로 불러 낭랑이 자랑하고
꽃 앞에 나아가서 두 빛을 비교하니
쪽 잎의 푸른 물이 쪽빛보다 푸르단 말이 아니 옳을손가
은근히 풀을 매고 돌아와 누웠더니
녹의홍상 일여자가 표연히 앞에 와서
웃는 듯 찡그리는 듯 사례는 듯 하직는 듯
몽롱이 잠을 깨어 정녕이 생각하니
아마도 꽃 귀신이 내게 와 하직한다
수호*를 급히 열고 꽃 수풀을 점검하니
땅 위에 붉은 꽃이 가득히 수놓았다.
암암이 슬퍼하고 낱낱이 주워 담아
꽃다려 말 붙이니 그대는 한치 마소
세세연년의 꽃빛은 의구하니
하물며 그대 자취 내 손에 머물렀지
동원의 도리화는 편시춘을 자랑 마소
이십 번 꽃바람의 적막히 떨어진들 뉘라서 슬퍼할고
규중에 남은 인연 그대 한 몸뿐이로세

봉선화 이 이름을 뉘라서 지어낸고 일로 하여 지어서라
　　　　　　　　　　　　　　　　　- 작자 미상, '봉선화가'

* 차환: 주인을 가까이에서 모시는 젊은 계집종.
* 여공: 부녀자들이 하던 길쌈질.
* 파사국: 페르시아.
* 팔자미: 몹시 성내어 얼굴을 일그러뜨렸을 때의 눈썹을 이르는 말.
* 수호 : 수를 놓은 휘장으로 가린 문.

① 동각에 숨은 꽃이 척촉(躑躅)인가 두견화(杜鵑花)인가.
　건곤(乾坤)이 눈이어늘 제 어찌 감히 피리.
　알괘라 백설 양춘(白雪陽春)은 매화밖에 뉘 있으리.
② 이화(梨花)에 월백(月白)하고 은한(銀漢)이 삼경(三更)인제
　일지춘심(一枝春心)을 자규(子規)ㅣ야 아랴마는
　다정(多情)도 병(病)인 냥하여 좀 못 드러 하노라
③ 추강(秋江)에 밤이 드니 물결이 차노매라
　낚시 드리우니 고기 아니 무노매라
　무심(無心)한 달빛만 싣고 빈 배 저어 오노라.
④ 잔 들고 혼자 안자 먼 뫼흘 ᄇᆞ라보니,
　그리던 님이 오다 반가옴이 이러ᄒᆞ랴.
　말ᄉᆞᆷ도 우움도 아녀도 몯내 됴하ᄒᆞ노라.

10

[2015년 국가직 7급]

다음 시의 화자에 대한 설명으로 적절하지 않은 것은?

> 기다리지 않아도 오고
> 기다림마저 잃었을 때에도 너는 온다.
> 어디 뻘밭 구석이거나
> 썩은 물웅덩이 같은 데를 기웃거리다가
> 한눈 좀 팔고, 싸움도 한판 하고,
> 지쳐 나자빠져 있다가
> 다급한 사연 들고 달려간 바람이
> 흔들어 깨우면
> 눈 비비며 너는 더디게 온다.
> 더디게 더디게 마침내 올 것이 온다.
> 너를 보면 눈부셔
> 일어나 맞이할 수가 없다.
> 입을 열어 외치지만 소리는 굳어
> 나는 아무것도 미리 알릴 수가 없다.
> 가까스로 두 팔을 벌려 껴안아 보는
> 너, 먼 데서 이기고 돌아온 사람아.
>
> - 이성부, '봄'

① 시적 대상에 상징적 의미를 부여하고 있다.
② 시적 대상에 대해서 무력감을 느끼고 있다.
③ 시적 대상에 대해서 예찬하는 태도를 보이고 있다.
④ 시적 대상을 통해서 순리에 대한 신념을 표현하고 있다.

09

난이도 ★★★

해설 ① 제시된 작품의 화자는 봉선화의 곧은 행실과 깨끗함을 예찬하며 봉선화에 대한 애정을 드러내고 있다. 이러한 화자의 태도와 가장 일치하는 것은 추운 겨울 눈 속에서도 꽃을 피워내는 매화의 강인한 의지와 높은 절개를 예찬하는 ①이다.

오답분석 ② 봄밤에 느끼는 애상적 정서를 노래하고 있다.

③ 세속적 명리에서 벗어나 자연 속에서 유유자적하는 삶의 모습을 노래하고 있다.

④ 자연과 더불어 안분지족하며 살아가는 흥겨운 삶의 태도를 노래하고 있다.

지문풀이 ① 동쪽에 있는 누각에 숨은 꽃이 철쭉인가 진달래꽃인가.
온 천지가 눈이거늘 제 어찌 감히 피겠는가.
알겠도다, 흰 눈이 날리는 겨울인데도 봄빛을 보이는 것은 매화밖에 누가 있으리.
　　　　　　　　　- 안민영, '매화사(梅花詞)'
② 배꽃에 달이 환하게 비치고 은하수는 자정을 알리는 때에
배나무 한 가지에 어려 있는 봄날의 정서를 소쩍새가 알고서 우는 것이랴마는
정이 많은 것도 병인 듯싶어 잠을 이루지 못하노라
　　　　　　　　　- 이조년, '다정가(多情歌)'
③ 가을 강에 밤이 찾아오니 물결이 차갑구나.
낚시를 드리우니 물고기가 물지 않는구나.
욕심이 없는 달빛만 가득 싣고 빈 배를 저어 오는구나.
　　　　　　　　　- 월산 대군, '추강(秋江)에 밤이 드니'
④ 잔 들고 혼자 앉아 먼 산을 바라보니
그리워하던 임이 온다고 한들 반가움이 이러하랴.
말도 웃음도 아니하지만 마냥 좋아하노라.
　　　　　　　　　- 윤선도, '만흥'

10

난이도 ★★☆

해설 ② 제시된 작품에서 시적 대상인 '너(봄)'에 대한 화자의 무력감은 나타나지 않는다. 화자는 '너(봄)'가 올 것을 확신하면서 그를 간절히 기다리고 있다.

오답분석 ① 화자는 '너(봄)'에게 '지금은 부재하지만 언젠가 반드시 돌아올 가치'라는 상징적 의미를 부여하고 있다.

③ 11~16행에서 드러나는 화자가 '너(봄)'를 맞이하는 모습을 통해 시적 대상에 대한 화자의 예찬적 태도를 확인할 수 있다.

④ 화자는 '너(봄)'가 반드시 돌아올 것이라는 확신을 드러내고 있다. 이를 통해 화자는 순리(계절의 순환)에 대한 신념을 표현하고 있다.

이것도 알면 합격

이성부, '봄'의 주제와 특징에 대해 알아두자.

1. **주제**: 봄(민주, 자유)이 올 것이라는 확신과 희망
2. **특징**
   • 대상(봄)을 의인화하여 예찬함
   • 앞으로 다가올 새로운 시대에 대한 확신과 희망이 나타남
   • 자연 섭리(계절의 순환, 봄은 반드시 옴)의 당위성을 강조함

01

(가) ~ (라)에 대한 이해로 적절하지 않은 것은?

> (가) 반중(盤中) 조홍(早紅)감이 고아도 보이ᄂ다
> 　　유자 안이라도 품엄즉도 ᄒ다마는
> 　　품어 가 반기리 업슬새 글노 설워ᄒᄂ이다
>
> (나) 동짓ᄃᆞᆯ 기나긴 밤을 한 허리를 버혀 내여
> 　　춘풍 니불 아래 서리서리 너헛다가
> 　　어론 님 오신 날 밤이여든 구뷔구뷔 펴리라
>
> (다) 말 업슨 청산(靑山)이오 태(態) 업슨 유수(流水)로다
> 　　갑 업슨 청풍(淸風)이오 님ᄌᆞ 업슨 명월(明月)이로다
> 　　이 중에 병 업슨 이 몸이 분별 업시 늘그리라
>
> (라) 농암(籠巖)에 올라보니 노안(老眼)이 유명(猶明)이로다
> 　　인사(人事)이 변ᄒᆞᆫ들 산천이ᄯᆫ 가샐가
> 　　암전(巖前)에 모수 모구(某水某丘)이 어제 본 ᄃᆞᆺ ᄒᆞ예라

① (가)는 고사의 인용을 통해 돌아가신 부모님에 대한 그리움을 표현하고 있다.

② (나)는 의태적 심상을 통해 임에 대한 기다림을 표현하고 있다.

③ (다)는 대구와 반복을 통해 자연에 귀의하려는 의지를 표현하고 있다.

④ (라)는 자연과의 대조를 통해 허약해진 노년의 무력함을 표현하고 있다.

02

다음 글의 특징으로 가장 적절한 것은?

> 살아가노라면
> 가슴 아픈 일 한두 가지겠는가
>
> 깊은 곳에 뿌리를 감추고
> 흔들리지 않는 자기를 사는 나무처럼
> 그걸 사는 거다
>
> 봄, 여름, 가을, 긴 겨울을
> 높은 곳으로
> 보다 높은 곳으로, 쉬임 없이
> 한결같이
>
> 사노라면
> 가슴 상하는 일 한두 가지겠는가
>
> 　　　　　　　　　　　　- 조병화, '나무의 철학'

① 문답법을 통해 과거의 삶을 반추하고 있다.

② 반어적 표현을 활용하여 슬픔의 정서를 나타내고 있다.

③ 사물을 의인화하여 현실을 목가적으로 보여 주고 있다.

④ 설의적 표현을 활용하여 삶의 깨달음을 강조하고 있다.

챕터별 출제 경향
(2015~2021 국가직 / 지방직 / 서울시 7·9급)

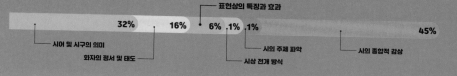

시어 및 시구의 의미 — 32%
화자의 정서 및 태도 — 16%
표현상의 특징과 효과 — 6%
시상 전개 방식 — 1%
시의 주제 파악 — 1%
시의 종합적 감상 — 45%

01

난이도 ★★☆

해설 ④ (라)의 화자는 변함없는 자연과 변해 버린 인간 세상을 대조하여 자연을 예찬하는 정서를 드러내고 있으나, 허약해진 노년의 무력함은 표현하고 있지 않다.

오답분석 ① (가)의 화자는 중장에서 육적의 '회귤 고사'를 인용하여 돌아가신 부모님에 대한 그리움을 표현하고 있다.
· '회귤 고사'의 내용: 중국의 이름난 효자인 '육적'이 여섯 살 때 '원술'을 찾아가 대접받은 귤을 어머니께 드리기 위해 품에 숨겨 몰래 가져가다 발각되어 좌중의 모든 사람들이 그 효심에 감탄하였다는 일화

② (나)의 화자는 임이 부재한 시간을 잘라 내어 넣어 두었다가 임이 오신 날 다시 펼치는 동작을 본뜬 의태적 심상인 '서리서리', '구뷔구뷔'를 활용하여, 임을 기다리는 여인의 마음을 섬세하게 드러내고 있다. 참고로 의태적 심상이란 어떤 모양이나 동작을 본떠서 흉내 낸 심상을 의미한다.

③ 초장의 '말'과 '태', '청산'과 '유수', 중장의 '값'과 '님ᄌᆞ', '청풍'과 '명월'이 각각 대구를 이루고 있으며 초장과 중장에서 어미 '~이오, ~로다'의 문장 구조가 반복된다. 이를 통해 화자는 자연을 벗삼아 살겠다는 자세와 자연에 귀의하려는 의지를 표현하고 있다.

지문풀이
(가) 소반 위에게로 놓인 붉은 감이 곱게 보이는구나.
　　　유자가 아니라도 품어 갈 만하지만
　　　품어 가도 반가워하실 분(부모님)이 안 계시므로 그로 인해 서러워하노라.　　　　　　　　　　　　　　 - 박인로

(나) 동짓달 긴 밤의 한가운데를 베어 내어
　　　봄바람처럼 따뜻한 이불 아래에 서리서리 넣어 두었다가,
　　　정든 임이 오시는 날 밤이면 굽이굽이 펴리라.　 - 황진이

(다) 말이 없는 청산이요, 모양이 없는 흐르는 물이로다.
　　　값이 없는 바람이요, 주인이 없는 밝은 달이로다.
　　　이 가운데 병 없는 이 몸이 아무 걱정 없이 늙으리라.　 - 성혼

(라) 농암에 올라 보니 노안인데도 오히려 더 잘 보이는구나.
　　　인간 세상이 변한다고 자연조차 변하겠는가?
　　　바위 앞에 펼쳐진 물과 언덕들이 어제 본 것 같구나.　 - 이현보

02

난이도 ★★☆

해설 ④ 1연과 4연에서 '~겠는가'와 같은 설의적 표현을 통해 시적 화자는 사는 동안 겪는 아픔을 극복하고 보다 높은 곳으로 향해 나아가야 한다는 삶의 깨달음을 강조하고 있다. 따라서 작품의 특징으로 적절한 것은 ④이다.

오답분석 ① 1연과 4연에서 의문형 어미가 사용되긴 했으나, 묻고 답하는 형식으로 내용을 강조하는 문답법은 사용되지 않았다. 또한 화자가 과거의 삶을 반추하는 부분도 드러나지 않는다.

② 제시된 작품에서 반어적 표현을 통해 슬픔의 정서를 나타내는 부분은 드러나지 않는다.

③ 나무를 흔들리지 않는 삶을 살아가는 존재로 의인화하여 표현하고 있으나 현실을 목가적으로 보여 주지 않으므로 ③의 설명은 적절하지 않다. 참고로 목가적이란, '농촌처럼 소박하고 평화로우며 서정적인'이란 뜻이다.

이것도 알면 합격

설의법에 대해 알아두자.

쉽게 판단할 수 있는 사실을 의문의 형식으로 표현하여 상대가 스스로 판단하게 하는 수사법

예 가난하다고 해서 사랑을 모르겠는가.
　→ 가난하더라도 사랑을 안다는 사실을 의문의 형식으로 표현함

03

[2018년 소방직 9급 (10월)]

다음 시의 표현상 특징으로 적절하지 않은 것은?

> 들길은 마을에 들자 붉어지고
> 마을 골목은 들로 내려서자 푸르러졌다
> 바람은 넘실 천 이랑 만 이랑
> 이랑 이랑 햇빛이 갈라지고
> 보리도 허리통이 부끄럽게 드러났다
> 꾀꼬리는 여태 혼자 날아 볼 줄 모르나니
> 암컷이라 쫓길 뿐
> 수놈이라 쫓을 뿐
> 황금 빛난 길이 어지럴 뿐
> 얇은 단장하고 아양 가득 차 있는
> 산봉우리야 오늘 밤 너 어디로 가 버리련?
>
> - 김영랑, '오월'

① 반복을 통해 운율을 형성하고 있다.
② 시선의 이동에 따라 시상이 전개되고 있다.
③ 색채 대비를 통해 풍경을 선명하게 드러내고 있다.
④ 직유를 통해 산봉우리를 친근감 있게 표현하고 있다.

04

[2017년 국가직 9급 (10월)]

㉠에 들어갈 시조로 적절한 것은?

> 우리말에서 공간적 개념은 흔히 시간적 개념으로 바꾸어 표현되곤 한다. 예컨대 공간 표현인 '뒤'가 시간 표현으로 '나중'을 의미하기도 한다. 한편 문학 작품에서 시간적 개념이 공간적 개념으로 바뀌어 표현되는 경우도 있다. 그 예로 다음 시조를 보자.
>
> ㉠

① 어져 내 일이야 그릴 줄을 모로두냐
　이시랴 ㅎ더면 가랴마는 제 구투여
　보내고 그리는 情은 나도 몰라 ㅎ노라

② 靑山은 내 뜻이오 綠水는 님의 情이
　綠水 흘러간들 靑山이야 變홀손가
　綠水도 靑山을 못 니져 우러 예어 가는고

③ 冬至ㅅ돌 기나긴 밤을 한 허리를 버혀 내여
　春風 니불 아리 서리서리 너헛다가
　어론 님 오신 날 밤이여든 구뷔구뷔 펴리라

④ 山은 녯 山이로되 물은 녯 물이 안이로다
　晝夜에 흘으니 녯 물이 이실쏜야
　人傑도 물과 ㄱ ᄋ야 가고 안이 오노미라

03

난이도 ★★☆

해설 ④ 제시된 작품의 화자는 산봉우리를 의인화하여 아름다운 오월
의 산봉우리가 밤이 되면 사라지는 것에 대한 아쉬움과 산봉
우리에 대한 친밀감을 표현하고 있다. 그러나 제시된 작품에
서 직유법은 사용되지 않았으므로 답은 ④이다.

**오답
분석** ① '이랑', '분', '- 고' 등의 시어를 반복하여 시 전체에 운율감을
형성하고 있다.

② 제시된 작품은 마을의 들길과 푸른 들판 – 바람에 흔들리는
보리 – 암수 꾀꼬리 – 산봉우리로 화자의 시선이 이동함에 따
라 시상이 전개되고 있다.

③ 마을로 통하는 들길의 붉은색과 들판으로 이어지는 마을 골
목길의 푸른색을 대비하여, 봄날의 마을 풍경을 선명하게 드
러내고 있다.

이것도 알면 합격
김영랑, '오월'의 주제와 특징에 대해 알아두자.
1. 주제: 오월에 느껴지는 생동감, 봄날의 생명력
2. 특징
   • 향토적 소재를 사용함
   • 시선의 이동에 따라 시상이 전개됨
   • 의인법을 통해 대상을 생생하게 표현함

04

난이도 ★★☆

해설 ③ 시간적 개념인 '동짓날 기나긴 밤'을 잘라내어 이불 아래 넣을
수 있는 공간적 개념으로 바꾸어 표현하였다. 따라서 ⊙에 들
어갈 시조로 적절한 것은 ③이다.

**오답
분석** ① ② ④ 모두 시간적 개념이 공간적 개념으로 바뀌어 표현된 부
분은 나타나지 않는다.

**지문
풀이** ① 아아! 내가 한 일이여. 그리워하게 될 줄을 몰랐더냐?
있으라 했더라면 갔겠느냐마는 제가 굳이
보내 놓고 그리워하는 마음은 나도 잘 모르겠구나.　　－ 황진이
② 청산은 내 뜻이요 녹수는 님의 정이네.
녹수가 흘러간들 청산이야 변하겠는가.
녹수도 청산을 못 잊어 울면서 흘러가는고.　　－ 황진이
③ 동짓달 긴긴 밤의 한가운데를 베어 내어,
봄바람처럼 따뜻한 이불 아래에 서리서리 넣어 두었다가,
정든 임이 오시는 날 밤이면 굽이굽이 펴리라.　　－ 황진이
④ 산은 옛날의 산 그대로인데 물은 옛날의 물이 아니구나.
종일토록 흐르니 옛날의 물이 그대로 있겠는가.
사람도 물과 같아서 가고 아니 오는구나.　　－ 황진이

05

[2017년 사회복지직 9급]

밑줄 친 부분에 사용한 표현 방법과 가장 거리가 먼 것은?

> 넓은 벌 동쪽 끝으로
> 옛이야기 지줄대는 실개천이 회돌아 나가고,
> 얼룩백이 황소가
> 해설피 금빛 게으른 울음을 우는 곳,
>
> ─ 그곳이 참하 꿈엔들 잊힐리야.　　　　- 정지용, '향수'

① 어느 집 담장을 넘어 달겨드는 / 이것은, / 치명적인 냄새
② 멍석 위에 나란히 잠든 반들거리는 몸 위로 살짝살짝 늦가을 햇볕 발 디디는 소리
③ 나는 한 마리 어린 짐승, / 젊은 아버지의 서느런 옷자락에 / 열(熱)로 상기한 볼을 말없이 부비는 것이었다.
④ 피아노에 앉은 / 여자의 두 손에서는 / 끊임없이 / 열 마리씩 / 스무 마리씩 / 신선한 물고기가 / 튀는 빛의 꼬리를 물고 / 쏟아진다.

06

[2016년 사회복지직 9급]

다음 시에 대한 설명으로 옳지 않은 것은?

> 이 비 그치면
> 내 마음 강나루 긴 언덕에
> 서러운 풀빛이 짙어 오것다.
>
> 푸르른 보리밭길
> 맑은 하늘에
> 종달새만 무어라고 지껄이것다.
>
> 이 비 그치면
> 시새워 벙글어질 고운 꽃밭 속
> 처녀애들 짝하여 새로이 서고,
>
> 임 앞에 타오르는
> 향연(香煙)과 같이
> 땅에선 또 아지랑이 타오르것다.　　　　- 이수복, '봄비'

① 비유를 통해 애상적 정서를 환기하고 있다.
② 3음보의 변형 민요조 율격을 지니고 있다.
③ 동일한 종결 어미를 반복적으로 사용하고 있다.
④ 주관을 배제한 시각으로 자연을 묘사하고 있다.

07

[2014년 기상직 9급]

〈보기〉에 대한 감상으로 적절하지 않은 것은?

> ─〈보기〉─
>
> 유성에서 조치원으로 가는 어느 들판에 우두커니 서 있는, 한 그루 늙은 나무를 만났다. 수도승일까, 묵중하게 서 있었다. 다음 날 조치원에서 공주로 가는 어느 가난한 마을 어귀에 그들은 떼를 져 몰려 있었다. 멍청하게 몰려 있는 그들은 어설픈 과객일까, 몹시 추워 보였다. 공주에서 온양으로 우회하는 뒷길 어느 산마루에 그들은 멀리 서 있었다. 하늘 문을 지키는 파수병일까, 외로워 보였다. 온양에서 서울로 돌아오자 놀랍게도 그들은 이미 내 안에 뿌리를 펴고 있었다. 묵중한 그들의, 침울한 그들의, 아아 고독한 모습. 그 후로 나는 뽑아 낼 수 없는 몇 그루 나무를 기르게 되었다.　　　　- 박목월, '나무'

① 공간적 질서에 따라 제재를 배열하는 자연적 구성법을 취하고 있군.
② 나무에 대한 세 가지 느낌을 뚜렷하게 대비하고 있어 대조법이 쓰인 셈이군.
③ 화자의 내면 변화를 나무의 변화인 것처럼 표현하여 미적 효과를 높였어.
④ 비슷한 구조의 문장을 반복하여 강한 인상을 남기는 표현법이 쓰였어.

05

난이도 ★★☆

해설 ③ 제시된 작품의 밑줄 친 부분에는 청각을 시각화한 공감각적 표현이 쓰였다. 반면 ③에서는 '서느런 옷자락'과 '열로 상기한 볼'이 촉각적으로 대조를 이루고 있을 뿐, 공감각적 표현은 쓰이지 않았다. 따라서 답은 ③이다.

오답분석 ① 후각을 시각화한 공감각적 표현이 사용되었다.

② 시각을 청각화한 공감각적 표현이 사용되었다.

④ 청각을 시각화한 공감각적 표현이 사용되었다.

07

난이도 ★★☆

해설 ③ 화자는 자신의 내면 변화를 자신 안에 나무가 뿌리를 펴고 있었다는 표현을 통해 드러내고 있으므로 감상으로 적절하지 않은 것은 ③이다.

오답분석 ① 공간의 이동(유성-조치원-공주-온양-서울)에 따라 제재가 배열되는 구성을 취하고 있다.

② 나무를 '수도승', '어설픈 과객', '파수병'에 빗대어 표현하는 것을 통해 각 나무에 대한 느낌을 뚜렷하게 대비하는 대조법이 쓰였다.

④ '~일까, ~었다' 구조의 문장을 반복하여 강한 인상을 남기고 있다.

06

난이도 ★★☆

해설 ④ 1연에서 시적 화자는 자연 풍경을 '서러운 풀빛'이 짙어 오는 모습으로 묘사하였다. 이는 화자의 주관적인 감정을 자연물에 이입한 것이므로, 주관을 배제한 시각으로 자연을 묘사하고 있다는 ④의 설명은 옳지 않다.

오답분석 ① 1연에서 '내 마음'을 '강나루 긴 언덕'에 비유하고 그곳의 풀빛이 서럽게 짙어 오는 것으로 표현함으로써, 화자의 애상적 정서를 환기하고 있다.

② '이 / 비 / 그치면(1행) / 내 마음 / 강나루 / 긴 언덕에(2행) / 서러운 / 풀빛이 / 짙어 오것다(3행)'와 같이 3음보의 변형 민요조 율격이 나타난다.

③ 종결 어미 '-것다'가 반복적으로 사용되었다.

이것도 알면 합격

이수복, '봄비'의 특징을 알아두자.

1. 봄비 내리는 날, 머지않아 다가올 봄의 풍경을 상상하며 사별한 임에 대한 애절한 그리움을 노래함
2. 향연(香煙, 향이 타며 나는 연기)은 임의 죽음을 암시함
3. 하강적 이미지(비)와 상승적 이미지(풀, 종달새, 꽃, 아지랑이)의 대립을 보여 줌
4. 3음보의 민요적 율격을 사용함
5. '-것다'라는 어미를 반복하여 시적 대상에 대한 관조적 태도를 표출함

01

[2017년 국가직 9급 (4월)]

다음 시가의 전개 방식으로 옳은 것은?

> 龜何龜何
> 首其現也
> 若不現也
> 燔灼而喫也
>
> - '구지가'

① 요구 – 위협 – 환기 – 조건
② 환기 – 요구 – 조건 – 위협
③ 위협 – 조건 – 환기 – 요구
④ 조건 – 요구 – 위협 – 환기

02

[2014년 서울시 9급]

다음 시의 시상 전개 방식을 설명한 것으로 옳은 것은?

> 머언 산 청운사(靑雲寺)
> 낡은 기와집
>
> 산은 자하산(紫霞山)
> 봄눈 녹으면
>
> 느릅나무
> 속잎 피어가는 열두 굽이를
>
> 청노루
> 맑은 눈에
>
> 도는
> 구름
>
> - 박목월, '청노루'

① 시상이 시선의 이동에 따라 전개되고 있다.
② 시상이 시간의 흐름에 따라 전개되고 있다.
③ 시상이 화자의 심리 변화에 따라 전개되고 있다.
④ 시상이 계절의 변화에 따라 전개되고 있다.
⑤ 시상이 점층적으로 전개되고 있다.

챕터별 출제 경향
(2015-2021 국가직 / 지방직 / 서울시 7·9급)

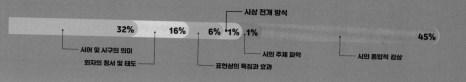

시상 전개 방식

32%   16%   6% 1% 1%   45%

시어 및 시구의 의미
화자의 정서 및 태도   표현상의 특징과 효과   시의 주제 파악   시의 종합적 감상

01
난이도 ★★☆

해설 ② 제시된 작품은 '환기 – 요구 – 조건 – 위협'의 순서대로 전개되고 있으므로 답은 ②이다.

- 1구(환기): 신령한 존재인 거북을 부름
- 2구(요구): 거북에게 머리를 내어놓으라고 요구함
- 3구(조건): 머리를 내어놓지 않는 상황을 가정한 조건을 제시함
- 4구(위협): 거북을 구워 먹겠다고 위협함

지문풀이

龜何龜何 (구하구하)	거북아, 거북아
首其現也 (수기현야)	머리를 내어라
若不現也 (약불현야)	내어놓지 않으면,
燔灼而喫也 (번작이끽야)	구워서 먹으리.

– '구지가'

이것도 알면 합격

'구지가'의 '거북'과 '머리'의 상징적 의미를 알아두자.

거북	신성한 존재, 인간의 집단적 의지에 복종하는 존재.
머리	① 생명: 새로운 생명, 임금(지도자)의 탄생을 의미함 ② 우두머리: '최고' 또는 '으뜸'을 의미하는 '머리'를 통해 지도자, 임금을 상징함 ③ 음경: 음경과 외형이 유사하다는 점에서 생명력의 원천, 근간을 상징함

02
난이도 ★☆☆

해설 ① 제시된 작품은 '머언 산 청운사'에서 '청노루 맑은 눈'으로(원거리 → 근거리) 시선이 이동하며 시상이 전개되고 있으므로 답은 ①이다.

이것도 알면 합격

박목월, '청노루'의 시상 전개 방식에 대해 알아두자.

이 시는 화자의 시선이 이동하며 시상이 전개된다. 멀리 있는 청운사의 낡은 기와집과 자하산에서 가까이 있는 골짜기, 느릅나무로 이동하던 화자의 시선은 구름이 비친 청노루의 눈동자에서 멈춘다. 이를 통해 시의 모든 풍경들이 청노루의 시선에서 묘사된 것처럼 느끼게 하는 효과를 거둔다.

01

[2019년 서울시 9급 (6월)]

〈보기〉는 시의 일부분이다. 시의 제목으로 가장 적절한 한자어는?

――― 〈보기〉 ―――

　세상에는, 자신이 믿는 단단한 무엇을 위해 목숨을 걸 수 있는 사람과 그럴 수 없는 사람이 있다
　말이 많은 사람과 그렇지 않은 사람이 있다
　짜장면을 좋아하는 사람과 그렇지 않은 사람이 있다
　테니스에 미친 사람과 그렇지 않은 사람이 있다
　유에프오가 있다고 생각하는 사람과 그렇지 않은 사람이 있다
　술을 좋아하는 사람과 그렇지 않은 사람이 있다
　　　　　　　　　〈중 략〉
　사람들을 두 가지로 나눌 수 있다고 믿는 사람과 그렇지 않은 사람이 있다

① 편견(偏見)　　　　② 불화(不和)

③ 오해(誤解)　　　　④ 독선(獨善)

02

[2019년 서울시 9급 (2월)]

〈보기〉와 가장 관련이 없는 고사성어는?

――― 〈보기〉 ―――

　셔 실은 천리마(千里馬)를 알아 볼 이 뉘 있으리
　십년(十年) 역상(櫪上)에 속절없이 다 늙도다
　어디서 살진 쇠양마(馬)는 외용지용 하느니

① 髀肉之嘆　　　　② 招搖過市

③ 不識泰山　　　　④ 麥秀之嘆

03

[2018년 지방직 9급]

다음 시조의 내용으로 가장 적절한 것은?

　마을 사람들아 옳은 일 하자스라
　사람이 되어나서 옳지옷 못하면
　마소를 갓 고깔 씌워 밥 먹이나 다르랴

① 鄕閭有禮　　　　② 相扶相助

③ 兄友弟恭　　　　④ 子弟有學

✅ **챕터별 출제 경향**
(2015-2021 국가직 / 지방직 / 서울시 7·9급)

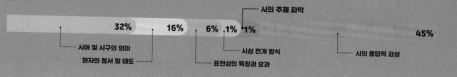

시의 주제 파악

시어 및 시구의 의미 — 32% 16% 6% .1% ·1% 45%
화자의 정서 및 태도 — 시상 전개 방식 —
표현상의 특징과 효과 — 시의 종합적 감상 —

01

난이도 ★★☆

[해설] ① 제시된 작품은 서로 다른 성향이나 생각을 지닌 사람들을 대비하여 나열하고 있다. 이는 사람들이 모두 한쪽으로 치우친 생각을 하는 존재임을 이야기하는 것이므로 이 시의 제목으로 가장 적절한 한자어는 ① 편견(偏見)이다.
- 편견(偏見: 치우칠 편, 볼 견): 공정하지 못하고 한쪽으로 치우친 생각

[오답분석] ② 불화(不和: 아닐 불, 화할 화): 서로 화합하지 못함. 또는 서로 사이좋게 지내지 못함

③ 오해(誤解: 그르칠 오, 풀 해): 그릇되게 해석하거나 뜻을 잘못 앎. 또는 그런 해석이나 이해

④ 독선(獨善: 홀로 독, 착할 선): 1. 자기 혼자만이 옳다고 믿고 행동하는 일 2. 남을 돌보지 않고 자기 한 몸의 처신만을 온전하게 함

03

난이도 ★★☆

[해설] ① 제시된 작품은 마을 사람들에게 옳은 행동을 권유하는 내용을 담고 있는 정철의 시조이다. 따라서 시조의 내용으로 적절한 것은 ① '鄕閭有禮(향려유례)'이다.
- 鄕閭有禮(향려유례): 마을에는 예의가 있어야 함

[오답분석] ② 相扶相助(상부상조): 서로서로 도움

③ 兄友弟恭(형우제공): '형은 아우를 사랑하고 동생은 형을 공경한다'라는 뜻으로, 형제간에 서로 우애 깊게 지냄을 이르는 말

④ 子弟有學(자제유학): 자제는 가르쳐야 함

02

난이도 ★☆☆

[해설] ④ 제시된 작품은 조선 후기 가객인 김천택의 시조로 자신의 재능에 대한 자부심과 이를 세상에 펼치지 못하는 자신의 처지에 대한 한탄을 담고 있다. 이와 가장 관련이 없는 고사성어는 ④ '麥秀之嘆'이다.
- 麥秀之嘆(맥수지탄): 고국의 멸망을 한탄함을 이르는 말

[오답분석] ① 髀肉之嘆(비육지탄): 재능을 발휘할 때를 얻지 못하여 헛되이 세월만 보내는 것을 한탄함을 이르는 말

② 招搖過市(초요과시): '다른 사람의 주의를 끌기 위해 거들먹거리며 거리를 지나간다'라는 뜻으로, 허세를 부리고 허풍을 떨어 사람들의 주목을 이끄는 것을 비유적으로 이르는 말

③ 不識泰山(불식태산): '태산을 모른다'라는 뜻으로, 큰 인물의 참모습을 알아보지 못함을 이르는 말

[지문풀이]
떨나무를 실은 천리마를 알아 볼 이가 누가 있으리
십년 동안 마구간에 갇혀 있듯이 어찌할 도리가 없이 다 늙었도다
어디서 살진 쇠양마는 우쭐거리는구나

01

(가)와 (나)에 대한 설명으로 적절하지 않은 것은?

> (가) 오백년 도읍지를 필마로 돌아드니
> 산천은 의구하되 인걸은 간 데 없네.
> 어즈버 태평연월이 꿈이런가 하노라.
>
> (나) 벌레먹은 두리기둥 빛 낡은 단청(丹青) 풍경 소리 날
> 러간 추녀 끝에는 산새도 비둘기도 둥주리를 마구쳤
> 다. 큰 나라 섬기다 거미줄 친 옥좌(玉座) 위엔 여의
> 주(如意珠) 희롱하는 쌍룡(雙龍) 대신에 두 마리 봉
> 황(鳳凰)새를 틀어 올렸다. 어느 땐들 봉황이 울었으
> 랴만 푸르른 하늘 밑 추석을 밟고 가는 나의 그림자.
> 패옥(佩玉) 소리도 없었다. 품석(品石) 옆에서 정일
> 품(正一品) 종구품(從九品) 어느 줄에도 나의 몸둘
> 곳은 바이 없었다. 눈물이 속된 줄을 모를 양이면 봉
> 황새야 구천(九泉)에 호곡(呼哭)하리라.

① (가)는 '산천'과 '인걸'을 대비함으로써 인생의 무상함을 드러내고 있다.
② (나)는 '쌍룡'과 '봉황'을 대비함으로써 사대주의적 역사에 대한 비판적 시각을 드러내고 있다.
③ (가)와 (나) 모두 선경후정의 기법을 사용하고 있다.
④ (가)와 (나) 모두 정해진 율격과 음보에 맞춰 시상을 전개하고 있다.

02

(가)와 (나)에 대한 설명으로 가장 적절한 것은?

> (가) 동방은 하늘도 다 끝나고
> 비 한 방울 내리잖는 그 땅에도
> 오히려 꽃은 발갛게 피지 않는가
> 내 목숨을 꾸며 쉼 없는 날이여
>
> 북(北)쪽 툰드라에도 찬 새벽은
> 눈 속 깊이 꽃맹아리가 옴작거려
> 제비 떼 까맣게 날아오길 기다리나니
> 마침내 저버리지 못할 약속(約束)이여!
>
> 한바다 복판 용솟음치는 곳
> 바람결 따라 타오르는 꽃성(城)에는
> 나비처럼 취(醉)하는 회상(回想)의 무리들아
> 오늘 내 여기서 너를 불러 보노라   – 이육사, '꽃'
>
> (나) 파란 녹이 낀 구리거울 속에
> 내 얼굴이 남아 있는 것은
> 어느 왕조(王朝)의 유물(遺物)이기에
> 이다지도 욕될까.
>
> 나는 나의 참회(懺悔)의 글을 한 줄에 줄이자.
> ―만 이십사 년 일 개월을
> 무슨 기쁨을 바라 살아왔던가
>
> 내일이나 모레나 그 어느 즐거운 날에
> 나는 또 한 줄의 참회록(懺悔錄)을 써야 한다.
> ―그때 그 젊은 나이에
> 왜 그런 부끄런 고백(告白)을 했던가
>
> 밤이면 밤마다 나의 거울을
> 손바닥으로 발바닥으로 닦아 보자
>
> 그러면 어느 운석(隕石) 밑으로 홀로 걸어가는
> 슬픈 사람의 뒷모양이 / 거울 속에 나타나 온다.
>   – 윤동주, '참회록'

① (가)는 (나)와 달리 고백적 어조를 통한 화자의 성찰이 드러난다.
② (가)와 (나)는 색채를 나타내는 시어를 통한 시각적 심상이 드러난다.
③ (가)와 (나)는 시구의 반복을 통해 화자의 감정이 고조됨을 드러내고 있다.
④ (나)는 (가)와 달리 영탄적 어조를 사용하여 화자의 정서를 드러내고 있다.

시어 및 시구의 의미 — 32%
화자의 정서 및 태도 — 16%
표현상의 특징과 효과 — 6%
시상 전개 방식 — 1%
시의 주제 파악 — 1%
시의 종합적 감상 — 45%

01

난이도 ★★☆

해설 ④ (가)는 '오백년 / 도읍지를 / 필마로 / 돌아드니'와 같이 3·4조, 4음보의 고정된 형식이 드러나지만 (나)는 율격이나 음보에 얽매이지 않고 시상을 전개하고 있다.

오답분석 ① (가)는 '산천'의 변함없는 모습과 간데없는 '인걸'의 모습을 대비하여 인생의 무상함을 드러내고 있다.
- 인걸(人傑): 특히 뛰어난 인재

② (나)의 화자는 절대 권력을 상징하는 '쌍룡'과 조선 왕조를 상징하는 '봉황'을 대비시키고 있다. 이를 통해 큰 나라(중국)를 섬기기 때문에 옥좌에 '쌍룡' 대신 '봉황'을 사용할 수밖에 없었던 조선의 사대주의적 역사와 그에 대한 작가의 비판 의식을 드러내고 있다.

③ (가)와 (나)에는 모두 선경후정의 기법이 사용되었다.
- (가): 초장과 중장에서 폐허가 된 고려의 옛 궁궐터와 변함없는 자연의 모습을 그린 후, 종장에서 고국의 멸망을 한탄하는 화자의 정서를 드러내고 있다.
- (나): 시의 전반부에서 황폐해진 궁궐의 모습을 그린 후, 화자가 느끼는 망국의 비애를 후반부에서 드러내고 있다.

지문풀이

> (가) 오백 년 이어 온 고려의 옛 서울에 한 필의 말을 타고 들어가니
> 산천의 모습은 예나 다름이 없지만 인걸은 간 데 없다.
> 아아, 고려의 태평했던 시절이 한낱 꿈처럼 허무하도다.
>
> – 길재

이것도 알면 합격

조지훈, '봉황수'의 주제와 특징을 알아두자.

1. **주제**: 망국의 비애
2. **특징**
   - 선경후정의 방식을 사용하여 시상을 전개함
   - 역사에 대한 화자의 비판적인 시각이 드러남
   - 봉황새에 화자의 정서를 이입하여 표현함

02

난이도 ★☆☆

해설 ② (가)와 (나)에는 모두 색채를 나타내는 시어를 통한 시각적 심상이 드러난다.
- (가): 꽃은 발갛게 피지 않는가, 제비 떼 까맣게 날아오길 기다리나니
- (나): 파란 녹이 낀 구리거울

오답분석 ① (나)의 화자는 고백적인 어조를 통해 자신의 삶에 대한 성찰을 드러내고 있으나, (가)의 화자는 의지적, 설득적 어조를 통해 새로운 세계가 올 것임을 확신하고 있다.

③ (가)와 (나) 모두 시구의 반복이 나타나지 않는다.

④ (가)와 (나)의 화자는 모두 영탄적 어조를 통해 자신의 정서를 드러내고 있다. 이때 (가)의 화자는 암울한 현실을 극복하려는 의지를, (나)의 화자는 자신을 성찰하며 느낀 부끄러움의 정서를 드러내고 있다.

이것도 알면 합격

윤동주, '참회록'의 주제와 특징을 알아두자.

1. **주제**: 자기 성찰과 반성을 통한 순결성의 추구와 현실 극복 의지
2. **특징**
   - 순행적 구조로 시상을 전개함
   - 매개체인 구리거울을 통해 치열한 자기 성찰을 드러냄

03

[2021년 국회직 8급]

다음 시에 대한 독자의 반응으로 적절한 것은?

> 어느 머언 곳의 그리운 소식이기에
> 이 한밤 소리 없이 흩날리느뇨
>
> 처마 끝에 호롱불 여위어가며
> 서글픈 옛 자췬 양 흰 눈이 내려
>
> 하이얀 입김 절로 가슴이 메어
> 마음 허공에 등불을 켜고
> 내 홀로 밤 깊어 뜰에 내리면
>
> 머언 곳에 여인의 옷 벗는 소리
>
> 희미한 눈발
> 이는 어느 잃어진 추억의 조각이기에
> 싸늘한 추회(追悔) 이리 가쁘게 설레이느뇨
>
> 한줄기 빛도 향기도 없이
> 호올로 차단한 의상을 하고
> 흰 눈은 내려 내려서 쌓여
> 내 슬픔 그 위에 고이 서리다

① 이 시는 눈 내리는 아침의 정경 속에 피어오르는 추억을 그리고 있어.

② 눈발이 세차게 날리는 것은 화자의 슬픔이 벅차게 되살아오기 때문이지.

③ 이 시에서 눈이 '그리운 소식', '서글픈 옛 자취', '잃어진 추억의 조각', '차단한 의상'으로 비유되어 있음에 유의해야 해.

④ 이 시에서 '나'를 슬프게 하는 추억, 과거의 경험은 아마도 친구와 관계가 있겠지.

⑤ 마지막 두 줄, '흰 눈은 내려 내려서 쌓여/내 슬픔 그 위에 고이 서리다'에서 '눈'은 해소된 슬픔을 의미하지.

04

[2020년 국가직 9급]

〈보기〉는 다음 한시에 대한 감상이다. ㉠~㉣ 중 적절하지 않은 것은?

白犬前行黃犬隨	흰둥이가 앞서고 누렁이는 따라가는데
野田草際塚纍纍	들밭머리 풀섶에는 무덤이 늘어서 있네
老翁祭罷田間道	늙은이가 제사를 끝내고 밭 사이 길로 들어서자
日暮醉歸扶小兒	해 저물어 취해 돌아오는 길을 아이가 부축하네

- 이달, '제총요(祭塚謠)'

〈보기〉

이달(李達, 1561~1618)이 살았던 시기를 고려할 때, 시인은 임진왜란을 겪었을 것이라 추정된다. ㉠이 시는 해 질 무렵 두 사람이 제사를 지낸 뒤 집으로 돌아오는 상황을 노래하고 있다. ㉡이 시에서 무덤이 들밭머리에 늘어서 있다는 것은 전란을 겪은 마을에서 많은 이들이 갑작스러운 죽음을 맞이했음을 의미한다고 할 것이다. 여기 등장하는 늙은이와 아이는 할아버지와 손자의 관계로 파악할 수 있다. 아마도 이들은 아이의 부모이자 할아버지의 자식에 해당하는 이의 무덤에 다녀오는 길일 것이다. ㉢할아버지가 취한 까닭도 죽은 이에 대한 안타까움과 속상함 때문일 것이다. ㉣이 시는 전반부에서는 그림을 그리듯이 장면을 묘사하고 후반부에서는 정서를 표출하는 선경후정의 형식을 취하고 있다.

① ㉠

② ㉡

③ ㉢

④ ㉣

03

난이도 ★★☆

 ③ 제시된 작품은 '눈'의 모습을 '그리운 소식', '서글픈 옛 자취', '여인의 옷 벗는 소리', '잃어진 추억의 조각', '차단한 의상'과 같은 대상에 비유하여 눈 내리는 밤의 정경을 감각적인 이미지로 표현하고 있다. 따라서 독자의 반응으로 적절한 것은 ③이다.

오답 분석 ① 1연의 '한밤 소리 없이'를 통해 작품의 시간적 배경이 아침이 아니라 밤임을 알 수 있으므로 ①의 설명은 적절하지 않다. 이때 화자는 한밤중에 내리는 눈을 보면서 과거의 추억을 떠올리고 있다.

② 5연을 통해 '희미한 눈발'이 내리고 있음을 알 수 있으므로 '눈발이 세차게 날린다'라는 ②의 설명은 적절하지 않다. 이때 '서글픈 옛 자취', '내 슬픔' 등의 시어를 통해 화자의 슬픔을 짐작할 수 있다.

④ 제시된 작품에 화자를 슬프게 하는 추억이나 과거의 경험이 구체적으로 제시된 부분은 없으므로, 그것이 친구와 관계되었는지는 알 수 없다.

⑤ 6연의 마지막 두 행에서 화자는 눈이 자신의 슬픔 위에 쌓인다고 표현함으로써 애상적인 정서를 직접적으로 드러내고 있다. 따라서 '눈'이 해소된 슬픔을 의미한다는 설명은 적절하지 않다.

이것도 알면 **합격**
김광균, '설야'의 주제와 특징을 알아두자.
1. 주제: 눈 내리는 밤의 추억과 애상감
2. 특징
   • 눈을 다양한 감각적 이미지와 비유를 통해 표현함
   • 시간의 흐름에 따라 화자의 정서가 심화됨

04

난이도 ★★☆

 ④ 제시된 작품은 전반부와 후반부 모두 장면의 묘사로만 이루어져 있다. 참고로 후반부인 4행의 늙은이가 취해 돌아오는 모습에서 죽은 자에 대한 늙은이의 안타까운 정서를 느낄 수 있으나, 이는 장면 묘사를 통해 간접적으로 정서가 제시된 것일 뿐 직접적으로 정서를 표출했다고 보기 어렵다. 따라서 선경후정의 형식을 취하고 있다는 ④의 설명은 적절하지 않다.

오답 분석 ① 3~4행에서 해 질 무렵 제사를 끝내고 돌아오는 늙은이를 아이가 부축하여 집으로 돌아오고 있음을 알 수 있다.

② 〈보기〉를 통해 작가가 임진왜란을 겪었다는 것을 알 수 있다. 따라서 무덤이 들밭머리에 늘어서 있다는 표현은 전란을 겪은 마을 사람들이 갑작스러운 죽음을 맞이했다는 것으로 해석할 수 있다.

③ 제사를 끝내고 돌아오는 할아버지가 취한 까닭은 죽은 이에 대한 안타까움과 속상함 때문일 것으로 추측할 수 있다.

05

[2020년 지방직 9급]

다음 시에 대한 감상으로 적절하지 않은 것은?

> 네 집에서 그 샘으로 가는 길은 한 길이었습니다. 그래서 새벽이면 물 길러 가는 인기척을 들을 수 있었지요. 서로 짠 일도 아닌데 새벽 제일 맑게 고인 물은 네 집이 돌아가며 길어 먹었지요. 순번이 된 집에서 물 길어 간 후에야 똬리 끈 입에 물고 삽짝 들어서시는 어머니나 물지게 진 아버지 모습을 볼 수 있었지요. 집안에 일이 있으면 그 순번이 자연스럽게 양보되기도 했었구요. 넉넉하지 못한 물로 사람들 마음을 넉넉하게 만들던 그 샘가 미나리꽝에서는 미나리가 푸르고 앙금 내리는 감자는 잘도 썩어 구린내 훅 풍겼지요.
>
> — 함민복, '그 샘'

① '샘'을 매개로 공동체의 삶을 표현했다.
② 과거 시제로 회상의 분위기를 표현했다.
③ 공감각적 이미지로 이웃 간의 배려를 표현했다.
④ 구어체로 이웃 간의 정감 어린 분위기를 표현했다.

06

[2020년 국가직 7급]

다음 시에 대한 이해로 적절하지 않은 것은?

> 여승(女僧)은 합장하고 절을 했다
> 가지취의 내음새가 났다
> 쓸쓸한 낯이 옛날같이 늙었다
> 나는 불경(佛經)처럼 서러워졌다
>
> 평안도의 어늬 산 깊은 금점(金店)판
> 나는 파리한 여인에게서 옥수수를 샀다
> 여인은 나 어린 딸아이를 따리며 가을밤같이 차게 울었다
>
> 섶벌같이 나아간 지아비 기다려 십 년이 갔다
> 지아비는 돌아오지 않고
> 어린 딸은 도라지꽃이 좋아 돌무덤으로 갔다
>
> 산꿩도 설게 울은 슬픈 날이 있었다
> 산절의 마당귀에 여인의 머리오리가 눈물방울과 같이 떨어진 날이 있었다
>
> — 백석, '여승'

① 토속적인 시어를 사용하여 현장감을 높이고 있다.
② 어린 딸아이의 죽음을 우회적으로 표현하고 있다.
③ 사건이 일어난 시간 순서에 따라 시상이 전개되고 있다.
④ 공감각적 이미지를 활용해 슬픔의 정서를 강조하고 있다.

05

해설 ③ 제일 맑게 고인 물은 네 집이 돌아가며 길어 먹고 사람들 마음을 넉넉하게 만들었다는 내용에서 '이웃 간의 배려'를 확인할 수 있으나, 공감각적 심상이 드러난 부분은 찾아볼 수 없다. 참고로 제시된 작품에서 미나리의 푸른색(시각)과 썩은 감자의 구린내(후각) 등 감각적인 이미지는 드러나고 있다.

[관련 부분] 서로 짠 일도 아닌데 새벽 제일 맑게 고인 물은 네 집이 돌아가며 길어 먹었지요 ~ 집안에 일이 있으면 그 순번이 자연스럽게 양보되기도 했었구요.

오답
분석 ① 다 같이 마시던 하나의 '샘'을 매개로 하여 '네 집'의 공동체적 삶을 표현하고 있다.

② '–이었습니다', '–었지요' 등의 과거 시제를 사용한 표현을 통해 화자가 과거의 일을 회상하는 분위기를 조성하고 있다.

④ '–지요', '–구요'와 같은 구어체 어미를 사용하여 이웃 간의 정다운 느낌을 표현하고 있다.

이것도 알면 **합격**

함민복, '그 샘'의 주제와 특징을 알아두자.

1. 주제: 이웃 간의 배려와 정
2. 특징
   • 구어체 어미를 사용하여 정감 어린 분위기를 형성함
   • 향토적인 시어들을 사용하여 시골 마을의 따뜻한 인정을 드러냄

06

해설 ③ 제시된 작품은 사건이 일어난 시간 순서에 따라 시상이 전개되지 않는 역순행적 구성 방식을 취하고 있다. 참고로 각 연을 시간 순서대로 배치하면 '2연(과거) – 3연(과거) – 4연(과거) – 1연(현재)'이다.

오답
분석 ① '가지취', '옥수수', '섶벌', '도라지꽃', '산꿩' 등의 토속적 시어를 사용하여 현장감을 높이고 있다.

② 3연의 '도라지꽃'은 죽음을 상징하는 이미지이며 '돌무덤으로 갔다'는 것은 돌무덤에 묻혔다는 의미이다. 이러한 표현을 통해 딸아이의 죽음을 우회적으로 드러내고 있다.

④ 2연의 '가을밤같이 차게 울었다'에서 공감각적 이미지(청각의 촉각화)를 활용하여 여인의 슬픔을 강조하고 있다.

이것도 알면 **합격**

백석 '여승'의 시상 전개 방식을 알아두자.

역순행적 구성(현재 → 과거 → 회상)으로 여인의 삶을 압축적으로 나타냄

1연	여승이 된 여인과의 재회(현재)
2연	옥수수를 팔던 여인과의 첫 만남(과거)
3연	비극적인 여인의 삶(과거)
4연	한을 못 이겨 여승이 된 여인(과거)

07

[2020년 법원직 9급]

(가)와 (나)에 대한 설명으로 가장 옳지 않은 것은?

(가) 바람도 없는 공중에 수직(垂直)의 파문을 내며 고요히 떨어지는 오동잎은 누구의 발자취입니까?

　지리한 장마 끝에 서풍에 몰려가는 무서운 검은 구름의 터진 틈으로, 언뜻언뜻 보는 푸른 하늘은 누구의 얼굴입니까?

　꽃도 없는 깊은 나무에 푸른 이끼를 거쳐서, 옛 탑(塔) 위의 고요한 하늘을 스치는 알 수 없는 향기는 누구의 입김입니까?

　근원은 알지도 못할 곳에서 나서 돌부리를 울리고, 가늘게 흐르는 작은 시내는 굽이굽이 누구의 노래입니까?

　연꽃 같은 발꿈치로 가이 없는 바다를 밟고, 옥같은 손으로 끝없는 하늘을 만지면서 떨어지는 해를 곱게 단장하는 저녁놀은 누구의 시입니까?

　타고 남은 재가 다시 기름이 됩니다. 그칠 줄을 모르고 타는 나의 가슴은 누구의 밤을 지키는 약한 등불입니까?
　　　　　　　　　　　　　　　　　　- 한용운, '알 수 없어요'

(나) 설악산 대청봉에 올라
　　발아래 구부리고 엎드린 작고 큰 산들이며
　　떨어져 나갈까 봐 잔뜩 겁을 집어먹고
　　언덕과 골짜기에 바짝 달라붙은 마을들이며
　　다만 무릎께까지라도 다가오고 싶어
　　안달이 나서 몸살을 하는 바다를 내려다보니
　　온통 세상이 다 보이는 것 같고
　　또 세상살이 속속들이 다 알 것도 같다.
　　그러다 속초에 내려와 하룻밤을 묵으며
　　중앙 시장 바닥에서 다 늙은 함경도 아주머니들과
　　노령 노래 안주 해서 소주도 마시고
　　피난민 신세타령도 듣고
　　다음 날엔 원통으로 와서 뒷골목엘 들어가
　　지린내 땀내도 맡고 악다구니도 듣고
　　싸구려 하숙에서 마늘 장수와 실랑이도 하고
　　젊은 군인 부부 사랑싸움질 소리에 잠도 설치고 보니
　　세상은 아무래도 산 위에서 보는 것과 같지만은 않다

　　지금 우리는 혹시 세상을
　　너무 멀리서만 보고 있는 것은 아닐까 아니면
　　너무 가까이서만 보고 있는 것은 아닐까
　　　　　　　　　　　　　　　　　　- 신경림, '장자(莊子)를 빌려'

① (가)에는 대상에 대한 화자의 예찬적 태도가 잘 드러나 있다.

② (가)에는 종교적인 색채와 명상적이고 관념적인 분위기가 드러나 있다.

③ (나)에는 화자가 구체적 경험을 통해 얻은, 삶에 대한 깨달음이 담겨 있다.

④ (가)와 달리, (나)는 구도(求道)적인 자세를 통해 사물이 지닌 의미를 새롭게 발견해 내고 있다.

08

[2019년 서울시 9급 (2월)]

〈보기〉의 두 시조에 대한 설명으로 가장 옳지 않은 것은?

―――――――― 〈보기〉 ――――――――

(가) 임 그린 상사몽이 ㉠실솔의 넋이 되어
　　　가을철 깊은 밤에 임의 방에 들었다가
　　　날 잊고 깊이 든 잠을 깨워 볼까 하노라.

(나) 이 몸이 죽어져서 ㉡접동새 넋이 되어
　　　이화 핀 가지 속잎에 싸였다가
　　　밤중만 살아서 우리 임의 귀에 들리리라.

① ㉠은 귀뚜라미를 뜻한다.

② (가), (나) 모두 임에 대한 그리움을 노래하고 있다.

③ ㉡은 울음소리가 돌아갈 귀(歸), 촉나라 촉(蜀), '귀촉귀촉'으로 들려 귀촉도라고도 한다.

④ (가), (나)의 작가는 모두 미상이다.

07

해설 ④ (가)의 화자는 자연 현상을 통해 절대적인 존재에 대한 동경과 구도의 자세를 형상화하고 있으며, (나)의 화자는 산 위에서 본 세상과 속초, 원통에서 본 세상을 대조하여 삶에 대한 깨달음을 드러내고 있다. 이때 '구도(求道)적인 자세'는 '진리나 종교적인 깨달음의 경지를 구하는 자세'를 뜻하므로, (나)와 달리 (가)에만 구도적인 자세가 드러난다.

오답분석 ① (가)에는 자연 만물의 섭리 속에 있는 절대적 존재에 대한 예찬적 태도가 드러나고 있다.

② (가)는 불교적 색채가 짙은 작품으로, 자연 현상 속에 깃든 절대적 존재를 인식하고 그를 향한 구도 정신을 노래하고 있다. 따라서 명상적이고 관념적인 분위기가 느껴진다.

③ (나)에는 화자가 설악산 대청봉과 속초, 원통에서 경험한 것을 통해 얻은 삶에 대한 깨달음이 드러난다.

이것도 알면 **합격**

제시된 작품들의 주제와 특징을 알아두자.

(가)	한용운 '알 수 없어요'	주제	절대적 존재에 대한 동경과 구도의 정신
		특징	• 경어체를 사용하고 의문형 어구를 반복함 • 자연 현상을 통한 깨달음을 형상화함 • 동일한 통사 구조를 반복하여 음악성과 형태적 안정성을 갖춤
(나)	신경림 '장자(莊子)를 빌려'	주제	세상을 바라보는 관점에 대한 성찰
		특징	• 사물을 의인화하여 나타냄 • 신의 정상에서 바라본 세상의 모습과 산 아래에서 바라본 세상의 모습을 대조해서 표현함 • 삶의 관점에 대한 성찰을 통해 독자에게 질문을 던짐

08

해설 ④ (가)는 조선 고종 때의 가객 박효관이 지은 시조이고 (나)는 작자 미상의 시조이므로 (가), (나)의 작가는 모두 미상이라는 ④의 설명은 옳지 않다.

오답분석 ① ㉠'실솔(蟋蟀)'은 귀뚜라미를 뜻하는 한자어이다.

② (가)와 (나)의 시적 화자는 각각 '실솔'과 '접동새'에 감정을 이입하여 임을 향한 간절한 그리움을 노래하고 있다.

③ ㉡ '접동새'는 '귀촉도'라고도 하는데, 이는 접동새의 울음소리와 관련이 있으며 중국 촉나라의 망제가 신하에게 나라를 빼앗긴 것이 원통해 죽은 뒤에 접동새가 되어 밤마다 울어 후세 사람들이 그 새를 귀촉도라고 불렀다고 하는 설화와도 관련이 있다.

09

〈보기〉의 시에 대한 설명으로 가장 옳지 않은 것은?

─〈보기〉─

首陽山(수양산) 바라보며 夷齊(이제)를 恨(한)ㅎ노라.
주려 주글진들 採薇(채미)도 ㅎ는 것가.
비록애 푸새엣 거신들 그 뉘 짜헤 낫드니.

① 시인은 사육신의 한 명이다.
② 중의법을 사용하고 있다.
③ 중국의 고사를 인용하고 있다.
④ 단종의 죽음에 대한 복수를 다짐하고 있다.

10

다음 작품에 대한 설명으로 가장 적절하지 않은 것은?

산수유나무가 노란 꽃을 터트리고 있다
산수유나무는 그늘도 노랗다
마음의 그늘이 옥말려든다고 불평하는 사람들은 보아라
나무는 그늘을 그냥 드리우는 게 아니다
그늘 또한 나무의 한 해 농사
산수유나무가 그늘 농사를 짓고 있다
꽃은 하늘에 피우지만 그늘은 땅에서 넓어진다
산수유나무가 농부처럼 농사를 짓고 있다
끌어모으면 벌써 노란 좁쌀 다섯 되 무게의 그늘이다

① 그늘을 나무가 짓는 농사로 본 참신한 발상이 돋보이는 작품이다.
② 사전에 나오지 않는 어휘를 사용하여 여러 의미를 함축적으로 나타내는 효과를 준다.
③ 다른 존재에게 편안함을 제공하는 그늘은 나무가 자라면서 저절로 드리워지는 것이다.
④ 마음의 그늘이 옥말려든다고 불평하는 사람들과 산수유나무가 대비되고 있다.

11

다음 글의 특징으로 적절하지 않은 것은?

가리워진 안개를 걷게 하라,
국경이며 탑이며 어용학(御用學)의 울타리며
죽 가래 밀어 바다로 몰아 넣라.

하여 하늘을 흐르는 날새처럼
한 세상 한 바람 한 햇빛 속에,
만 가지와 만 노래를 한 가지로 흐르게 하라.

보다 큰 집단은 보다 큰 체계를 건축하고,
보다 큰 체계는 보다 큰 악을 양조(釀造)한다.

조직은 형식을 강요하고
형식은 위조품을 모집한다.

하여, 전통은 궁궐안의 상전이 되고
조작된 권위는 주위를 침식한다.

국경이며 탑이며 일만년 울타리며
죽 가래 밀어 바다로 몰아 넣라.
                  - 신동엽, '이야기하는 쟁기꾼의 대지'

① 직설적인 어조로써 메시지를 전달하고 있다.
② 고전적인 질서를 통해 새로운 희망을 추구하고 있다.
③ 인위적인 것과 자연적인 것이 대조적으로 제시되고 있다.
④ 농기구의 상징을 통해 체제 개혁을 역설하고 있다.

09 난이도 ★★☆

해설 ④ 제시된 작품은 세조의 단종 폐위에 항거한 성삼문의 시조로, 단종을 향한 변치 않는 충심을 노래하고 있다. 그러나 화자가 단종의 죽음에 대한 복수를 다짐하고 있지는 않으므로 시에 대한 설명으로 옳지 않은 것은 ④이다.

오답 분석 ① 제시된 작품의 작가는 성삼문으로 사육신의 한 명이다. 참고로 사육신은 조선 세조 2년(1456)에 단종의 복위를 꾀하다가 처형된 여섯 명의 충신을 이르는 말로 성삼문, 이개, 하위지, 유성원, 유응부, 박팽년이 있다.

② '首陽山(수양산)'은 중의법이 사용된 표현으로 '백이와 숙제가 은거하며 살던 중국의 산'이라는 의미와 '수양 대군'이라는 중의적인 의미로 해석된다.

③ 은나라의 충신인 백이와 숙제의 고사를 인용하여 자신의 절개를 강조하고 있다.

지문 풀이 수양산을 바라보면서 (지조를 끝까지 지키지 못한) 백이와 숙제를 원망하며 한탄하노라.
차라리 굶주려 죽을망정 고사리는 왜 캐어 먹었는가?
비록 산에서 아무렇게나 자라는 풀이라 하더라도 그것이 누구의 땅에서 났단 말인가?　　　　　　　　　　　　　　－ 성삼문의 시조

10 난이도 ★☆☆

해설 ③ 4~5행에서 나무는 그늘을 그냥 드리우지 않으며 그늘을 '나무의 한 해 농사'로 표현하고 있음을 알 수 있다. 따라서 그늘이 나무가 자라면서 저절로 드리워지는 것이라는 설명은 적절하지 않다.

오답 분석 ① 5행의 '그늘 또한 나무의 한 해 농사'라는 표현을 통해 확인할 수 있다.

② '옥말려들다'와 같이 사전에 나오지 않는 어휘를 사용하여 여러 의미를 함축적으로 나타내고 있다.

④ '불평하는 사람들'과 '산수유나무'를 대비하여 '산수유나무'의 포용력을 강조하고 있다.

이것도 알면 **합격**
문태준, **'산수유나무의 농사'**의 특징을 알아두자.

1. **주제**: 산수유나무의 그늘이 주는 배려와 평안함
2. **특징**
   • 자연물을 바라보는 참신한 발상이 돋보임.
   • 산수유나무의 풍성한 그늘과 사람들의 좁아지는 마음의 그늘을 대비함.

11 난이도 ★★☆

해설 ② 제시된 작품의 3~5연에서 시적 화자는 '큰 집단, 큰 체계'가 악을 만들고 형식을 강요하며 위조품을 모집한다고 하며 이에 대해 부정적인 인식을 드러내고 있다. 또한 시적 화자는 1연과 6연에서 전통, 조작된 권위를 의미하는 '국경', '탑', '울타리'를 바다로 몰아 넣으라고 말하며 고전적인 질서를 거부하는 모습을 보이고 있다. 따라서 고전적인 질서를 통해 새로운 희망을 추구한다는 ②의 설명은 적절하지 않다.

오답 분석 ① '~하라'와 같은 단정적 어조의 사용을 통해 화자가 직설적인 어조로써 메시지를 전달하고 있음을 알 수 있다.

③ '국경, 탑, 울타리'와 같은 인위적인 것과 '안개, 바다, 날새, 바람, 햇빛'과 같은 자연적인 것이 대조적으로 제시되고 있다.

④ 1, 6연의 마지막 행에 농기구의 상징인 '가래'를 사용하여 체제 개혁을 역설하고 있다.
[관련 부분] 죽 가래 밀어 바다로 몰아 넣라

12

[2019년 국가직 7급]

밑줄 친 '가토릐'와 '都沙工'의 상황을 표현한 한자 성어로 가장 적절한 것은?

> 나모도 바히돌도 업슨 뫼헤 매게 또친 가토릐 안과,
> 大川 바다 한가온대 一千石 시른 비에 노도 일코 닷도 일코 농총도 근코 돗대도 것고 치도 싸지고 부람 부러 물결 치고 안개 뒤섯계 주자진 날에 갈 길은 千里萬里 나믄듸 四面이 거머어득 져뭇 天地寂寞 가치노을 쩐눈듸 水賊 만난 都沙工의 안과,
> 엊그제 님 여흰 내 안히야 엇다가 ᄀ을ᄒ리오.

① 孤子單身 ② 螳螂拒轍
③ 磨杵作針 ④ 百尺竿頭

13

[2019년 지방직 7급]

(가), (나)에 대한 이해로 가장 적절한 것은?

> (가) 公無渡河
>   公竟渡河
>   墮河而死
>   當奈公何   - 백수광부의 처, '공무도하가'
>
> (나) 대동강(大同江) 아즐가 대동강(大同江) 너븐디 몰라셔
>   위 두어렁셩 두어렁셩 다링디리
>   비 내여 아즐가 비 내여 노흔다 샤공아
>   위 두어렁셩 두어렁셩 다링디리
>   네 가시 아즐가 네 가시 럼난디 몰라셔
>   위 두어렁셩 두어렁셩 다링디리
>   녈 비예 아즐가 녈 비예 연즌다 샤공아
>   위 두어렁셩 두어렁셩 다링디리
>   대동강(大同江) 아즐가 대동강(大同江) 건너편 고즐여
>   위 두어렁셩 두어렁셩 다링디리
>   비 타들면 아즐가 비 타들면 것고리이다 나는
>   위 두어렁셩 두어렁셩 다링디리
>   - 작자 미상, '서경별곡' 중에서

① (가)의 화자는 임과의 동행을, (나)의 화자는 임과의 이별을 선택한다.
② (가)의 '河'와 (나)의 '강'은 모두, 임과 나의 재회를 돕는 매개로 설정되었다.
③ (가), (나)의 화자 모두, 벌어질 상황에 대해 염려하는 마음을 드러내고 있다.
④ (가)와 (나) 모두, 화자의 상대방이 보이는 반응이 희극적 분위기를 조성하고 있다.

12 난이도 ★★☆

해설 ④ 제시된 작품에서 '가토리'는 숨을 곳이 없는 산에서 매에게 쫓기는 상황이고, '도사공(都沙工)'은 바다에서 노와 닻을 잃고 도적을 만난 상황이다. 따라서 '가토리'와 '도사공(都沙工)' 모두 위태로운 상황에 놓여 있으므로 이를 표현한 적절한 한자 성어는 ④ '百尺竿頭(백척간두)'이다.
- 百尺竿頭(백척간두): '백 자나 되는 높은 장대 위에 올라섰다'라는 뜻으로, 몹시 어렵고 위태로운 지경을 이르는 말

오답 분석 ① 孤子單身(고혈단신): 피붙이가 전혀 없는 외로운 몸

② 螳螂拒轍(당랑거철): 제 역량을 생각하지 않고, 강한 상대나 되지 않을 일에 덤벼드는 무모한 행동거지를 비유적으로 이르는 말

③ 磨杵作針(마저작침): '쇠공이를 갈아서 바늘을 만든다'라는 뜻으로, 어려운 일도 끈기 있게 노력하면 이룰 수 있음을 비유적으로 이르는 말.

지문 풀이 나무도 바위도 없는 산에 매에게 쫓긴 까투리의 마음과
넓은 바다 한가운데 일천 석 실은 배에 노도 잃고, 닻도 잃고, 돛 줄도 끊어지고, 돛대도 꺾어지고, 키도 빠지고, 바람 불어 물결치고, 안개 뒤섞여 자욱한 날에 갈 길은 천리만리 남았는데, 사방은 깜깜하고 어둑어둑 저물어서 천지는 적막하고 사나운 파도는 이는데 해적을 만난 도사공의 마음과,
엊그제 임을 이별한 나의 마음이야 어디다 비교하리오.

이것도 알면 합격

'나모도 바히돌도 업슨 ~'의 주제와 특징을 알아두자.
1. 주제: 사랑하는 임과 이별한 뒤의 절박한 심정과 슬픔
2. 특징
- 과장되고 수다스러운 표현을 사용하여 해학성을 나타냄
- 비교법, 열거법, 점층법 등 다양한 표현법을 활용하여 시적 화자의 절박한 심정을 강조함

13 난이도 ★★☆

해설 ③ (가)의 화자는 1구에서 임이 물을 건너는 모습을 보고 임이 물에 빠져서 죽을까봐 걱정하는 마음을 드러내고 있고, (나)의 화자는 9~10행을 통해 임이 배를 타고 강을 건너서 다른 여인과 만나게 될 것을 걱정하고 있다. 따라서 (가)와 (나)에 대한 이해로 가장 적절한 것은 ③이다

오답 분석 ① (가)의 화자가 임과의 동행을 선택했는지는 알 수 없고, (나)의 화자는 임에게 배를 내어준 사공을 원망하는 것을 통해 임과의 이별을 강하게 거부하고 있으므로 적절하지 않다. 참고로 '공무도하가'의 배경 설화에서 백수광부의 처가 이 노래를 마치고 나서 스스로 물에 몸을 던져 죽었다고 전해지고 있으나, 제시된 작품만으로는 해당 내용을 확인할 수 없으므로 가장 적절한 이해로 볼 수 없다.

② (가)의 '河(강 하)'은 임이 빠져 죽은 공간이고, (나)의 '강'은 화자와 임이 이별하는 공간이므로 임과 나의 재회를 돕는다는 설명은 적절하지 않다.

④ (가)와 (나) 모두 화자의 상대방이 보이는 반응은 제시되어 있지 않고, 임과의 이별로 인한 비극적 분위기가 드러나 므로 적절하지 않다.

지문 풀이 (가) 임이여, 물을 건너지 마오.
임은 그예 물을 건너시네.
물에 빠져 돌아가시니,
가신 임을 어이할꼬. — 백수광부의 처, '공무도하가'

(나) 대동강이 넓은 줄을 몰라서 / 배를 내어 놓았느냐 사공아! / 네 아내가 음란한 줄도 몰라서 / 가는 배에 몸을 실었느냐 사공아! / (나의 임은) 대동강 건너편 꽃을 / 배를 타고 (건너편에) 들어가면 꺾을 것입니다. — 작자 미상, '서경별곡'

14

[2018년 서울시 9급 (3월)]

〈보기〉에 대한 설명으로 가장 옳지 않은 것은?

───── 〈보기〉 ─────

동지(冬至)ㅅ둘 기나긴 밤을 한 허리를 버혀 내여
춘풍(春風) 니불 아레 서리서리 너헛다가
어론님 오신날 밤이여든 구뷔구뷔 펴리라

① 사랑하는 임의 안위에 대해 걱정하고 있다.
② 추상적인 시간을 구체화하여 제시하고 있다.
③ 의태어를 사용하여 생동감을 자아내고 있다.
④ '어론님 오신날'은 화자의 소망과 관련된 구절이다.

15

[2018년 서울시 7급 (3월)]

〈보기〉에 대한 설명으로 가장 옳지 않은 것은?

───── 〈보기〉 ─────

1947년 봄
심야
황해도 해주의 바다
이남과 이북의 경계선 용당포

사공은 조심조심 노를 저어가고 있었다.
울음을 터뜨린 한 영아를 삼킨 곳
스무 몇 해나 지나서도 누구나 그 수심을 모른다.

　　　　　　　　　　　- 김종삼, '민간인'

① 구체적 시공간을 제시하여 역사적 배경을 환기한다.
② 남북 왕래가 자유롭지 않던 숨 막히던 상황이다.
③ 아이의 목숨을 앗은 것은 보초를 서던 군인이다.
④ 수심은 물의 깊이뿐만 아니라 근심, 걱정을 뜻한다.

16

[2019년 지방직 7급]

다음 시에 대한 감상으로 적절하지 않은 것은?

기다리지 않아도 오고
기다림마저 잃었을 때에도 너는 온다.
어디 뻘밭 구석이거나
썩은 물웅덩이 같은 데를 기웃거리다가
한눈 좀 팔고, 싸움도 한판 하고,
지쳐 나자빠져 있다가
다급한 사연 들고 달려간 바람이
흔들어 깨우면
눈 부비며 너는 더디게 온다.
더디게 더디게 마침내 올 것이 온다.
너를 보면 눈부셔
일어나 맞이할 수가 없다.
입을 열어 외치지만 소리는 굳어
나는 아무것도 미리 알릴 수가 없다.
가까스로 두 팔을 벌려 껴안아 보는
너, 먼 데서 이기고 돌아온 사람아.

　　　　　　　　　　　- 이성부, '봄'

① 특정한 시어를 반복함으로써 의미를 강화하고 있다.
② 단정적 어조로, 기대하는 대상에 대한 믿음을 드러내고 있다.
③ 미래의 절망적인 상황을 단언하는 화자의 태도가 시상의 중심을 이루고 있다.
④ 특정 대상을 인격화하여 대상에 대한 간절한 기다림을 표현하고 있다.

14

난이도 ★★☆

해설 ① 제시된 작품의 화자는 사랑하는 임을 기다리며 그리움을 드러내고 있으나, 임의 안위를 걱정하는 부분은 나타나지 않는다.

오답 분석 ② '동지(冬至)ㅅ돌 기나긴 밤을 한 허리를 버혀 내여'라는 구절을 통해 추상적인 시간(동짓날의 기나긴 밤)을 사물로 구체화하여 표현하고 있음을 알 수 있다.

③ '서리서리', '구뷔구뷔' 등의 의태어를 사용하여 우리말의 묘미를 살리고 생동감 있게 표현하고 있다.

④ 화자는 동짓날의 기나긴 밤을 베어 내어 이를 '어론님 오신날'에 펼쳐 임과 함께하고 싶다는 소망을 드러내고 있다.

지문 풀이
> 동짓날 기나긴 밤의 한 가운데를 잘라 내어
> 봄바람 같은 따뜻한 이불 아래에 서리서리 넣어 두었다가
> 고운 님 오시는 날 밤이 되거든 굽이굽이 펴리라.　　　- 황진이

15

난이도 ★★☆

해설 ③ 제시된 작품에서 아이의 목숨을 앗은 것이 군인인지는 알 수 없으며, 작품의 내용을 통해 밤에 몰래 월남을 하던 사람들이 울음을 터트린 아이를 바다에 어쩔 수 없이 빠뜨린 것으로 추측할 수 있다.

오답 분석 ① '1947년 봄, 심야, 황해도 해주 바다'라는 구체적인 시공간을 제시하여 민족 분단이라는 역사적 배경을 환기하고 있다.

② 1947년이라는 시간적 배경과 '이남과 이북의 경계선' 등의 시어를 통해 남북 간의 왕래가 자유롭지 않았음을 추측할 수 있다.

④ 작품에 쓰인 '수심'은 '물의 깊이'를 뜻하는 '수심(水深)'과 '매우 근심함. 또는 그런 마음'을 뜻하는 '수심(愁心)'으로 모두 해석할 수 있다.

이것도 알면 합격
김종삼, '민간인'에 대해 알아두자.

1. 제목의 의미
　'민간인'은 관리나 군인이 아닌 보통 사람을 가리키는 말로, 남북 분단이 평범한 사람들에게도 비극적인 사건임을 나타내려는 의도가 담김

2. 특징
- 객관적 관찰자의 시점으로 서술함
- 구체적인 시·공간적 배경을 제시하여 당시의 긴박한 상황을 독자에게 인지시킴
- '영아 살해'와 같은 비극을 냉정하고 객관적으로 표현함으로써, 독자 스스로 더욱 깊이 느끼고 생각할 수 있게 유도함

16

난이도 ★★☆

해설 ③ 제시된 작품의 화자는 기다림마저 잃었을 때와 같이 절망적인 상황에서도 봄이 반드시 올 것이라는 희망을 가지고 있다. 또한 '너를 보면 눈부셔 일어나 맞이할 수가 없다'에서 화자는 봄을 맞이하는 감격스러운 마음을 표현하고 있다. 따라서 화자는 미래에 대해 긍정적인 태도를 지니고 있으므로 화자가 미래의 절망적인 상황을 단언한다는 ③의 감상은 적절하지 않다.

오답 분석 ① '온다'를 반복적으로 사용함으로써 봄이 오기를 기다리는 화자의 간절함을 강화하고 있다.

② 서술어 '온다', '올 것이다'를 사용한 단정적 어조로 기대하는 대상인 봄이 반드시 올 것이라는 확신을 드러내고 있다.

④ 봄을 '너'라고 지칭함으로써 인격화하여 봄을 간절히 기다리고 있는 화자의 마음을 표현하고 있다.

이것도 알면 합격
이성부, '봄'의 주제와 특징을 알아두자.

1. 주제: 봄(민주, 자유)이 올 것이라는 확신과 희망
2. 특징
- 대상(봄)을 의인화하여 예찬함
- 앞으로 다가올 새로운 시대에 대한 확신과 희망이 나타남
- 자연 섭리(계절의 순환, 봄은 반드시 옴)의 당위성을 강조함

17

다음 시에 대한 설명으로 적절하지 않은 것은?

> 나는 이제 너에게도 슬픔을 주겠다.
> 사랑보다 소중한 슬픔을 주겠다.
> 겨울밤 거리에서 귤 몇 개 놓고
> 살아온 추위와 떨고 있는 할머니에게
> 귤 값을 깎으면서 기뻐하던 너를 위하여
> 나는 슬픔의 평등한 얼굴을 보여 주겠다.
> 내가 어둠 속에서 너를 부를 때
> 단 한 번도 평등하게 웃어 주질 않은
> 가마니에 덮인 동사자가 다시 얼어 죽을 때
> 가마니 한 장조차 덮어 주지 않은
> 무관심한 너의 사랑을 위해
> 흘릴 줄 모르는 너의 눈물을 위해
> 나는 이제 너에게도 기다림을 주겠다.
> 이 세상에 내리던 함박눈을 멈추겠다.
> 보리밭에 내리던 봄눈들을 데리고
> 추워 떠는 사람들의 슬픔에게 다녀와서
> 눈 그친 눈길을 너와 함께 걷겠다.
> 슬픔의 힘에 대한 이야길 하며
> 기다림의 슬픔까지 걸어가겠다.   - 정호승, '슬픔이 기쁨에게'

① 의인화 기법을 통해 자연의 가치를 찬미하고 있다.
② 소외된 존재의 슬픔이 시상의 거점을 이루고 있다.
③ 유사한 종결어의 반복을 통해 화자의 의지가 드러나고 있다.
④ 상대에게 말을 건네는 상황을 설정하여 시상을 전개하고 있다.

18

다음 시조에 대한 설명으로 가장 적절한 것은?

> 쎳쎳 常 평홀 平 통홀 通 보뷔 寶字
> 구멍은 네모지고 四面이 둥그러셔 쩍디글 구으러 간 곳 마두 반기논고나
> 엇더타 죠고만 金죠각을 두챵이 닷토거니 나는 아니 죠홰라

① 조선 후기의 첨예한 신분 갈등이 제재를 통해 드러나고 있다.
② 의인화된 제재와 대화하는 형식을 통해 주제를 표현하고 있다.
③ 제재에 대한 일반적 반응과 시적 화자의 반응이 대조되고 있다.
④ 화자의 심화된 내적 갈등을 보여 주기 위해 대립적 성격의 소재를 활용하고 있다.

19

〈보기〉의 (가), (나)에 대한 설명으로 가장 옳은 것은?

> ──── 〈보기〉 ────
>
> (가) 장안(長安)을 도라보니 북궐(北闕)이 천리(千里)로다
>   어주(魚舟)에 누어신둘 니즌 스치 이시랴
>   두어라 내 시름 안니라 제세현(濟世賢)이 업스랴
>
> (나) 동풍이 건듣부니 믉결이 고이닌다
>   돋두라라 돋두라라
>   동호롤 도라보며 서호로 가쟈스라
>   지국총 지국총 어사와
>   압뫼히 디나가고 뒫뫼히 나아온다

① (가), (나) 모두 어부(漁夫)가 지은 노래이다.
② (가), (나)의 화자는 모두 어촌 생활에 만족하고 있다.
③ (가)의 화자는 나라에 대한 걱정을 하지 않고 있다.
④ (나)는 어촌의 풍경을 역동적으로 그려내고 있다.

17

난이도 ★★☆

해설 ① 제시된 작품은 '슬픔'과 '기쁨'을 각각 '나'와 '너'로 의인화한 후, 슬픔이 기쁨에게 말을 건네는 방식으로 시상을 전개하고 있다. 그러나 이를 통해 더불어 살아가는 삶의 가치를 제시하였을 뿐, 자연의 가치를 찬미하지는 않았으므로 답은 ①이다.

오답분석 ② '귤 파는 할머니, 가마니에 덮인 동사자, 추워 떠는 사람들'과 같이 소외된 존재들의 슬픔을 시상 전개의 거점으로 삼아 이들에 대한 관심과 애정을 촉구하고 있다.

③ '-겠다'라는 종결 어미를 반복하여 화자의 의지를 드러내었다.

④ '나는 이제 너에게도 ~ 주겠다'라는 표현을 통해 상대에게 말을 건네는 상황을 설정하여 시상을 전개하고 있음을 알 수 있다.

이것도 알면 합격

정호승, '슬픔이 기쁨에게'의 특징과 시어의 의미를 알아두자.

1. 특징
  • 상대에게 말을 건네는 방식으로 시상을 전개함
  • 화자의 의지적인 자세를 '-겠다'라는 어미를 통해 나타냄

2. 시어의 의미

가마니 한 장	최소한의 관심
기다림, 슬픔	소외된 이웃의 고통에 대한 관심
어둠	고통스럽고 소외된 삶
눈물	타인에 대한 사랑, 배려

18

난이도 ★★☆

해설 ③ 초장을 통해 제시된 작품의 제재가 조선 시대에 사용되었던 엽전인 '상평통보'임을 알 수 있다. '간 곳마다 반기는고나'에서 '상평통보'에 대한 사람들의 일반적인 반응을 확인할 수 있으며, '나는 아니 죠홰라'에서 '상평통보'에 대한 시적 화자의 부정적 인식을 확인할 수 있다. 따라서 제시된 작품에 대한 설명으로 가장 적절한 것은 ③이다.

오답분석 ① 제시된 작품에서는 제재인 '돈'을 통해 조선 후기의 첨예한 신분 갈등을 드러내지 않는다.

② 제재인 '상평통보'를 의인화하여 표현하지 않았고, 대화하는 형식 또한 나타나지 않는다.

④ 제시된 작품에서 화자의 내적 갈등은 드러나지 않으며, 작품의 소재로는 '상평통보'만을 활용하였다.

지문풀이
> 떳떳 상 평할 평 통할 통 보배 보 자(字)
> 구멍은 네모지고 사면이 둥글어서 땍대굴 굴러 간 곳마다 반기는구나
> 어쩌다 조그만 쇳조각을 머리가 터지도록 다투니 나는 아니 좋아라

19

난이도 ★★☆

해설 ④ (나)는 화자가 배를 타고 '앞산(압뫼)'을 지나며 '뒷산(뒫뫼)'과 가까워지는 동적인 상황을 표현함으로써 어촌의 풍경을 역동적으로 그려내고 있다.

[관련 부분] 압뫼히 디나가고 뒫뫼히 나아온다

오답분석 ① 두 시조의 작가는 모두 조선 중기의 문인이므로 (가)와 (나)를 어부가 지은 노래로 볼 수 없다.

② (나)의 화자는 어촌 생활에서 느끼는 풍류와 만족감을 표현하고 있는 반면 (가)의 화자는 '어주(魚舟)에 누어신돌 니즌 스치 이시랴'와 같이 나라에 대한 걱정을 드러내며 내적 갈등을 겪고 있다.

③ (가)의 화자는 어촌에 몸을 두고 있지만 초장에서는 '한양(장안)'과 궁궐(북궐)'을 의식하고 있으며, 중장과 종장에서는 임금에 대한 걱정을 드러내고 있다.

지문풀이
> (가) 서울을 돌아보니 궁궐(임금님 계신 곳)이 천 리로구나.
> 고기잡이배에 누워 있은들 (나랏일을) 잊은 적이 있으랴.
> 두어라, 내가 걱정할 일 아니다. 세상을 구제할 현인이 없겠느냐?   - 이현보, '어부가'
> (나) 봄바람이 문득 부니, 물결이 곱게 일어난다.
> 돛을 달아라, 돛을 달아라.
> 동호(東湖)를 바라보며 서호(西湖)로 가자꾸나.
> 찌그덩 찌그덩 어여차
> 앞산이 지나가고 뒷산이 나타난다.   - 윤선도, '어부사시사'

20

[2018년 국가직 9급]

다음 글에 대한 이해로 가장 적절한 것은?

> (가) 내 마음 베어 내어 저 달을 만들고져
> 　　구만 리 장천(長天)의 번듯이 걸려 있어
> 　　고운 님 계신 곳에 가 비추어나 보리라
>
> (나) 열다섯 아리따운 아가씨가
> 　　남부끄러워 이별의 말 못 하고
> 　　돌아와 겹겹이 문을 닫고는
> 　　배꽃 비친 달 보며 흐느낀다

① (가)와 (나)에서 '달'은 사랑하는 마음을 임에게 전달하는 매개체이다.

② (가)의 '고운 님'과, (나)의 '아리따운 아가씨'는 화자가 사랑하는 대상이다.

③ (가)의 '나'는 적극적인 태도로, (나)의 '아가씨'는 소극적인 태도로 정서를 드러낸다.

④ (가)의 '장천(長天)'은 사랑하는 임이 머무르는 공간이고, (나)의 '문'은 사랑하는 임에 대한 마음을 숨기는 공간이다.

21

[2018년 지방직 9급]

다음 시에 대한 설명으로 적절하지 않은 것은?

> 머언 산 청운사 / 낡은 기와집
> 산은 자하산 / 봄눈 녹으면
>
> 느릅나무
> 속잎 피어나는 열두 구비를
>
> 청노루 / 맑은 눈에
> 도는 / 구름
> 　　　　　　　　　　　　- 박목월, '청노루'

① 묘사된 자연이 상상적, 허구적이다.

② 이상적 세계에 대한 그리움을 노래하고 있다.

③ 시적 공간이 원경에서 근경으로 옮아오고 있다.

④ 사건 발생의 시간적 순서에 따라 제재가 배열되고 있다.

22

[2018년 지방직 9급]

(가)와 (나)를 비교한 설명으로 적절한 것은?

> (가) 문밖에 가랑비 오면 방 안은 큰비 오고 부엌에 불을 땔 때면 천장은 굴뚝이요 흙 떨어진 윗대궁기 바람은 살 쏜 듯이 들이불고 틀만 남은 헌 문짝 멍석으로 창과 문을 막고 방에 반듯 드러누워 가만히 바라보면 천장은 하늘별자리를 그려놓은 그림이요, 이십팔수(二十八宿)를 세어본다. 이렇게 곤란이 더욱 심할 제, 철모르는 자식들은 음식 노래로 조르는데, 아이고, 어머니! 나는 용미봉탕에 잣죽 좀 먹었으면 좋겠소.
>
> (나) 한 달에 아홉 끼를 얻거나 못 얻거나
> 　　십 년 동안 갓 하나를 쓰거나 못 쓰거나
> 　　안표누공(顔瓢屢空)인들 나같이 비었으며
> 　　원헌(原憲)의 가난인들 나같이 심할까.
> 　　봄날이 길고 길어 소쩍새가 재촉커늘
> 　　동쪽 집에 따비 얻고 서쪽 집에 호미 얻어
> 　　집 안에 들어가 씨앗을 마련하니
> 　　올벼 씨 한 말은 반 넘어 쥐 먹었고
> 　　기장 피 조 팥은 서너 되 붙었거늘
> 　　많고 많은 식구 이리하여 어이 살리.
>
> ※ 윗대궁기: 나뭇가지 등으로 엮어 흙을 바른 벽에 생긴 구멍
> 　안표누공(顔瓢屢空): 공자(孔子)의 제자 안회(顔回)의 표주박이 자주 빔
> 　원헌(原憲): 공자의 제자

① (가)와 달리 (나)는 읽을 때의 리듬이 규칙적이다.

② (가)와 (나)는 모두 상황을 사실적으로 묘사하고 있다.

③ (가)와 (나)는 현재의 상황을 운명으로 수용하고 있다.

④ (가)는 상황을 긍정적으로, (나)는 부정적으로 인식하고 있다.

20

난이도 ★★☆

해설 ③ (가)의 '나'는 임을 그리워하는 마음을 칼로 베어 '달'로 만든 후 임의 곁을 비추겠다고 표현하고 있다. 이와 달리 (나)의 '아가씨'는 이별로 인한 슬픈 감정을 홀로 흐느낌으로써 나타내고 있다. 이를 통해 (가)의 '나'는 적극적인 태도로, (나)의 '아가씨'는 소극적인 태도로 정서를 드러냄을 알 수 있다.

오답 분석 ① (가)의 '달'은 사랑하는 마음을 임에게 전달하는 매개체이나, (나)의 '달'은 애상적인 분위기를 자아내며 이별로 인한 화자의 정한을 심화시키는 소재이다.

② (가)의 '고운 님'은 화자가 사랑하는 대상이나, (나)의 '아가씨'는 화자가 관찰하고 있는 대상이다.

④ (나)의 '문'은 사랑하는 임에 대한 마음을 숨기는 공간이나, (가)의 '장천(長天)'은 사랑하는 임이 머무르는 공간이 아니라, 내 마음인 '달'을 걸어 놓고 싶은 공간이다.

이것도 알면 합격

제시된 작품들의 특징을 알아두자.

1. 정철, '내 마음 버혀 내어'의 특징
   • 감상적이고 애상적인 정서가 드러남
   • 조선 전기 사대부의 의식을 보여주는 시조임
   • 추상적 개념을 구체적 대상으로 형상화하여 표현함

2. 임제, '무어별'의 특징
   • 서정적이고 애상적인 정서가 드러남
   • 이별한 소녀의 애틋한 마음을 표현한 한시임
   • 절제된 언어로 담백하고 간결하게 표현함

21

난이도 ★★☆

해설 ④ 제시된 작품에는 시간적인 흐름에 따른 사건 발생이 드러나지 않으므로 답은 ④이다.

오답 분석 ①② 사람이 등장하지 않는 풍경, 푸른색의 청운사와 청노루, 자주색의 자하산 등을 통해 이 시에서 자연은 실제 현실과 달리 상상력에 의해 허구적으로 묘사되었음을 알 수 있다. 이처럼 화자는 현실에는 존재하지 않는 아름답고 평화로운 자연을 묘사함으로써 이상적 세계를 동경하고 그리워하는 마음을 표현하고 있다.

③ 제시된 작품은 화자의 시선에 따라 시상이 전개된다. 멀리 있는 '청운사'부터 '자하산', '골짜기', '느릅나무'를 거쳐 마지막에는 가까이 있는 '청노루의 눈'에 비친 구름으로 시상이 전개되고 있다.

이것도 알면 합격

박목월, '청노루'의 주제와 특징을 알아두자.

1. 주제: 봄의 정경과 정취
2. 특징
   • 짧은 시행 배열이 나타나며, 명사로 종결함
   • 동적인 이미지와 정적인 이미지가 조화를 이룸
   • 시선의 이동에 따라 원경에서 근경으로 시상이 전개됨

22

난이도 ★★☆

해설 ① (나)는 조선 중기에 정훈이 창작한 가사인 '탄궁가'로 4음보의 운율을 지니고 있으므로 읽을 때의 리듬이 규칙적이다. 반면 (가)는 판소리계 소설인 '흥부전'으로 규칙적인 리듬이 나타나지 않는다. 따라서 (가)와 (나)를 비교한 설명으로 적절한 것은 ①이다.

오답 분석 ② (나)는 끼니를 잘 챙기지 못하고 이웃에게 농기구를 빌리는 상황을 비교적 사실적으로 묘사하고 있다. 그러나 (가)는 '천장은 굴뚝이요', '바람은 살쏜 듯이 들이불고', '천장은 하늘 별자리를 그려놓은 그림이요' 등 상황을 비유적으로 묘사하고 있다.

③ (가)와 (나)에서 모두 현재의 상황을 운명으로 수용하는 태도는 나타나지 않는다. (가)는 '용미봉탕에 잣죽 좀 먹었으면 좋겠소'를 통해 궁핍한 현재의 상황을 벗어나길 원함을 알 수 있다. 또한 (나)에서는 '많고 많은 식구 이리하여 어이 살리'를 통해 현재의 상황을 탄식하고 있음을 알 수 있다.

④ (가)의 '이렇게 곤란이 더욱 심할 제'와 (나)의 '원헌의 가난인들 나같이 심할까', '많고 많은 식구 이리하여 어이 살리'를 통해 (가)와 (나)가 모두 상황을 부정적으로 인식하고 있음을 알 수 있다.

23

[2018년 지방직 7급]

⊙~⊜ 중 다음 시의 주제와 관련하여 시적 화자의 정서를 가장 잘 대변하는 인물은?

> 징이 울린다 막이 내렸다.
> 오동나무에 전등이 매어 달린 가설 무대
> 구경꾼이 돌아가고 난 텅 빈 운동장
> 우리는 분이 얼룩진 얼굴로
> 학교 앞 소줏집에 몰려 술을 마신다.
> 답답하고 고달프게 사는 것이 원통하다.
> 꽹과리를 앞장세워 장거리로 나서면
> 따라붙어 악을 쓰는 건 ⊙쪼무래기들뿐
> ⊙처녀애들은 기름집 담벼락에 붙어 서서
> 철없이 킬킬대는구나.
> 보름달은 밝아 어떤 녀석은
> ⊙꺽정이처럼 울부짖고 또 어떤 녀석은
> ⊜서림이처럼 해해대지만 이까짓
> 산 구석에 처박혀 발버둥 친들 무엇하랴.
> 비료 값도 안 나오는 농사 따위야
> 아예 여편네에게나 맡겨 두고
> 쇠전을 거쳐 도수장 앞에 와 돌 때
> 우리는 점점 신명이 난다.
> 한 다리를 들고 날라리를 불거나.
> 고갯짓을 하고 어깨를 흔들거나.
>
> - 신경림, '농무'

① ⊙

② ⊙

③ ⊙

④ ⊜

24

[2018년 국회직 8급]

다음 시에 대한 설명으로 적절하지 않은 것은?

> 모란이 피기까지는
> 나는 아직 나의 봄을 기다리고 있을 테요
> 모란이 뚝뚝 떨어져 버린 날
> 나는 비로소 봄을 여읜 설움에 잠길 테요
> 오월 어느 날 그 하루 무덥던 날
> 떨어져 누운 꽃잎마저 시들어 버리고는
> 천지에 모란은 자취도 없어지고
> 뻗쳐 오르던 내 보람 서운케 무너졌느니
> 모란이 지고 말면 그뿐 내 한 해는 다 가고 말아
> 삼백 예순 날 하냥 섭섭해 우옵네다
> 모란이 피기까지는
> 나는 아직 기다리고 있을 테요 찬란한 슬픔의 봄을
>
> - 김영랑, '모란이 피기까지는'

① 시각적으로 분연되지 않은 단연시이지만 서술 구조상 2행이 한 연으로 묶여 전체적으로 2행 6연의 형태를 취하고 있다.

② 짧고 긴 호흡의 반복적 교체로 음악성을 구현한다.

③ 가시적 현상을 먼저 제시하고 뒤에서 이에 대한 시적 자아의 정서상 변화를 보여준다.

④ 3, 4, 5, 6행은 하나의 의미 단락으로 묶인다.

⑤ 크게 모란이 피는 상황과 모란이 진 상황을 보여준다.

23

난이도 ★★☆

[해설] ③ 제시된 작품은 농민들이 추는 춤 또는 보고 즐기는 춤을 뜻하는 '농무(農舞)'를 제재로 하여 농민들의 한(恨)과 고뇌를 표현하였다. '답답하고 고달프게 사는 것이 원통하다', 산 구석에 처박혀 발버둥 친들 무엇하랴' 등의 구절을 통해 농촌 현실에 대한 시적 화자의 울분과 한(恨)을 느낄 수 있다. ㉠~㉣ 중 이러한 시적 화자의 정서를 가장 잘 대변하는 인물은 모순된 현실에 대해 울부짖으며 현실을 개혁하고자 맞서 싸우는 사람을 상징하는 ㉢ '꺽정이'이다. 따라서 답은 ③이다.

[오답분석] ①②㉠ '쪼무래기들', ㉡ '처녀애들'은 젊은이들이 떠난 농촌 현실을 짐작하게 한다.

④ 피폐한 농촌의 현실에도 불구하고 웃고 있는 ㉣'서림이'는 모순된 현실에 타협하며 살아가는 사람을 상징한다.

[이것도 알면 **합격**]
신경림, '농무'의 특징과 시어의 의미를 알아두자.

1. 특징
- 서사적인 시상 전개가 나타남
- 역설적 상황을 설정하여 심리를 표현함
- 직설적 표현을 통해 현실에 대한 인식을 나타냄

2. 시어의 의미

텅 빈 운동장	농촌 현실에서 느끼는 쓸쓸함, 소외감, 허무감
도수장	농민들의 분노가 고조되는 공간
신명	농민들의 절망과 울분을 드러내는 역설적인 표현

24

난이도 ★★☆

[해설] ④ 3~4행은 모란이 질 때의 슬픔을 표현하고 있으므로, 하나의 의미 단락으로 묶인다. 그러나 5~6행은 뒤에 이어지는 7~10행과 묶여 모란이 지고 난 후의 슬픔과 절망을 표현하고 있으므로 3~4행과 하나의 의미 단락으로 묶일 수 없다. 따라서 제시된 작품에 대한 설명으로 적절하지 않은 것은 ④이다.

[오답분석] ① 제시된 작품은 하나의 문장을 2행씩 나누어 구성하고 있으므로 서술 구조상으로는 2행이 한 연으로 기능하고 있는 2행 6연의 형태를 취하고 있다.

② 짧은 행과 긴 행을 교차적으로 구성하여 호흡의 속도를 조절하고 운율을 형성하고 있다.

③ 모란이 피고 지는 가시적인 현상을 제시하고 그에 따른 시적 자아의 정서상의 변화를 제시하고 있다.

⑤ 1~2행, 11~12행은 모란이 피기 전의 상황을, 3~10행은 모란이 질 때와 모란이 지고 난 후의 상황을 보여준다.

[이것도 알면 **합격**]
김영랑, '모란이 피기까지는'의 주제와 특징을 알아두자.

1. 주제: 소망이 이루어지기를 기다림

2. 특징
- 역설적 표현을 사용함
- 수미 상관식의 구성이 나타남
- 섬세하고 아름다운 언어의 조탁이 나타남

25

[2018년 소방직 9급 (10월)]

다음 시에 대한 설명으로 적절하지 않은 것은?

> 산이 날 에워싸고
> 씨나 뿌리며 살아라 한다.
> 밭이나 갈며 살아라 한다.
>
> 어느 짧은 산자락에 집을 모아
> 아들 낳고 딸을 낳고
> 흙담 안팎에 호박 심고
> 들찔레처럼 살아라 한다.
> 쑥대밭처럼 살아라 한다.
>
> 산이 날 에워싸고
> 그믐달처럼 사위어지는 목숨
> 그믐달처럼 살아라 한다.
> 그믐달처럼 살아라 한다.
>
>   - 박목월, '산이 날 에워싸고'

① 화자는 순수하고도 탈속적인 세계를 지향하고 있다.

② 유사한 통사 구조의 반복을 통해 주제를 강조하고 있다.

③ 화자는 자신의 소망을 '산'이 자신에게 말하는 것처럼 표현하고 있다.

④ 화자는 절제된 감정으로 '산'과의 일정한 거리를 유지하려 하고 있다.

26

[2017년 국가직 7급 (8월)]

다음 시조에 대한 설명으로 가장 적절한 것은?

> 머귀 잎 지고야 알겠도다 가을인 줄을
> 세우청강(細雨淸江) 서느럽다 밤 기운이야
> 천리에 님 이별하고 잠 못 들어 하노라

① 이별한 임에 대한 원망의 감정이 선명하게 나타나 있다.

② 반어법을 동원하여 가을의 정취를 잘 나타내고 있다.

③ 점강법을 활용하여 계절 감각을 섬세하게 드러내고 있다.

④ 이별한 임을 잊지 못하는 안타까운 심정이 잘 나타나 있다.

27

[2017년 국가직 9급 (4월)]

다음 시에 대한 감상으로 적절하지 않은 것은?

> 아무도 그에게 수심(水深)을 일러준 일이 없기에
> 흰나비는 도무지 바다가 무섭지 않다.
>
> 청(靑)무우밭인가 해서 내려갔다가는
> 어린 날개가 물결에 절어서
> 공주처럼 지쳐서 돌아온다.
>
> 삼월(三月)달 바다가 꽃이 피지 않아서 서글픈
> 나비 허리에 새파란 초생달이 시리다.
>
>   - 김기림, '바다와 나비'

① '청(靑)무우밭'은 '바다'와 대립되는 이미지로 쓰였다.

② '흰나비'는 '바다'의 실체에 대해 정확하게 모르고 있었다.

③ 화자는 '공주처럼' 나약한 나비의 의지 부족과 방관적 태도를 비판한다.

④ '삼월(三月)달 바다'와 '새파란 초생달'은 모두 차가운 이미지로 사용되었다.

25

[해설] ④ 제시된 작품은 '산'이 화자에게 말을 하는 방식을 통해 자연 속에서 초월적인 삶을 살고자 하는 화자의 소망을 나타내고 있다. 따라서 화자가 절제된 감정으로 '산'과 일정한 거리를 유지하려 한다는 ④의 설명은 적절하지 않다.

[오답 분석] ① 제시된 작품의 1연은 자연에서 생계유지를 하며 살아가는 삶을, 2연은 자연에서 소박하게 일상생활을 하는 삶을, 3연은 속세에 얽매이지 않는 초월적인 삶을 살고 싶은 화자의 소망을 표현하고 있다. 따라서 화자가 지향하는 것은 순수하고 탈속적인 세계에서의 삶임을 알 수 있다.

② '산이 날 에워싸고'와 '살아라 한다'의 통사 구조를 반복하여 운율을 형성하고 주제를 강조하고 있다.

③ 화자는 자연 속에서 초월적인 삶을 살고자 하는 소망을 '산'이 자신에게 말을 거는 방식으로 표현하고 있다.

[이것도 알면 **합격**]

박목월, '산이 날 에워싸고'의 주제와 특징에 대해 알아두자.

1. 주제: 자연 친화를 통한 초월적 삶에 대한 동경
2. 특징
   - '산'이 화자에게 말을 하듯이 표현함
   - 자연 속 삶의 모습이 점차 고양되어 가는 점층적 구조를 이룸
   - '산이 날 에워싸고 ~ 살아라 한다'라는 통사 구조를 반복하여 운율을 형성함

26

[해설] ④ 종장의 '님 이별하고 잠 못 들어 하노라'를 통해 이별한 임을 잊지 못하는 화자의 안타까운 심정을 알 수 있으므로 답은 ④ 이다.

[오답 분석] ① 이별한 임을 원망하는 감정은 제시된 작품에서 찾을 수 없다.

② 제시된 작품에 가을날의 정취는 드러나지만 반어법은 사용되지 않았다.

③ '세우청강(細雨淸江) 서느럽다 밤 기운이야'를 통해 가을을 감각적으로 드러내고 있으나 점강법을 활용한 표현은 아니다.

[이것도 알면 **합격**]

'점강법'에 대해 알아두자.

한 구절 한 구절의 내용이 작아지고 좁아지고 약해져서, 고조된 감정을 점점 가라앉게 함으로써 강조의 효과를 얻는 표현 방법

[예] 첫날엔 오십 리, 다음 날엔 사십 리, 삼십 리, 점점 줄어지다가는, 하루씩 어느 마을에 들어가 쉬었다.

27

[해설] ③ 화자가 나비를 '공주'에 비유한 것은 의지 부족을 지적하기 위함이 아니라 물정에 어두운 연약한 존재임을 나타내기 위한 것이다. 또한 화자는 객관적인 태도로 나비를 묘사하고 있을 뿐, 나비의 태도를 비판하고 있지는 않다. 따라서 감상이 적절하지 않은 것은 ③이다.

[오답 분석] ① '청(靑)무우밭'은 나비가 동경하는 공간이지만 '바다'는 나비를 지치게 하는 좌절의 공간이므로 이미지가 서로 대립된다.

② 1연에서 아무도 그(흰나비)에게 수심을 일러 준 적이 없다고 하였으므로 '흰나비'가 '바다'의 실체를 모르고 있었다는 감상은 적절하다.

④ '삼월(三月)달 바다'는 꽃이 피지 않은 공간으로 나비를 지치게 하는 냉혹한 현실을 나타낸다. 그리고 '새파란 초생달'은 나비의 허리를 시리게 하는 존재이므로, '바다'와 '초생달'이 차가운 이미지로 사용되었다는 감상은 적절하다.

[이것도 알면 **합격**]

김기림, '바다와 나비'의 특징을 알아두자.

1. 감정을 절제한 객관적인 태도로 대상을 표현함
2. 추상적인 관념을 구체적인 소재를 사용하여 나타냄
3. '바다'와 '나비'의 대조가 두드러짐

바다		나비
• 청색 • 거대하고 광포함	↔	• 흰색 • 작고 연약함

28

[2017년 국가직 7급 (10월)]

다음 시에 대한 설명으로 가장 적절한 것은?

(가) 농업박물관 앞뜰에는 가을이 한창입니다
　　어린 아들에게 고개 숙인 벼의 한살이를
　　일러주던 한 아버지는 그 허수아비가
　　지키는 참새떼가 무엇인지 말해주지 않았습니다
　　그 허수아비가 왜 진짜 허수아비인지도
　　말해주지 않았지요　　　　　- 이문재, '농업박물관 소식'

(나) 바닥에 바짝 엎드린 가재미처럼 그녀가 누워 있다
　　나는 그녀의 옆에 나란히 한 마리 가재미로 눕는다
　　가재미가 가재미에게 눈길을 건네자 그녀가 울컥 눈물을 쏟아낸다
　　한쪽 눈이 다른 한쪽 눈으로 옮겨 붙은 야윈 그녀가 운다
　　그녀는 죽음만을 보고 있고 나는 그녀가 살아온 파랑 같은 날들을 보고 있다
　　좌우를 흔들며 살던 그녀의 물 속 삶을 나는 떠올린다
　　　　　　　　　　　　　　　　- 문태준, '가재미'

(다) 싸리재 너머
　　비행운 떴다

　　붉은 밭고랑에서 허리를 펴며
　　호미 든 손으로 차양을 만들며

　　남양댁
　　소리치겠다

　　"저기 우리 진평이 간다"

　　우리나라 비행기는 전부
　　진평이가 몬다　　　　　- 윤제림, '공군소령 김진평'

(라) 사람은 생각하는 갈대라지만
　　아프리카 한복판 가뭄에 굶어 죽은
　　수십 만의 이디오피아 사람들은
　　무슨 생각을 하는 갈대였을까
　　갈대같이 말라서 쓰러져 죽고 마는
　　아무 생각 못 하는 개미떼들이었을까
　　그 갈대를 꺾어서 응접실을 치장하고
　　생각하는 갈대답게 아프리카를 본다
　　　　　　　　　　　　- 마종기, '아프리카의 갈대'

① (가)는 화자가 '아버지'에게 의문을 제기하고 스스로 답을 찾아 가는 방식으로 서술되어 있다.

② (나)는 '가재미'에게 질문을 건네면서 화자 내면의 문제를 해결하는 방식으로 서술되어 있다.

③ (다)는 '비행기'를 소재로 '남양댁'과 대화를 주고받는 화자의 욕망이 그려져 있다.

④ (라)는 '개미떼'로 비유될 수도 있는 인간을 바라보는 화자의 내면이 그려져 있다.

29

[2017년 지방직 9급 (6월)]

다음 시조에 대한 설명으로 적절하지 않은 것은?

재 너머 셩권롱(成勸農) 집의 술 닉닷 말 어제 듯고
누은 쇼 발로 박차 언치 노하 지즐투고
아히야 네 권롱 겨시냐 뎡좌슈(鄭座首) 왓다 ᄒᆞ여라

① 화자는 소박한 풍류를 즐기며 살고 있다.

② '박차'라는 표현에서 역동성과 생동감을 느낄 수 있다.

③ '언치 노하'는 엄격한 격식을 갖추려는 태도를 드러낸다.

④ '아히'는 화자의 의사를 간접적으로 전달하는 존재이면서도, 대화체로 이끄는 영탄적 어구이다.

28

해설 ④ (라)는 가뭄에 굶어 죽은 수십 만의 이디오피아 사람들을 '개미떼'와 말라서 쓰러져 죽고 마는 '갈대'로 비유하며, 이들을 바라보는 화자의 안타까움을 그리고 있다.

오답분석 ① 화자는 거리를 유지한 채 관찰자로서의 역할을 할 뿐, '아버지'에게 의문을 제기하거나 이를 통해 스스로 답을 찾아 가는 모습을 보이지는 않는다.

② 바닥에 바짝 엎드린 '그녀'와 '나'를 '가재미'에 비유하여 화자인 '나'가 죽어가는 '그녀'의 삶을 되새기고 있을 뿐, 질문을 건네거나 화자의 내면의 문제가 해결되는 모습은 드러나지 않는다.

③ 화자가 '비행기'를 소재로 남양댁과 대화를 나누거나, 화자의 욕망이 드러난 부분은 찾을 수 없다.

29

해설 ③ '언치 노하'는 안장 없이 언치(소나 말의 안장 밑에 놓는 깔개)만 놓고 벗을 찾아가려 하는 화자의 소탈한 태도를 드러낸 표현으로 엄격한 격식을 갖추려는 태도와는 거리가 멀다.

오답분석 ① 화자가 친구와 술을 마시기 위해 소를 타고 가는 모습에서 소박한 풍류를 즐기는 삶의 태도를 느낄 수 있다.

② '박차'는 누워 있던 소를 급히 일으켜 타려 하는 화자의 모습을 떠올리게 하는 표현으로, 이를 통해 역동성과 생동감을 느낄 수 있다.

④ '아히'를 통해 화자는 자신의 방문을 '권농'에게 알리고 있다. 또한 '아히'를 화자가 부르는 영탄적 표현을 통해 종장이 대화체로 진행되고 있다.

지문풀이

> 고개 너머 성 권농 집에 술이 익었다는 말을 어제 듣고
> 누워 있는 소를 발로 차서 일으켜 등에 깔개를 얹어서 눌러 타고
> 아이야, 네 집 권농 어른 계시냐? 정 좌수 왔다고 아뢰어라.
> — 정철의 시조

이것도 알면 합격

정철, '재 너머 성권농 집의'의 주제와 특징을 알아두자.

1. 주제: 전원생활의 풍류
2. 특징
   • 압축과 생략을 통해 작품 전체에 생동감을 줌
   • 우리말을 유려하게 구사함

30

[2017년 지방직 9급 (6월)]

다음 시에 대한 설명으로 적절하지 않은 것은?

> 老主人의 腸壁에
> 無時로 忍冬 삼긴 물이 나린다.
>
> 자작나무 덩그럭 불이
> 도로 피여 붉고,
>
> 구석에 그늘 지여
> 무가 순 돋아 파릇하고,
>
> 흙냄새 훈훈히 김도 사리다가
> 바깥 風雪 소리에 잠착하다.
>
> 山中에 冊曆도 없이
> 三冬이 하이얗다.
>
> - 정지용, '忍冬茶'

① 산중의 고적한 공간이 배경이다.
② 시각적 대조의 방법이 사용되었다.
③ 한 폭의 그림과 같은 인상을 준다.
④ '잠착하다'는 '여러모로 고려하다'의 의미다.

31

[2020년 법원직 9급]

다음 시를 읽고 이해한 내용으로 가장 옳지 않은 것은?

> 창밖에 밤비가 속살거려
> 육첩방은 남의 나라,
>
> 시인이란 슬픈 천명인 줄 알면서도
> 한 줄 시를 적어 볼까,
>
> 땀내와 사랑내 포근히 품긴
> 보내 주신 학비 봉투를 받아
>
> 대학 노트를 끼고
> 늙은 교수의 강의 들으러 간다.
>
> 생각해 보면 어린 때 동무들
> 하나, 둘, 죄다 잃어버리고
>
> 나는 무얼 바라
> 나는 다만, 홀로 침전하는 것일까?
>
> 인생은 살기 어렵다는데
> 시가 이렇게 쉽게 씌어지는 것은
> 부끄러운 일이다.
>
> 육첩방은 남의 나라
> 창밖에 밤비가 속살거리는데,
>
> 등불을 밝혀 어둠을 조금 내몰고,
> 시대처럼 올 아침을 기다리는 최후의 나,
>
> 나는 나에게 작은 손을 내밀어
> 눈물과 위안으로 잡는 최초의 악수.
>
> - 윤동주, '쉽게 씌어진 시'

① 시선의 이동에 따라 시상을 전개해 시적 안정감을 부여한다.
② 시간적, 공간적 배경을 통해 화자의 현재 상황을 드러낸다.
③ 상징적 의미를 지닌 시어의 대립을 통해 시적 의미를 구체화한다.
④ 반성적이고 미래지향적인 어조를 통해 주제의식을 효과적으로 제시한다.

30

해설 ④ '잠착하다'는 '한 가지 일에만 정신을 골똘하게 쓰다'라는 의미이므로 설명이 적절하지 않은 것은 ④이다. 이때 '잠착하다'의 정확한 의미를 모르더라도, 4연은 '老主人(노주인)'이 인동차를 마시며 바깥의 '風雪(눈바람)' 소리에 귀를 기울이는 상황이므로 문맥상 '여러모로 고려하다'의 의미로 쓰이지 않았음을 알 수 있다.

오답 분석 ① 5연을 통해 작품의 배경이 산중의 고적한(외롭고 쓸쓸한) 공간임을 알 수 있다.
[관련 부분] 山中(산중)에 冊曆(책력)도 없이 / 三冬(삼동)이 하이얗다

② 2연의 붉은색 이미지와 3연의 푸른색 이미지가 시각적 대조를 이루고 있다.
[관련 부분]
  • 자작나무 덩그럭 불이 / 도로 피어 붉고, (2연)
  • 구석에 그늘 지여 / 무가 순 돋아 파릇하고, (3연)

③ 인동차를 마시는 노주인과 방 안의 풍경, 바깥의 겨울 풍경을 회화적으로 묘사하여 한 폭의 그림과 같은 인상을 주고 있다.

이것도 알면 합격
정지용, '인동차'의 주제와 특징을 알아두자.
1. 주제: 현실의 시련을 묵묵히 견디며 정신적 고결함을 지키는 삶의 자세
2. 특징
  • 감정을 절제하여 대상을 함축적으로 표현함
  • 선명한 색채 이미지의 시어를 사용하여 시각적 대조를 이룸

31

해설 ① 제시된 작품은 시선의 이동에 따라 시상을 전개하고 있지 않다.

오답 분석 ② 1연의 '밤비'와 '육첩방'이라는 시간적, 공간적 배경을 통해 일본에서 유학 중인 화자의 상황을 드러내고 있다. 이때 '밤비'는 시간적 배경이 밤임을 의미하기도 하지만 고국의 어두운 현실을 형상화한 것이기도 하다.

③ 화자의 의지와 희망을 상징하는 '등불', '아침' 등의 시어와 암울한 현실을 상징하는 '밤비', '어둠' 등의 시어를 대립하여 '현실 극복 의지'라는 시적 의미를 구체적으로 드러내고 있다.

④ 7연의 '시가 이렇게 쉽게 씌어지는 것은 부끄러운 일이다'에서 반성적인 어조를, 9연의 '시대처럼 올 아침을 기다리는 최후의 나'에서 미래지향적인 어조를 찾아볼 수 있다. 이를 통해 '부정적 현실에 대한 극복 의지'라는 주제의식을 제시하고 있다.

이것도 알면 합격
윤동주, '쉽게 씌어진 시'의 구성을 알아두자.

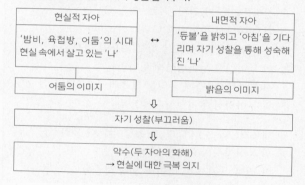

32

[2017년 법원직 9급]

(가)의 화자와 〈보기〉의 화자가 만나 나눈 대화로 적절하지 않은 것은?

> (가) 셔경(西京)이 아즐가 셔경이 셔울히 마르는
> 　　위 두어렁셩 두어렁셩 다링디리
> 　　닷곤디 아즐가 닷곤디 쇼셩경 고외마른
> 　　위 두어렁셩 두어렁셩 다링디리
> 　　여히므론 아즐가 여히므론 질삼뵈 브리시고
> 　　위 두어렁셩 두어렁셩 다링디리
> 　　괴시란디 아즐가 괴시란디 우러곰 좃니노이다
> 　　위 두어렁셩 두어렁셩 다링디리
>
> 　　구스리 아즐가 구스리 바회예 디신돌
> 　　위 두어렁셩 두어렁셩 다링디리
> 　　긴히똔 아즐가 긴힛똔 그츠리잇가 나눈
> 　　위 두어렁셩 두어렁셩 다링디리
> 　　즈믄 히를 아즐가 즈믄 히를 외오곰 녀신돌
> 　　위 두어렁셩 두어렁셩 다링디리
> 　　신(信)잇돈 아즐가 신잇돈 그츠리잇가 나눈
> 　　위 두어렁셩 두어렁셩 다링디리
>
> 　　대동강(大同江) 아즐가 대동강 너븐디 몰라셔
> 　　위 두어렁셩 두어렁셩 다링디리
> 　　비 내여 아즐가 비 내여 노흔다 샤공아
> 　　위 두어렁셩 두어렁셩 다링디리
> 　　네 가시 아즐가 네 가시 럼난디 몰라셔
> 　　위 두어렁셩 두어렁셩 다링디리
> 　　녈 비예 아즐가 녈 비예 연즌다 샤공아
> 　　위 두어렁셩 두어렁셩 다링디리
> 　　대동강 아즐가 대동강 건너편 고즐여
> 　　위 두어렁셩 두어렁셩 다링디리
> 　　비 타들면 아즐가 비 타들면 것고리이다 나눈
> 　　위 두어렁셩 두어렁셩 다링디리
> 　　　　　　　　　　　　 - 작자 미상, '서경별곡(西京別曲)'
>
> (나) 어져 내 일이야 그릴 줄을 모로던가
> 　　이시라 ᄒ더면 가랴마눈 제 구틔야
> 　　보내고 그리눈 정(情)은 나도 몰라 ᄒ노라 　 - 황진이

〈보기〉

> 가시리 가시리잇고 나눈
> 부리고 가시리잇고 나눈
> 위 증즐가 태평성대

> 날러는 엇디 살라 ᄒ고
> 부리고 가시리잇고 나눈
> 위 증즐가 태평성대

> 잡ᄉ와 두어리마ᄂ눈
> 선ᄒ면 아니 올셰라
> 위 증즐가 태평성대

> 셜온 님 보내읍노니 나눈
> 가시눈 돗 도셔 오쇼셔 나눈
> 위 증즐가 태평성대
> 　　　　　　　　　　　 - '가시리'

① (가): 임과 이별하기 보다는 임을 따라가서 사랑하고 싶어요.
② 〈보기〉: 저는 임이 다시 돌아오지 않으실까봐 보내드리려고 해요.
③ (가): 그래서 저도 사공에게 떠나는 임을 잘 모셔줄 것을 부탁하네요.
④ 〈보기〉: 슬프지만 임이 빨리 돌아오시기만을 바라고 있어요.

33

[2017년 지방직 9급 (12월)]

다음 작품에 대한 설명으로 적절한 것은?

> 생사(生死) 길은
> 예 있으매 머뭇거리고
> 나는 간다는 말도
> 못다 이르고 어찌 갑니까.
> 어느 가을 이른 바람에
> 이에 저에 떨어질 잎처럼
> 한 가지에 나고
> 가는 곳 모르온저.
> 아아, 미타찰(彌陀刹)에서 만날 나
> 도(道) 닦아 기다리겠노라.　　 - 월명사, '제망매가(祭亡妹歌)'

① 시적 대상과의 재회에 대한 소망을 담고 있다.
② 반어적 표현을 통해 화자의 정서를 부각하고 있다.
③ 세속의 인연에 미련을 두지 않은 구도자의 자세를 드러내고 있다.
④ 상황 인식 – 객관적 서경 묘사 – 종교적 기원의 3단 구성으로 되어 있다.

32

난이도 ★★☆

해설 ③ (가)의 '네 가시 아즐가 네 가시 럼난디 몰라셔 / 녈 비예 아즐가 녈 비예 연즌다 샤공아'를 통해 화자가 임을 배에 싣고 가는 사공을 애꿏게 원망하고 있음을 알 수 있다. 따라서 적절하지 않은 것은 ③이다.

오답분석 ① (가)의 '질삼뵈 브리시고~괴시란딕 우러곰 좃니노이다'를 통해 화자가 임과 이별하기보다는 생업을 버리고서라도 임을 따라가서 사랑하고 싶어함을 알 수 있다.

② 〈보기〉의 '선ᄒᆞ면 아니 올셰라~셜온님 보내옵노니 나ᄂᆞᆫ'를 통해 화자는 임이 다시 돌아오지 않을까봐 임을 보내드리고 있음을 알 수 있다.

④ 〈보기〉의 '가시ᄂᆞᆫ 듯 도셔 오쇼셔'를 통해 화자는 슬프지만 임이 빨리 돌아오시기만을 간절히 염원하고 있음을 알 수 있다.

지문풀이
(가) 서경이 서울이지마는 / 새로 닦은 곳인 소성경을 사랑합니다마는 / 임과 이별할 것이라면 차라리 길쌈하던 베를 버리고서라도 / 사랑만 해주신다면 울면서 따라가겠습니다. // 구슬이 바위에 떨어진들 / 끈이야 끊어지겠습니까? / 천 년을 홀로 살아간들 / 사랑하는 임에 대한 믿음이야 끊기고 변할 리가 있습니까? // 대동강이 넓은 줄을 몰라서 / 배를 내어 놓았느냐 사공아! / 네 아내가 음란한 줄도 몰라서 / 가는 배에 몸을 실었느냐 사공아! / 대동강 건너편 꽃을 / 배를 타고 들어가면 꺾을 것입니다.

〈보기〉
가시겠습니까, 가시겠습니까? / 버리고 가시겠습니까? // 나는 어찌 살라하고 / 버리고 가시겠습니까? // 붙잡아 두고 싶지만, / 서운하면 아니 올까 두렵습니다. // 서러운 임을 보내옵나니, 가자마자 곧 돌아 오십시오.

이것도 알면 합격
'서경별곡'과 '가시리'의 화자에 대해 알아두자.

	서경별곡	가시리
공통점	여성 화자가 이별의 정한을 노래함	
차이점	• 적극적인 태도 • 이별의 상황을 거부하고 직설적인 어조로 영원한 사랑을 다짐함	• 순종적인 태도 • 이별의 상황을 받아들이고 체념함

33

난이도 ★★☆

해설 ① 제시된 작품의 시적 대상은 죽은 누이이다. 9~10구에는 죽은 누이에 대한 슬픔을 불교적 믿음으로 극복하며 내세에서 누이와 재회할 것을 기대하는 화자의 소망이 드러나므로 답은 ①이다.

[관련 부분] 아아, 미타찰(彌陀刹)에서 만날 나 / 도(道) 닦아 기다리겠노라.

오답분석 ② 제시된 작품에서 반어적 표현이 나타난 부분은 찾을 수 없다.

③ 작자가 승려인 월명사이기는 하지만, 세속의 인연인 누이의 죽음과 관련한 안타까움을 드러내며, 재회를 소망하고 있으므로 세속의 인연에 미련을 두지 않았다는 내용은 적절하지 않다

④ 제시된 작품은 '누이의 죽음에 대한 상황 인식(1~4구) - 누이의 죽음을 통해 느끼는 무상감(5~8구) - 종교적 승화(9~10구)'의 3단 구성으로, 객관적 서경 묘사는 나타나지 않는다.

이것도 알면 합격
월명사, '제망매가'의 시어의 의미를 알아두자.

이른 바람	젊은 나이의 죽음
떨어질 잎	죽은 누이
한 가지	한 부모, 같은 핏줄

34

[2017년 경찰직 2차]

다음 (가)와 (나)의 시에 대한 설명 중 가장 적절하지 않은 것은?

(가) 내가 단추를 눌러 주기 전에는
　　　그는 다만
　　　하나의 라디오에 지나지 않았다.

　　　내가 그의 단추를 눌러 주었을 때
　　　그는 나에게로 와서
　　　전파가 되었다.

　　　내가 그의 단추를 눌러 준 것처럼
　　　누가 와서 나의
　　　굳어 버린 핏줄기와 황량한 가슴속 버튼을 눌러 다오.
　　　그에게로 가서 나도
　　　그의 전파가 되고 싶다.

　　　우리들은 모두
　　　사랑이 되고 싶다.
　　　끄고 싶을 때 끄고 켜고 싶을 때 켤 수 있는
　　　라디오가 되고 싶다.
　　　　　　　　- 장정일, '라디오같이 사랑을 끄고 켤 수 있다면'

(나) 내가 그의 이름을 불러 주기 전에는
　　　그는 다만
　　　하나의 몸짓에 지나지 않았다.

　　　내가 그의 이름을 불러 주었을 때
　　　그는 나에게로 와서
　　　꽃이 되었다.

　　　내가 그의 이름을 불러 준 것처럼
　　　나의 이 빛깔과 향기에 알맞은
　　　누가 나의 이름을 불러 다오.
　　　그에게로 가서 나도
　　　그의 꽃이 되고 싶다.

　　　우리들은 모두
　　　무엇이 되고 싶다.
　　　너는 나에게 나는 너에게
　　　잊혀지지 않는 하나의 눈짓이 되고 싶다.　- 김춘수, '꽃'

① (가)의 시는 (나)의 시를 패러디한 작품이다.
② (가)의 시 2연에 나오는 '전파'는 (나)의 시 2연에 나오는 '꽃'과 대응한다.
③ (가)의 시는 현대 사회의 이기적이고 편의적인 사랑에 대한 비판적 시선을 드러내고 있다.
④ (나)의 시는 (가)의 시에 비해 발랄하고 감각적이다.

35

[2017년 서울시 9급]

다음 중 〈보기〉의 시에 대한 감상으로 가장 적절한 것은?

〈보기〉

계절이 지나가는 하늘에는
가을로 가득 차 있습니다.

나는 아무 걱정도 없이
가을 속의 별들을 다 헤일 듯합니다.

가슴 속에 하나 둘 새겨지는 별을
이제 다 못 헤는 것은
쉬이 아침이 오는 까닭이요,
내일 밤이 남은 까닭이요,
아직 나의 청춘이 다하지 않은 까닭입니다.

별 하나에 추억과 / 별 하나에 사랑과
별 하나에 쓸쓸함과
별 하나에 동경과 / 별 하나에 시와
별 하나에 어머니, 어머니

① 화자는 어린 시절 친구들을 청자로 설정하여 내면을 고백하고 있다.
② 화자의 내면과 갈등관계에 있는 현실에 비판적 시각을 드러내고 있다.
③ 별은 시적 화자가 지향하는 내적 세계를 나타낸다.
④ 별은 현실 상황의 변화를 바라는 화자의 현실적 욕망을 상징한다.

34

해설 ④ (나)는 '꽃'을 소재로 하여 존재의 의미와 존재 간의 진정한 관계에 대한 관념적이고 철학적인 내용을 담고 있으나, (가)는 쉽고 편리하게 이루어지는 현대의 사랑을 풍자하고 있다. 따라서 (나)가 (가)에 비해 발랄하고 감각적이라는 ④의 설명은 옳지 않다.

오답 분석 ① (가)는 (나)의 구성과 운율을 매우 유사하게 패러디(특정 작가의 문체나 작품의 소재를 흉내 내어 익살스럽게 표현하는 수법)한 작품이다.

② (나)의 2연에서 그의 이름을 불러 주었을 때 그가 '꽃'이 되었듯이 (가)의 2연에서도 이와 유사한 구조로 그의 단추를 눌러 주었을 때 그가 '전파'가 되었다고 표현한 것으로 보아 '전파'와 '꽃'은 대응되는 소재이다.

③ (가)의 마지막 연에서 끄고 싶을 때 끄고 켜고 싶을 때 켜는 라디오 같은 사랑이 되고 싶다고 표현한 것을 통해, 현대 사회의 쉽고 이기적인 사랑에 대한 비판적 시선을 엿볼 수 있다.

이것도 알면 합격

김춘수, '꽃'의 주제와 특징을 알아두자.
1. **주제**: 존재의 본질 구현과 존재 간 참된 관계에 대한 소망
2. **특징**
   - 소망을 나타내는 간절한 어조의 사용
   - 존재의 의미가 점층적으로 심화됨
   - 사물에 대한 인식론과 존재론을 배경으로 함

35

해설 ③ 화자는 '별'을 보며 '추억, 사랑, 동경, 시' 등 자신이 그리워하는 것들을 떠올리고 있으므로 '별'이 시적 화자가 지향하는 내적 세계를 나타낸다는 ③의 감상은 적절하다.

오답 분석 ① 화자는 자기 성찰적인 어조로 내면을 고백하고 있을 뿐, 특별히 청자를 설정하고 있지는 않다.

② 화자의 내면과 현실의 갈등관계는 드러나지 않으며 현실을 비판적으로 바라보는 화자의 시각도 나타나지 않는다.

④ '별'은 화자의 현실적 욕망을 상징하는 것이 아니라 시적 화자가 지향하는 내적 세계를 상징한다.

이것도 알면 합격

윤동주, '별 헤는 밤'의 시어 '별'에 대해 알아두자.

'별'은 시적 화자에게 과거 회상의 매개체 기능을 하고 있다. 또한 '추억, 사랑, 쓸쓸함, 동경, 시' 등 시적 화자가 지향하는 내적 세계를 나타내면서, 화자가 그리워하는 '아름다운 이름들'을 비유하고 있다. 시적 화자가 그리워하고 있는 것들은 공간적으로는 멀리 있으며, 시간적으로는 돌아갈 수 없는 과거이다. 또한 '별'은 닿을 수 없이 멀리 있기 때문에 시적 화자가 그리워하는 것을 비유하기에 적절한 소재이다.

36

[2017년 경찰직 1차]

다음 작품에 대한 설명으로 가장 적절하지 않은 것은?

> 흐느끼며 바라보매
> ㉠이슬 밝힌 달이
> 흰 구름 따라 떠간 언저리에
> 모래 가른 물가에
> 기랑(耆郞)의 모습이올시 수풀이여.
> 일오(逸烏)내 자갈 벌에서
> 낭(郞)이 지니시던
> 마음의 갓을 좇고 있노라.
> ㉡아아, 잣나무 가지가 높아
> 눈이라도 덮지 못할 고깔이여.

① 표현 기교가 뛰어난 작품으로 「제망매가」와 함께 향가 문학의 백미로 꼽는다.
② 기파랑이라는 화랑을 추모하면서 그의 높은 덕을 기리고 있는 작품이다.
③ ㉠에서 화자는 지금은 없는 기파랑의 자취를 찾으며 슬퍼하고 있다.
④ ㉡에서 화자는 기파랑의 높은 인품을 잣나무 가지와 눈에 비유하고 있다.

37

[2017년 사회복지직 9급]

다음 시조에 대한 설명으로 가장 옳은 것은?

> 까마귀 싸우는 골에 백로야 가지 마라
> 성낸 까마귀 흰빛을 새올세라
> 청강(清江)에 일껏 씻은 몸을 더럽힐까 하노라

① 작자는 정몽주의 아버지로 알려져 있다.
② 색의 대비를 통해 까마귀를 옹호하고 있다.
③ '새울세라'는 '고칠까봐 두렵구나'로 해석할 수 있다.
④ 수사법상 비유법을 사용하고 있다.

38

[2015년 사회복지직 9급]

㉠ ~ ㉣에 대한 독자의 이해가 적절한 것은?

> ㉠천상의 견우 직녀 은하수 막혔어도
> 칠월칠석 일년일도(一年一度) 실기(失期)치 아니커든
> 우리 님 가신 후는 무슴 약수(弱水) 가리었기에
> 오거나 가거나 소식조차 그쳤는고
> 난간의 비겨 서서 ㉡님 계신 데 바라보니
> 초로(草露)는 맺혀 있고 모운(暮雲)이 지나갈 제
> 죽림(竹林) 푸른 곳에 ㉢새소리 더욱 설다
> 세상의 설운 사람 수 없다 하려니와
> 박명(薄命)한 홍안(紅顔)이야 날 같은 이 또 있을까
> ㉣아마도 이 님의 탓으로 살동말동 하여라

① ㉠: 같은 처지의 존재이기에 화자에게 위안이 된다.
② ㉡: 화자의 시선에는 '님'과의 재회에 대한 확신이 담겨 있다.
③ ㉢: 화자의 과거 회상을 촉발하는 구실을 한다.
④ ㉣: '님'에 대한 화자의 원망이 직접적으로 드러나 있다.

36

난이도 ★★☆

해설 ④ ⓒ에서 화자는 기파랑의 높은 인품을 '잣나무 가지'에 비유하고 있으나, '눈'에 비유하고 있지는 않다. 참고로, '눈'은 시련이나 역경 등을 의미하는 시어이다.

오답 분석 ① 제시된 작품인 '찬기파랑가'는 '제망매가'와 함께 표현 기교와 서정성이 가장 뛰어난 향가 작품으로 꼽힌다.

② '찬기파랑가'는 신라 경덕왕 때 승려 충담사가 화랑 기파랑을 추모하며 그의 덕을 기리기 위해 창작한 10구체 향가이다.

③ 이때 '달'은 기파랑의 고결한 모습을 뜻하는 시어로, ⓐ에서 흐느끼며 '달'이 떠나간 자리를 바라보는 화자의 모습을 통해 화자가 기파랑의 자취를 찾으며 슬퍼하고 있음을 알 수 있다.

37

난이도 ★★☆

해설 ④ 제시된 작품은 비유법을 사용하여 변절자 및 세력 다툼을 일삼는 무리를 '까마귀'로 표현하고, 절개를 지키는 군자를 '백로'로 표현하였다. 또한 비유법 중 풍유법을 사용하여 나쁜 무리와의 어울림을 경계하라는 본뜻을 까마귀와 백로를 통해 암시하고 있다. 따라서 옳은 설명은 ④이다.

오답 분석 ① 작자는 정몽주의 어머니로 알려져 있다.

② 흑백의 색채 대비를 통해 '백로'를 옹호하고 있다.

③ '새올세라'에서 '새우다'는 '샘을 내다'를 뜻하고, '-ㄹ세라'는 염려의 뜻을 나타내는 종결 어미이다. 따라서 '새올세라'는 '샘낼까 염려스럽구나'로 해석할 수 있다.

지문 풀이

> 까마귀 모여 다투는 곳에 백로야 가지 마라.
> 성이 난 까마귀들이 새하얀 너의 몸빛을 보고 시기하고 미워할 것이니
> 청강에서 기껏 깨끗이 씻은 너의 결백한 심신이 더럽혀질까 걱정이 되는구나.　　　　　　　　　　　　 - 정몽주의 어머니

이것도 알면 합격

정몽주의 어머니, '까마귀 싸우는 골에'에 대해 알아두자.

1. 주제: 나쁜 무리와 어울리는 것을 경계함

2. 시어의 의미

까마귀	• 변절한 소인배 • 이성계 무리
백로	• 절개를 지키는 군자 • 충신 정몽주

38

난이도 ★★☆

해설 ④ 화자는 자신이 살 듯 말 듯한 것을 '님'의 탓으로 돌리고 있다. 따라서 ⓔ에는 '님'에 대한 화자의 원망이 직접적으로 드러나므로 답은 ④이다.

오답 분석 ① '견우와 직녀'는 둘 사이가 은하수로 막혀 있어도 일 년에 한 번은 만나므로 임을 만나지 못하는 화자의 처지와 상반되는 존재이다.

② '님'은 현재 소식조차 끊어진 존재로, 화자의 시선에서 '님'과의 재회에 대한 확신은 찾아볼 수 없다.

③ '새소리'는 화자의 서러운 정서가 이입된 대상이다.

지문 풀이

> 하늘의 견우와 직녀는 은하수가 막혀도
> 칠월 칠석 일 년에 한 번은 때를 놓치지 아니하는데,
> 우리 임이 가신 후에는 무슨 장애물이 가렸길래,
> 오거나 가거나 소식조차 끊어졌는가?
> 난간에 기대 서서 임 계신 데를 바라보니,
> 풀에 이슬은 맺혀 있고 날 저물 적 구름이 지나갈 때,
> 대나무 숲 푸른 곳에 새소리가 더욱 서럽다.
> 세상에 서러운 사람 수없다 하지만,
> 기구한 팔자의 여자야 나 같은 이가 또 있겠는가.
> 아마도 이 임의 탓으로 살 듯 말 듯하여라.

이것도 알면 합격

허난설헌, '규원가(閨怨歌)'의 정서를 알아두자.

조선의 봉건적인 사회 분위기에서 여인이 느끼는 한(恨)과 원정(怨情)을 절절하게 읊은 작품이다. 가정을 돌보지 않는 가장으로 인해 고통받는 여인의 삶을 절실하게 표현하였으며, 불성실한 남편에 대한 원망을 직접적으로 드러내고 있다.

39

[2015년 국가직 7급]

다음 시에 대한 설명으로 적절하지 않은 것은?

1
하늘에 깔아 논
바람의 여울터에서나
속삭이듯 서걱이는
나무의 그늘에서나, 새는
노래한다. 그것이 노래인 줄도 모르면서
새는 그것이 사랑인 줄도 모르면서
두 놈이 부리를
서로의 죽지에 파묻고
따스한 체온을 나누어 가진다.

2
새는 울어 / 뜻을 만들지 않고,
지어서 교태로 / 사랑을 가식하지 않는다.

3
―포수는 한 덩이 납으로
그 순수를 겨냥하지만,
매양 쏘는 것은
피에 젖은 한 마리 상한 새에 지나지 않는다.

- 박남수, '새'

① 시적 화자의 현실 비판적 의도가 엿보인다.
② '뜻'과 '납'은 서로 대조적인 의미를 가지고 있다.
③ 시적 화자는 절제된 태도로 대상을 노래하고 있다.
④ '상한 새'는 자연이나 순수한 삶의 파괴를 의미한다.

40

[2014년 사회복지직 9급]

다음 시에 대한 설명으로 적절하지 않은 것은?

저 아카시아 나무는
쓰러진 채로 십 년을 견뎠다

몇 번은 쓰러지면서
잡목 숲에 돌아온 나는 이제
쓰러진 나무의 향기와
살아 있는 나무의 향기를 함께 맡는다

쓰러진 아카시아를
제 몸으로 받아 낸 떡갈나무,
사람이 사람을
그처럼 오래 껴안을 수 있으랴

잡목 숲이 아름다운 건
두 나무가 기대어 선 각도 때문이다
아카시아에게로 굽어져 간 곡선 때문이다

아카시아의 죽음과
떡갈나무의 삶이 함께 피워 낸
저 연초록빛 소름,
십 년 전처럼 내 팔에도 소름이 돋는다

- 나희덕, '쓰러진 나무'

① 홀로 존재하는 의연한 자연을 찬미하고 있다.
② 오늘날 현대인의 이기적인 모습을 되돌아보고 있다.
③ 다른 사람을 향한 고귀한 사랑과 희생을 노래하고 있다.
④ 주제를 부각하려고 자연과 인간의 모습을 대비시키고 있다.

39
난이도 ★★☆

 ② '뜻'과 '납'은 모두 인간이 만들어 낸 인위적인 것으로, 부정적인 이미지를 내포하는 시어이다. 따라서 두 시어는 서로 유사한 의미를 가지고 있으므로 설명이 적절하지 않은 것은 ②이다.

오답분석 ① 시적 화자는 자연의 순수함(새)을 파괴하는 인간의 불순한 욕망과 문명의 파괴성을 비판하고 있다.

③ 시적 화자는 감정을 절제한 주지적인 태도로 대상을 노래하고 있다.

④ '상한 새'는 인간의 탐욕에 의해 파괴된 자연이나 순수한 삶의 파괴를 의미한다.

이것도 알면 합격
박남수, '새'에 대해 알아두자.
1. **주제**: 순수함을 옹호하고 자연의 순수함(새)을 파괴하는 인간의 욕망과 문명의 파괴성 비판
2. **주요 시어의 의미**

포수 (인간)	• 납(인간의 기계 문명을 상징)'으로 새(순수)를 겨냥함 • 인간의 파괴적 본성, 폭력성
새 (자연)	• 어디서나 노래를 부르고 사랑을 나누어 가지는 존재 • 훼손되지 않은 그대로의 순수한 자연
상한 새	• '한 덩이 납(총알)'에 의해 파괴된 존재 • 인간의 문명에 의한 순수의 파괴

40
난이도 ★☆☆

해설 ① 제시된 작품은 아카시아 나무와 떡갈나무의 모습을 통해 서로 의지하며 살아가는 자연의 모습을 드러내고 있으므로 홀로 존재하는 의연한 자연을 찬미한다는 ①의 설명은 적절하지 않다.

오답분석 ②④ 화자는 3연에서 아카시아 나무와 떡갈나무의 모습과 인간의 모습을 대조하여 현대인의 이기적인 모습을 성찰하고 사랑과 희생의 정신을 부각하고 있다.

③ 화자는 쓰러진 아카시아 나무와 아카시아 나무를 받치고 있는 떡갈나무를 통해 다른 사람을 향한 고귀한 사랑과 희생을 노래하고 있다.

이것도 알면 합격
나희덕, '쓰러진 나무'의 특징을 알아두자.
1. 인간의 모습과 대비되는 자연(아카시아와 떡갈나무)의 모습을 통해, 사랑과 희생의 정신을 배움
2. 역설적 표현이 나타남(아카시아의 죽음과 / 떡갈나무의 삶이 함께 피워 낸 / 저 연초록빛 소름)

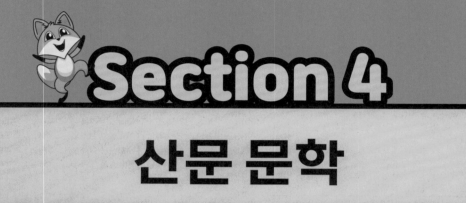

Section 4
산문 문학

1분 만에 파악하는 **7개년 기출 트렌드**

● Section별 출제율
최근 7개년(2015~2021년) 국가직/지방직/서울시 7·9급

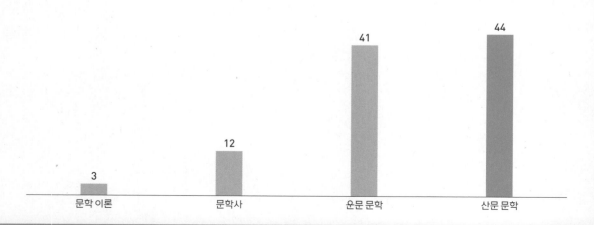

문학 이론	문학사	운문 문학	산문 문학
3	12	41	44

● **Section 기출 트렌드**

• 산문 문학은 문학에서 가장 많이 출제되는 Section입니다.

• 산문 문학 단원에서는 내용을 추리하는 문제나 글의 주제 및 내용을 파악해야 하는 문제를 제외하고 다양한 문제 유형이 골고루 출제되고 있습니다.

• 최근 긴 지문의 작품이 출제되고 있는 만큼 작품의 흐름과 내용을 빠르고 정확하게 파악하는 연습이 필요합니다. 또한 운문 문학과 마찬가지로 익숙한 작품뿐만 아니라 낯선 작품을 해석하는 방법을 익혀 두어야 합니다.

• 1. 소재의 의미

01

[2021년 지방직 9급]

다음 글의 밑줄 친 부분이 지시하는 대상이 다른 것은?

> 수박을 먹는 기쁨은 우선 식칼을 들고 이 검푸른 ㉠구형의 과일을 두 쪽으로 가르는 데 있다. 잘 익은 수박은 터질 듯이 팽팽해서, 식칼을 반쯤만 밀어 넣어도 나머지는 저절로 열린다. 수박은 천지개벽하듯이 갈라진다. 수박이 두 쪽으로 벌어지는 순간, '앗!' 소리를 지를 여유도 없이 초록은 ㉡빨강으로 바뀐다. 한 번의 칼질로 이처럼 선명하게도 세계를 전환시키는 사물은 이 세상에 오직 수박뿐이다. 초록의 껍질 속에서, ㉢새까만 씨앗들이 별처럼 박힌 선홍색의 바다가 펼쳐지고, 이 세상에 처음 퍼져나가는 비린 향기가 마루에 가득 찬다. 지금까지 존재하지 않던, ㉣한바탕의 완연한 아름다움의 세계가 칼 지나간 자리에서 홀연 나타나고, 나타나서 먹히기를 기다리고 있다. 돈과 밥이 나오지 않았다 하더라도, 이것은 필시 흥부의 박이다.
>
> - 김훈, '수박'

① ㉠   ② ㉡
③ ㉢   ④ ㉣

02

[2019년 국회직 8급]

밑줄 친 ㉠ ~ ㉤에 대한 설명으로 옳지 않은 것은?

> 촌장: 이것, 네가 보낸 거냐?
> 다: 네, 촌장님.
> 촌장: 나를 이곳에 오도록 해서 고맙다. 한 가지 유감스러운건, 이 ㉠편지를 가져온 운반인이 도중에서 읽어본 모양이더라. '이리 떼는 없고, ㉡흰 구름뿐.' 그 수다쟁이가 사람들에게 떠벌리고 있단다. 조금 후엔 모두들 이곳으로 몰려올 거야. 물론 네 탓은 아니다. 몰려오는 사람들은, 말하자면 불청객이지. 더구나 그들은 화가 나서 도끼라든가 망치를 들고 올 거다.
> 다: 도끼와 망치는 왜 들고 와요?
> 촌장: 망루를 부수려고 그러겠지. 그 성난 사람들만 오지 않는다면 난 너하구 ㉢딸기라도 따러 가고 싶다. 난 어디에 딸기가 많은지 알고 있거든. 이리 떼를 주의하라는 ㉣팻말 밑엔 으레 잘 익은 딸기가 가득하단다.
> 다: 촌장님은 이리가 무섭지 않으세요?
> 촌장: 없는 걸 왜 무서워하겠냐?
> 다: 촌장님도 아시는군요?
> 촌장: 난 알고 있지.
> 다: 아셨으면서 왜 숨기셨죠? 모든 사람들에게, 저 ㉤덫을 보러 간 파수꾼에게, 왜 말하지 않는 거예요? 〈중 략〉
> 촌장: 얘야, 이리 떼는 처음부터 없었다. 없는 걸 좀 두려워한다는 것이 뭐가 그렇게 나쁘다는 거냐? 지금까지 단 한 사람도 이리에게 물리지 않았단다. 마을은 늘 안전했어. 그리고 사람들은 이리 떼에 대항하기 위해서 단결했다. 그들은 질서를 만든 거야. 질서, 그게 뭔지 넌 알기나 하니? 모를 거야, 너는. 그건 마을을 지켜주는 거란다. 물론 저 충직한 파수꾼에겐 미안해. 수천 개의 쓸모없는 덫들을 보살피고 양철 북을 요란하게 두들겼다. 허나 말이다, 그의 일생이 그저 헛된다고만 할 순 없어. 그는 모든 사람들을 위해 고귀하게 희생한 거야. 난 네가 이러한 것들을 이해하여 주기 바란다. 만약 네가 새벽에 보았다는 구름만을 고집한다면, 이런 것들은 모두 허사가 된다. 저 파수꾼은 늙도록 헛북이나 친 것이 되구, 마을의 질서는 무너져 버린다. 얘야, 넌 이렇게 모든 걸 헛되게 하고 싶진 않겠지?

① ㉠: 촌장이 황야로 오게 된 계기
② ㉡: 진실, 이리 떼의 실체
③ ㉢: 진실을 왜곡하여 얻은 부정한 대가
④ ㉣: 사람들에게 진실을 알리는 단서
⑤ ㉤: 공포를 조장하기 위해 만들어 낸 장치

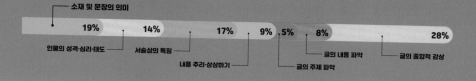
03

[2017년 국가직 9급 (4월)]

〈보기〉를 참고할 때, ㉠ ~ ㉢에 대한 분석으로 적절하지 않은 것은?

─────── 〈보기〉 ───────

어떤 특정한 시기의 풍속이나 세태의 한 단면을 그리는 소설 양식을 세태 소설이라 한다. 세태 소설은 당대 사회의 모순이나 부조리 등을 있는 그대로 묘사하여 그 사회에 대한 비판 의식을 드러낸다. 그 대표적인 소설로 박태원의 '소설가 구보 씨의 일일'이 있다.

㉠개찰구 앞에 두 명의 사내가 서 있었다. 낡은 파나마에 모시 두루마기 노랑 구두를 신고, 그리고 손에 조그만 보따리 하나도 들지 않은 그들을, 구보는, 확신을 가져 무직자라고 단정한다. 그리고 이 시대의 무직자들은, 거의 다 ㉡금광 브로커에 틀림없었다. 구보는 새삼스러이 대합실 안팎을 둘러본다. 그러한 인물들은, 이곳에도 저곳에도 눈에 띄었다.

㉢황금광 시대(黃金狂時代).

저도 모를 사이에 구보의 입술에서는 무거운 한숨이 새어 나왔다. 황금을 찾아, 황금을 찾아, 그것도 역시 숨김없는 인생의, 분명히, 일면이다. 그것은 적어도, 한 손에 단장과 또 한 손에 공책을 들고, 목적 없이 거리로 나온 자기보다는 좀 더 진실한 인생이었을지도 모른다. 시내에 산재한 무수한 광무소(鑛務所). 인지대 백 원. 열람비 오 원. 수수료 십 원. 지도대 십팔 전…… 출원 등록된 광구, 조선 전토(全土)의 칠 할. 시시각각으로 사람들은 졸부가 되고, 또 몰락해 갔다. 황금광 시대. 그들 중에는 평론가와 시인, 이러한 문인들조차 끼어 있었다. 구보는 일찍이 창작을 위해 그의 벗의 광산에 가 보고 싶다 생각하였다. 사람들의 사행심, 황금의 매력, 그러한 것들을 구보는 보고, 느끼고, 하고 싶었다. 그러나 고도의 금광열은, 오히려, ㉣총독부 청사, 동측 최고층, 광무과 열람실에서 볼 수 있었다……   - 박태원, '소설가 구보 씨의 일일'

① ㉠: 세태의 단면이 드러나는 공간적 배경이다.

② ㉡: 적극성을 지닌 존재들로 서술자의 예찬 대상이다.

③ ㉢: '무거운 한숨'을 유발하는 부조리한 현실로 서술자의 비판 대상이다.

④ ㉣: 서술자가 '금광열'이 고조되어 있는 것으로 설정한 대상이나 공간이다.

01

난이도 ★★☆

해설 ① ㉡ '빨강', ㉢ '새까만 씨앗들이 별처럼 박힌 선홍색의 바다', ㉣ '한바탕의 완연한 아름다움의 세계'는 수박의 과육을 의미하는 반면 ㉠ '구형'은 수박의 겉모습을 의미하므로 지시하는 대상이 다른 것은 ①이다.

02

난이도 ★★☆

해설 ④ ㉣ '팻말'은 이리 떼를 주의하라는 내용을 통해 '촌장'을 제외한 사람들이 딸기에 접근하지 못하게 만드는 소재로, 사람들에게 진실을 알리는 단서로 기능하지 않는다.

오답분석
① ㉠ '편지'는 '다'가 '촌장'에게 보낸 것으로 '촌장'이 황야로 오게 된 계기이다.

② ㉡ '흰 구름'은 이리 떼가 존재하지 않는다는 진실이자 이리 떼의 실체이다.

③ ㉢ '딸기'는 '촌장'이 이리 떼가 있다는 거짓을 사람들에게 퍼트려서 얻은 부정한 대가이다.

⑤ ㉤ '덫'은 존재하지 않는 이리 떼를 잡기 위한 것으로, 이리 떼에 대한 사람들의 공포감을 조장하기 위해 설치된 장치이다.

03

난이도 ★☆☆

해설 ② 제시된 작품의 서술자인 '구보'는 ㉡ '금광 브로커'들이 서 있는 개찰구 앞의 풍경을 사실적으로 묘사하여 물질 만능주의가 만연했던 당대 사회에 대한 비판 의식을 드러내고 있다. 따라서 ㉡은 서술자의 예찬 대상이 아니라 비판 대상이므로 분석으로 적절하지 않은 것은 ②이다.

오답분석
① ㉠ '개찰구'는 물질 만능주의가 만연했던 당대 사회의 단면을 보여주는 공간적 배경이다.

③ ㉢ '황금광 시대(黃金狂時代)'는 물질 만능주의 사회를 단적으로 드러낸 표현으로, '구보'의 '무거운 한숨'을 유발하는 현실이자 비판 대상이다.

④ ㉣이 포함된 문장을 통해 '구보'가 '금광열'이 고조된 대상으로 ㉣을 설정했다는 것을 알 수 있다.
[관련 부분] 고도의 금광열은, 오히려, 총독부 청사, 동측 최고층, 광무과 열람실에서 볼 수 있었다…….

04

[2016년 지방직 9급]

밑줄 친 부분의 함축적 의미로 가장 적절한 것은?

> 그는 피아노를 향하여 앉아서 머리를 기울였습니다. 몇 번 손으로 키를 두드려 보다가는 다시 머리를 기울이고 생각하고 하였습니다. 그러나 다섯 번 여섯 번을 다시 하여 보았으나 아무 효과도 없었습니다. 피아노에서 울려 나오는 음향은 규칙 없고 되지 않은 한낱 소음에 지나지 못하였습니다. 야성? 힘? 귀기? 그런 것은 없었습니다. 감정의 재뿐이 있었습니다.
>
> "선생님, 잘 안 됩니다."
>
> 그는 부끄러운 듯이 연하여 고개를 기울이며 이렇게 말하였습니다.
>
> "두 시간도 못 되어서 벌써 잊어버린담?"
>
> 나는 그를 밀어 놓고 내가 대신하여 피아노 앞에 앉아서 아까 베낀 그 음보를 펴 놓았습니다. 그리고 내가 베낀 곳부터 다시 시작하였습니다.
>
> 화염! 화염! 빈곤, 주림, 야성적 힘, 기괴한 감금당한 감정! 음보를 보면서 타던 나는 스스로 흥분이 되었습니다.
>
> - 김동인, '광염 소나타'

① 화려한 기교가 없는 연주
② 악보와 일치하지 않는 연주
③ 도저히 이해할 수 없는 연주
④ 기괴한 감정이 느껴지지 않는 연주

05

[2016년 사회복지직 9급]

밑줄 친 단어들의 시대적 상징성이 같은 것끼리 묶인 것은?

> "어디 일들 가슈?"
>
> "아뇨, 고향에 갑니다."
>
> "고향이 어딘데……."
>
> "삼포라구 아십니까?"
>
> "어 알지, 우리 아들놈이 거기서 ㉠도자를 끄는데……."
>
> "삼포에서요? 거 어디 공사 벌일 데나 됩니까? 고작해야 고기잡이나 하구 감자나 매는데요."
>
> "어허! 몇 년 만에 가는 거요?"
>
> "십 년."
>
> 노인은 그렇겠다며 고개를 끄덕였다.
>
> "말두 말우. 거긴 지금 육지야. 바다에 ㉡방둑을 쌓아 놓구, ㉢트럭이 수십 대씩 돌을 실어 나른다구."
>
> "뭣 땜에요?"
>
> "낸들 아나. 뭐 관광호텔을 여러 채 짓는담서, 복잡하기가 말할 수 없네."
>
> "동네는 그대루 있을까요?"
>
> "그대루가 뭐요. 맨 천지에 공사판 사람들에다 장까지 들어섰는걸."
>
> "그럼 나룻배두 없어졌겠네요."
>
> "바다 위로 신작로가 났는데, 나룻배는 뭐에 쓰오. 허허, 사람이 많아지니 변고지. 사람이 많아지면 ㉣하늘을 잊는 법이거든."
>
> - 황석영, '삼포가는 길' 중에서

① ㉠, ㉡, ㉢   ② ㉠, ㉡, ㉣
③ ㉠, ㉢, ㉣   ④ ㉡, ㉢, ㉣

2. 문장의 의미

06

㉠ ~ ㉣에 대한 이해로 가장 적절한 것은?

황만근, 황 선생은 어리석게 태어났는지는 모르지만 해가 가며 차츰 신지(神智)가 돌아왔다. 하늘이 착한 사람을 따뜻이 덮어 주고 땅이 은혜롭게 부리를 대어 알껍질을 까 주었다. 그리하여 후년에는 그 누구보다 지혜로웠다. 그는 누구에게도 해를 끼치지 않았듯 ㉠그 지혜로 어떤 수고로운 가르침도 함부로 남기지 않았다. 스스로 땅의 자손을 자처하여 늘 부지런하고 근면하였다. ㉡사람들이 빚만 남는 농사에 공연히 뼈를 상한다고 하였으나 개의치 아니하였다. 사람 사이에 어려움이 있으면 언제나 함께하였고 ㉢공에는 자신보다 남을 내세워 뒷사람을 놀라게 했다. 하늘이 내린 효자로서 평생 어머니 봉양을 극진히 했다. 아들에게는 따뜻하고 이해심 많은 아버지였고 훈육을 할 때는 알아듣기 쉽게 하여 마음으로 감복시켰다.

선생은 천성이 술을 좋아하였는데 사람들은 선생이 가난한 것은 술 때문이라고 했다. 〈중 략〉 농사를 짓되 땅에서 억지로 빼앗지 않고 남으면 술을 빚어 가벼운 기운은 하늘에 바치고 무거운 기운은 땅에 돌려주었다. 그러므로 선생은 술로써 망한 것이 아니라 ㉣술의 물감으로 인생을 그려 나간 것이다. 선생이 마시는 막걸리는 밥이면서 사직(社稷)의 신에게 바치는 헌주였다. 힘의 근원이고 낙천(樂天)의 뼈였다.

- 성석제, '황만근은 이렇게 말했다' 중에서

① ㉠: 황만근은 후세에 그럴듯한 교훈을 남길 만큼 유식하지 못했다.
② ㉡: 황만근은 빚만 남는 농사에 고생하지 말라는 사람들의 조언을 따르지 않았다.
③ ㉢: 황만근은 공을 남에게 돌려 주위 사람들을 부담스럽게 했다.
④ ㉣: 황만근은 과도한 음주로 인해 결국 건강이 나빠졌다.

04

난이도 ★☆☆

해설 ④ 끝에서 1~3번째 줄 내용에 따르면 '나'는 연주를 하며 '기괴한 감금당한 감정'을 느끼고 있다. 제시된 작품에서는 '그'의 연주와 '나'의 연주가 대비되고 있으므로, '감정의 재'분만이 남은 '그'의 연주는 기괴한 감정이 느껴지지 않는 연주임을 알 수 있다.

이것도 알면 합격

김동인, '광염 소나타'의 특징을 알아두자.
1. 작품 제목의 '광염(狂炎)'은 '미친 불꽃'이라는 뜻으로 광기와 분노로 얼룩진 주인공의 천재성을 '불'의 이미지로 드러냄
2. 작곡가로서 영감을 얻기 위해 살인, 방화 등을 저지르며 사회적 금기를 깨뜨리는 주인공을 통해 작가의 예술 지상주의적 예술관을 드러냄
3. 삼중의 액자식 구성(작가의 말 – 두 인물의 대화 – 천재 백성수에 대한 일화)으로, 작가의 형식적 실험이 돋보임

05

난이도 ★★☆

해설 ① 제시된 작품은 산업화가 급속도로 진전되던 1970년대를 시대적 배경으로 하고 있으며, ㉠ '도자(불도저)', ㉡ '방둑', ㉢ '트럭'은 모두 고향(삼포)의 개발을 나타내는 소재이다. 따라서 시대적 상징성이 같은 것끼리 묶인 것은 ①이다.

오답 분석 • '하늘': 자연을 가리키는 것으로, '하늘'을 잊는다는 것은 자연에 대한 경외심을 잃어버리는 것을 의미한다.

06

난이도 ★☆☆

해설 ② ㉡에서 사람들은 황만근에게 빚만 남는 농사일을 그만두라고 조언하였으나, 황만근은 이를 따르지 않고 농사일을 계속하였음을 알 수 있다. 따라서 답은 ②이다.

오답 분석 ① ㉠의 앞에서 황만근은 그 누구보다 지혜로웠다고 평가하였으므로 ㉠은 황만근이 아는 체하지 않고 겸손하게 행동하는 지혜를 가지고 있었음을 의미한다. 따라서, 황만근이 후세에 그럴듯한 교훈을 남길 만큼 유식하지 못했다는 ①의 내용은 적절하지 않다.

③ ㉢은 황만근의 이타적인 면모를 알 수 있는 부분이므로 황만근이 남에게 공을 돌려 주위 사람들을 부담스럽게 했다는 ③의 내용은 적절하지 않다.

④ ㉣의 앞에서 황만근은 술로써 망한 것이 아니라고 하였으므로 과도한 음주로 인해 황만근의 건강이 나빠졌다는 ④의 내용은 적절하지 않다.

07

㉠ ~ ㉣에 대한 풀이로 옳지 않은 것은?

> 빌기를 다 함에 지성이면 감천이라 황천인들 무심할까. 단상의 오색구름이 사면에 옹위하고 산중에 ㉠백발 신령이 일제히 하강하여 정결케 지은 제물 모두 다 흠향한다. 길조(吉兆)가 여차(如此)하니 귀자(貴子)가 없을쏘냐. 빌기를 다한 후에 만심 고대하던 차에 일일은 한 꿈을 얻으니, ㉡천상으로서 오운(五雲)이 영롱하고, 일원(一員) 선관(仙官)이 청룡(靑龍)을 타고 내려와 말하되,
> "나는 청룡을 다스리던 선관이더니 익성(翼星)이 무도(無道)한 고로 상제께 아뢰되 익성을 치죄하야 다른 방으로 귀양을 보냈더니 익성이 이걸로 함심(含心)하야 ㉢백옥루 잔치 시에 익성과 대전(對戰)한 후로 상제전에 득죄하여 인간에 내치심에 갈 바를 모르더니 남악산 신령들이 부인 댁으로 지시하기로 왔사오니 부인은 애휼(愛恤)하옵소서."
> 하고 타고 온 청룡을 오운 간(五雲間)에 방송(放送)하며 왈,
> "㉣일후 풍진(風塵) 중에 너를 다시 찾으리라."
> 하고 부인 품에 달려들거늘 놀래 깨달으니 일장춘몽이 황홀하다.
> 정신을 진정하야 정언주부를 청입(請入)하야 몽사를 설화(說話)한대 정언주부가 즐거운 마음 비할 데 없어 부인을 위로하야 춘정(春情)을 부쳐 두고 생남(生男)하기를 만심 고대하더니 과연 그달부터 태기 있어 십 삭이 찬 연후에 옥동자를 탄생할 제, 방 안에 향취 있고 문 밖에 서기(瑞氣)가 뻗질러 생광(生光)은 만지(滿地)하고 서채(瑞彩)는 충천하였다. 〈중 략〉
> 이때에 조정에 두 신하가 있으니 하나는 도총대장 정한담이요, 또 하나는 병부상서 최일귀라. 본대 천상 익성으로 자미원 대장성과 백옥루 잔치에 대전한 죄로 상제께 득죄하여 인간 세상에 적강(謫降)하여 대명국 황제의 신하가 되었는지라 본시 천상지인(天上之人)으로 지략이 유여하고 술법이 신묘한 중에 금산사 옥관도사를 데려다가 별당에 거처하게 하고 술법을 배웠으니 만부부당지용(萬夫不當之勇)이 있고 백만군중대장지재(百萬軍中大將之才)라 벼슬이 일품이요 포악이 무쌍이라 일상 마음이 천자를 도모코자 하되 다만 정언주부인 유심의 직간을 꺼려하고 또한 퇴재상(退宰相) 강희주의 상소를 꺼려 주저한 지 오래라.
> - '유충렬전'

① ㉠: 길조(吉兆)가 일어날 것임을 암시한다.

② ㉡: '부인'이 꾼 꿈의 상황이다.

③ ㉢: '선관'이 인간 세상에 귀양을 오게 되는 계기이다.

④ ㉣: '남악산 신령'이 후일 청룡을 타고 천상 세계로 복귀할 것임을 암시한다.

08

다음 글의 ㉠ ~ ㉣에 대한 설명으로 적절하지 않은 것은?

> 금와는 그때 한 여자를 태백산 남쪽 우발수에서 만났는데, 그녀가 이렇게 말했다. "㉠하백의 딸 유화입니다. 동생들과 놀러 나왔을 때 한 남자가 나타나 자신이 천제의 아들 해모수라고 하며 웅신산 아래 압록강 가에 있는 집으로 유인하여 사통하였습니다. 그러고는 저를 떠나가서 돌아오지 않았습니다. 부모는 제가 중매도 없이 다른 사람을 따라간 것을 꾸짖어 이곳으로 귀양을 보내 살도록 했습니다."
> ㉡금와가 괴이하게 여겨 유화를 방 안에 남몰래 가두어 두었더니, 햇빛이 비추었다. 그녀가 피하자 햇빛이 따라와 또 비추었다. 이로 인해 임신하여 알을 하나 낳았는데, 크기가 다섯 되쯤 되었다. 〈중 략〉 금와에게는 아들이 일곱 있었는데, 항상 주몽과 함께 놀았다. 그러나 그들의 기예가 주몽에게 미치지 못하자 ㉢맏아들 대소가 말했다. "주몽은 사람에게서 태어난 것이 아니니 일찍이 도모하지 않으면 후환이 있을 것입니다." 왕은 듣지 않고 주몽에게 말을 기르도록 했다. 주몽은 준마를 알아보고 먹이를 조금씩 주어 마르게 하고, 늙고 병든 말은 잘 먹여 살지게 했다. 왕은 살찐 말은 자기가 타고 주몽에게는 마른 말을 주었다. 왕의 아들들과 여러 신하들이 함께 주몽을 해치려 하자, 그 사실을 알게 된 주몽의 어머니가 아들에게 말했다. "나라 사람들이 너를 해치려고 하는데, 너의 재략이라면 어디 간들 살지 못하겠느냐? 빨리 떠나거라."
> 그래서 주몽은 오이 등 세 사람과 벗을 삼아 떠나 개사수에 이르렀으나 건널 배가 없었다. ㉣추격하는 병사들이 문득 닥칠까 두려워서 이에 채찍으로 하늘을 가리키며 빌었다. "나는 천제의 손자이고, 하백의 외손이다. 황천후토(皇天后土)는 나를 불쌍히 여겨 급히 주교(舟橋)를 내려주소서." 하고 활로 물을 쳤다. 그러자 물고기와 자라가 다리를 만들어 주어 강을 건너게 했다. 그러고는 다리를 풀어 버렸으므로 뒤쫓던 기병은 건너지 못했다.
> - 작자 미상, '주몽신화' 중에서

① ㉠: '유화'가 귀양에 처해진 이유를 알 수 있다.

② ㉡: '유화'가 임신을 하게 된 이유를 알 수 있다.

③ ㉢: '주몽'이 준마를 얻기 위해 '대소'와 모의했음을 알 수 있다.

④ ㉣: '주몽'이 강을 건너가기 위해 '신'과 교통했음을 알 수 있다.

09

[2016년 지방직 7급]

밑줄 친 부분에 대한 설명으로 옳은 것은?

완하국(琓夏國) 함달왕(含達王)의 부인이 임신하였다. ㉠달이 차서 알을 낳았는데, 알이 변하여 사람이 되었다. 이름을 탈해(脫解)라 하였다. 바다를 따라 가락국에 왔는데, 키가 3척이요 머리 둘레가 1척이었다. 즐거이 궁궐에 나아가 왕에게 말하였다. "나는 왕의 자리를 뺏기 위해 왔소." 왕이 대답하였다. "㉡하늘이 나에게 명하여 왕위에 오르게 함은 장차 나라를 안정시키고 백성을 편안하게 하려 함이다. 감히 하늘의 명령을 어기고 왕의 자리를 내어 줄 수 없다. 또 감히 우리나라와 백성들을 너에게 맡길 수 없다." 탈해가 "그렇다면 술법으로 겨루어 봅시다."라고 하자 왕이 "좋다."라고 하였다. ㉢잠깐 사이에 탈해가 매가 되자 왕은 독수리가 되고, 또 탈해가 참새로 화하자 왕은 새매로 변하였다. 이때 잠시의 시간도 걸리지 않았다. 탈해가 본모습으로 돌아오자 왕 또한 그렇게 했다. 탈해가 드디어 엎드려 항복하며 "제가 술법을 겨루는 마당에서 ㉣독수리 앞의 매가 되고 새매 앞의 참새가 되었는데, 잡지 않고 살 수 있었던 것은 성인께서 살생을 싫어하신 인자함 때문에 그런 것이 아니겠습니까? 저는 왕과는 자리를 다투기 어렵습니다."라고 말하고는 바로 절하고 나가 버렸다.

- 일연, '삼국유사(三國遺事)' 중에서

① ㉠ 신비한 출생을 통해 탈해의 범상함을 강조한 표현이다.
② ㉡ 왕위는 인위적으로 획득되지 않는 것임을 강조한 표현이다.
③ ㉢ 탈해와 왕이 본래는 동물이었음을 강조한 표현이다.
④ ㉣ 탈해의 술법이 왕보다 뛰어남을 강조한 표현이다.

07

난이도 ★★☆

해설 ④㉣은 '선관'이 청룡을 풀어 주며 한 말로, 인간 세상에 내려온 후 선관이 겪게 될 일(전쟁)을 암시한다. 또한 남악산 신령은 천상 세계로 복귀할 존재가 아니라 선관에게 부인 댁으로 갈 것을 지시한 존재이므로, 풀이가 옳지 않은 것은 ④이다.
- 풍진: '싸움터에서 일어나는 티끌'이라는 뜻으로, 전쟁으로 인하여 어수선하고 어지러운 분위기 또는 그런 전쟁 통을 이르는 말

오답분석 ①㉠ 뒤의 '길조가 여차하니(길조가 이와 같으니)'를 통해, ㉠이 길조가 일어날 것을 암시하고 있음을 알 수 있다.
②㉡ 앞의 '일일은 한 꿈을 얻으니'를 보았을 때 ㉡은 '부인'이 꾼 꿈의 상황임을 알 수 있다.
③㉢ 뒤의 '상제전에 득죄하여 인간에 내치심에'를 보았을 때, ㉢은 '선관'이 지은 죄이자 인간 세상에 귀양을 오게 된 계기임을 알 수 있다.

08

난이도 ★★☆

해설 ③㉢과 그 앞의 내용으로 미루어 볼 때, ㉢에서 대소가 한 말은 주몽의 기예를 시기하여 주몽을 모함하기 위해 하는 말이다. 따라서 주몽이 대소와 모의했다는 ③의 설명은 적절하지 않다.

오답분석 ①㉠과 그 뒤 내용을 통해 '유화'가 귀양에 처해진 이유는 중매 없이 남자를 따라가 사통했기 때문임을 알 수 있다.
②㉡에서 햇빛이 유화를 따라와 비추었다는 내용이 언급된 후, 다음 문장에서 '이로 인해 임신하여'라고 서술되었다. 따라서 ㉡에서 유화가 임신을 하게 된 이유가 햇빛이 비추었기 때문임을 알 수 있다.
④㉣에서 주몽이 '천제의 손자이고 하백의 외손'임을 밝히며 황천후토(하늘의 신과 땅의 신)에게 빌자 물고기와 자라가 다리를 만들어 주었다. 이를 통해 주몽이 강을 건너가기 위해 신과 교통했음을 알 수 있다.

09

난이도 ★★☆

해설 ②㉡은 하늘의 명이 있어야 왕위에 오를 수 있음을 의미한다. 따라서 왕위가 인위적(人爲的: 자연이 아닌 사람의 힘으로 이루어지는 것)으로 획득되지 않는 것임을 강조한 표현이라는 ②의 설명은 옳다.

오답분석 ①탈해가 알에서 태어난 사실은 탈해의 비범함(보통 수준보다 훨씬 뛰어남), 또는 범상치 않음을 강조한 것이다. 따라서 '범상함(중요하게 여길 만하지 않고 예사로움)을 강조한 표현'이라는 설명은 적절하지 않다.
③탈해와 왕은 술법을 겨루기 위해 동물로 변한 것이므로 '본래 동물이었음을 강조한 표현'이라는 설명은 적절하지 않다.
④탈해는 술법을 통해 '매, 참새'로 변하였고 왕은 그보다 힘이 센 '독수리, 새매'로 변하였으므로, ㉣은 탈해의 술법이 왕보다 약함을 드러낸 표현이다.

10

[2016년 서울시 9급]

다음 중 ㉠～㉣에 대한 감상으로 가장 적절하지 않은 것은?

> 나는 그날 그에게 돈 삼 원을 주었다. 그의 말대로 삼산 학교 앞에 가서 뻐젓이 참외 장사라도 해 보라고. 그리고 돈은 남지 못하면 돌려 오지 않아도 좋다 하였다. ㉠그는 삼 원 돈에 덩실덩실 춤을 추다시피 뛰어나갔다. 그리고 그 이튿날, "선생님 잡수시라굽쇼." 하고 나 없는 때 참외 세 개를 갖다 두고 갔다. 그러고는 온 여름 동안 그는 우리 집에 얼른하지 않았다.
>
> 들으니 ㉡참외 장사를 해 보긴 했는데 이내 장마가 들어 밑천만 까먹었고, 또 그까짓 것보다 한 가지 놀라운 소식은 그의 아내가 달아났단 것이다. 저희끼리 금슬은 괜찮았건만 동서가 못 견디게 굴어 달아난 것이라 한다. 남편만 남 같으면 따로 살림 나는 날이나 기다리고 살 것이나 평생 동서 밑에 살아야 할 신세를 생각하고 달아난 것이라 한다.
>
> 그런데 요 며칠 전이었다. 밤인데 달포 만에 수건이가 우리 집을 찾아왔다. ㉢웬 포도를 큰 것으로 대여섯 송이를 종이에 싸지도 않고 맨손에 들고 들어왔다. 그는 병긋거리며 첫마디로, "선생님 잡수라고 사 왔습죠." 하는 때였다. 웬 사람 하나가 날쌔게 그의 뒤를 따라 들어오더니 다짜고짜로 수건이의 멱살을 움켜쥐고 끌고 나갔다. 수건이는 그 우둔한 얼굴이 새하얗게 질리며 꼼짝 못하고 끌려 나갔다.
>
> 나는 수건이가 포도원에서 포도를 훔쳐 온 것을 직각하였다. 쫓아 나가 매를 말리고 포도값을 물어주었다. 포도값을 물어주고 보니 수건이는 어느 틈에 사라지고 보이지 않았다. 나는 그 다섯 송이의 포도를 탁자 위에 얹어 놓고 오래 바라보며 아껴 먹었다. ㉣그의 은근한 순정의 열매를 먹듯 한 알을 가지고도 오래 입안에 굴려 보며 먹었다.
>
>   - 이태준, '달밤'

① ㉠: 황수건의 행위를 통해 참외 장사가 안 될 것을 예측할 수 있다.

② ㉡: 황수건에 대한 정보가 '나'에 의해 요약적으로 제시되고 있다.

③ ㉢: '포도'는 장사 밑천을 대준 '나'에 대한 황수건의 고마움의 표시이다.

④ ㉣: 인물을 바라보는 '나'의 호의적인 태도를 읽을 수 있다.

11

[2015년 지방직 7급]

다음 글의 밑줄 친 부분에 대한 설명으로 가장 적절한 것은?

> 사람들은 약속이나 한 듯 말을 잊었다. 어쩌면 그들은 열차를 기다리고 있다는 사실조차 망각하고 있는 것인지도 모른다. 중년 사내는 담배를 입에 문 채 성냥불을 댕기려다 말고 멍하니 난로의 불빛을 들여다보고 있다. 노인을 안고 있는 농부도, 대학생도, 쭈그려 앉은 아낙네들도, 서울 여자도, 머플러를 쓴 춘심이도 저마다의 손바닥들을 불빛 속에 적셔 두고 망연한 시선을 난로 위에 모은 채 모두들 아무 말도 하지 않았다. 저만치 홀로 떨어져 앉아 있는 미친 여자도 지금은 석고상으로 고요히 정지해 있다. 이따금 노인의 기침 소리가 났고, 난로 속에서 톱밥이 톡톡 튀어 올랐다.
>
> "흐유, 산다는 게 대체 뭣이간디……."
>
> 불현듯 누군가 나직이 내뱉었다.
>
> 그러자 사람들은 그 말꼬리를 붙잡고 저마다 곰곰이 생각해 보기 시작한다. 정말이지 산다는 게 도대체 무엇일까…….
>
> 중년 사내에겐 산다는 일이 그저 벽돌담 같은 것이라고 여겨진다. 햇볕도 바람도 흘러들지 않는 폐쇄된 공간. 그곳엔 시간마저도 아무런 흔적을 남기지 않는다. 마치 이 작은 산골 간이역을 빠른 속도로 무심히 지나쳐 가 버리는 특급 열차처럼……. 사내는 그 열차를 세울 수도 탈 수도 없다는 것을 잘 알고 있다. 그러면서도 여전히 기다릴 도리밖에 없다는 것, 그것이 바로 앞으로 남겨진 자기 몫의 삶이라고 사내는 생각한다.   - 임철우, '사평역' 중에서

① 등장인물들이 서로 갈등하는 계기의 역할을 한다.

② 등장인물들이 자신의 삶을 기구하게 만드는 원인의 역할을 한다.

③ 등장인물들이 자신의 삶을 되돌아보도록 하는 촉매의 역할을 한다.

④ 등장인물들이 자신의 삶을 사회적 문제로 인식하는 매개체의 역할을 한다.

10

해설 ① ⊙은 황수건이 돈을 받고 기뻐하는 모습을 보여 준 부분일 뿐, 이 내용으로 참외 장사가 안 될 것을 예측할 수는 없다. 따라서 ①의 설명은 적절하지 않다.

오답 분석 ② ⓛ에서 서술자인 '나'는 황수건에게 일어난 일을 요약적으로 제시하고 있다.

③ ©의 '포도'는 황수건이 '나'에게 주기 위해 포도원에서 훔쳐 온 것이다. 이를 통해 황수건이 장사 밑천을 대준 '나'에게 포도를 훔쳐서라도 고마움을 표시하고자 했음을 알 수 있다.

④ ②에서 '나'는 황수건이 준 포도를 오래도록 음미하고 있다. 이는 '나'가 포도를 훔쳐서라도 감사를 표하려 했던 황수건을 긍정적 인물로 파악하고, 호의적인 태도를 보이고 있음을 나타낸다.

이것도 알면 합격

이태준, '달밤'에 대해 알아두자.

1. **주제:** 세상에 적응하지 못하는 인물의 삶에 대한 연민

2. **배경:** 1930년대 일제 강점기의 서울 성북동

3. **시점:** 1인칭 관찰자 시점으로 서술되었고, 작가의 서정성과 인간미가 잘 나타남

4. **'달밤'의 역할:** 서정적 분위기를 조성하는 동시에 황수건에 대한 '나'의 연민을 돋보이게 함

5. **줄거리:** 문안에서 성북동으로 이사를 온 '나'는 황수건을 만나며 이곳이 시골임을 실감한다. 신문 보조 배달원이었던 황수건은 우둔하고 모자란 못난이다. 황수건은 '나'의 집에도 신문을 배달하였고, '나'는 황수건의 순박함을 좋아하여 그와 자주 대화를 나눈다. 신문 원배달부가 되는 것이 소원인 황수건은 성북동 지역이 하나의 구역으로 나뉘면서 원배달이 될 기회가 왔다며 좋아하지만 그는 보조 배달부 자리마저 빼앗긴다. 황수건은 삼산 학교에 다시 들어가기 위해 엉뚱한 노력을 하고, '나'는 그에게 참외 장사라도 해 보라고 돈 3원을 준다. 그러나 그마저도 장마로 망하고, 그의 아내까지 집을 나간다. 어느 달밤에 담배를 피우며 서툰 노래를 부르는 황수건을 보며 '나'는 그에게 연민을 느낀다.

11

해설 ③ 밑줄 친 말을 계기로 등장인물들이 각자 자신의 삶을 돌아보고 있으므로 ③의 설명이 가장 적절하다.

[관련 부분] 그러자 사람들은 그 말꼬리를 붙잡고 저마다 곰곰이 생각해 보기 시작한다. 정말이지 산다는 게 도대체 무엇일까……

오답 분석 ① 인물 간의 갈등은 나타나지 않는다.

② 각자 자신의 기구한 삶을 떠올리는 계기가 되고 있을 뿐, 밑줄 친 부분 때문에 등장인물들의 삶이 기구해진 것은 아니다.

④ 등장인물들은 자신의 삶을 사회적 문제로 인식하고 있지 않다.

이것도 알면 합격

제시된 소설의 배경인 '사평역'의 의미를 알아두자.

'사평역'은 특급 열차는 지나쳐 가 버리고 완행 열차만이 서는 작은 산골 간이역이다. 이는 '사평역'이라는 공간이 중심이 아닌 주변부에 속하는 곳임을 의미하며, 이곳에서 열차를 기다리는 인물들 또한 소외된 삶을 살아가는 인물들임을 뜻한다. '사평역'은 쓸쓸하고 고단한 삶을 살아가는 인물들이 잠시 머무르면서 쉬어 가는 공간이며, 자신의 삶을 되돌아보게 하는 성찰의 공간이 되고 있다.

3. 소재 및 문장의 의미

12

[2017년 경찰직 1차]

다음 밑줄 친 부분에 대한 설명으로 가장 적절하지 않은 것은?

어사또 들어가 단좌(端坐)하여 좌우를 살펴보니, 당상(堂上)의 모든 수령 다담을 앞에 놓고 ㉠진양조 양양(洋洋)할 제 어사또 상을 보니 어찌 아니 통분하랴. 모 떨어진 개상 판에 닥채 저붐, 콩나물, 깍두기, 막걸리 한 사발 놓았구나. 상을 발길로 탁 차 던지며 운봉의 갈비를 직신,

㉡"갈비 한 대 먹고 지고."

"다라도 잡수시오."

하고 운봉이 하는 말이

"이러한 잔치에 풍류로만 놀아서는 맛이 적사오니 차운(次韻) 한 수씩 하여 보면 어떠하오"

"그 말이 옳다."

하니 운봉이 운(韻)을 낼 제, 높을 고(高) 자, 기름 고(膏) 자 두 자를 내어 놓고 차례로 운을 달 제, 어사또 하는 말이

"걸인도 어려서 추구권(抽句卷)이나 읽었더니, 좋은 잔치당하여서 주효를 포식하고 그저 가기 무렴(無廉)하니 차운 한 수 하사이다."

운봉이 반겨 듣고 필연(筆硯)을 내어 주니 좌중(座中)이 다 못하여 글 두 귀[句]를 지었으되, 민정(民情)을 생각하고 본관의 정체(政體)를 생각하여 지었것다.

"금준미주(金樽美酒)는 천인혈(千人血)이요, 옥반가효(玉盤佳肴)는 만성고(萬姓膏)라. 촉루낙시(燭淚落時) 민루낙(民淚落)이요, 가성고처(歌聲高處) 원성고(怨聲高)라."

㉢이 글 뜻은, "금동이의 아름다운 술은 일만 백성의 피요, 옥소반의 아름다운 안주는 일만 백성의 기름이라. 촛불 눈물 떨어질 때 백성 눈물 떨어지고, 노랫소리 높은 곳에 원망 소리 높았더라."

이렇듯이 지었으되, 본관은 몰라보고 운봉이 이 글을 보며 내념(內念)에

㉣'아뿔싸, 일이 났다.'

① ㉠: 잔치에 어울리는 비교적 빠른 장단을 일컫는다.

② ㉡: 언어유희적 표현에 의해 해학성이 나타난다.

③ ㉢: 서술자가 개입하는 편집자적 논평이 나타난다.

④ ㉣: 운봉은 걸인이 어사또라는 것을 눈치채고 있다.

13

[2017년 서울시 9급]

다음 〈보기〉의 ㉠ ~ ㉣ 중 주어가 다른 하나는?

〈보기〉

진찰의 첫 단계로 임상심리 검사를 시작해 보니 환자의 증세가 참으로 특이하더군요. 도대체 이야기를 하지 않으려는 진술 거부증이 있었어요. 그리고 아까 말씀대로 터무니없이 불안해하거나 자기 생각을 거짓말로 슬슬 ㉠속여 넘기려고 한단 말입니다. 그러면서 덮어놓고 자기의 머리가 이상해진 게 틀림없다고 고집이 뛰니까. 아니 거짓말을 하거나 불안해 하는 것도 모두 그렇게 자기의 머리가 이상해진 것을 확인시키려는 노력에서 ㉡그러는 것 같았어요. 하지만 우리도 물론 나중까지 환자의 이름이나 주소를 받아 놓지 않은 건 아니었지요. 한데 나중에 보호자 ㉢연락을 취해 보니 그것도 모두가 거짓말이었단 말입니다. 그런 주소에 그런 사람이 살고 있지 않다는 거예요. 환자에게 다시 진짜를 대보라고 했지만 어디 대답이 쉽습니까. 게다가 이 환자는 소지품 중에서 자신의 신분이 드러날 만한 것을 ㉣지니고 있지 않았어요.

① ㉠

② ㉡

③ ㉢

④ ㉣

14

[2017년 지방직 7급]

밑줄 친 말에서 가리키는 사람이 다른 것은?

휘령전으로 오시고 ㉠소조(小朝)를 부르신다 하니, 이상할손 어이 '피(避)차.'는 말도, '달아나자.'는 말도 아니 하시고, 좌우를 치도 아니하시고, 조금도 화증 내신 기색 없이 썩 용포를 달라 하여 입으시며 하시되, "㉡내가 학질을 앓는다 하려 하니, 세손의 휘항을 가져오라." 하시거늘, 내가 그 휘항은 작으니 당신 휘항을 쓰시고자 하야, 내인(內人)더러 ㉢당신 휘항을 가져오라 하니, 몽매(夢寐) 밖에 썩 하시기를, "자네가 아무커나 무섭고 흉한 사람이로세. 자네는 세손 데리고 오래 살려 하기, 내가 오늘 나가 죽겠기 사외로워, 세손의 휘항을 아니 쓰이랴 하는 심술을 알겠네." 하시니, ㉣내 마음은 당신이 그날 그 지경에 이르실 줄 모르고 이 끝이 어찌 될꼬? 사람이 다 죽을 일이요, 우리의 모자의 목숨이 어떠할런고?

- 혜경궁 홍씨, '한중록'

① ㉠

② ㉡

③ ㉢

④ ㉣

12

난이도 ★★☆

해설 ① ㉠ '진양조'는 판소리 장단 중에서 가장 느린 장단이므로 ①의 설명은 적절하지 않다.

오답분석 ② 사람의 '갈비(뼈)'와 음식 이름 '갈비'의 음이 동일한 것을 이용한 언어유희적 표현으로, 해학성이 나타난다.

③ 서술자가 직접 개입하여 시의 내용을 설명하는 편집자적 논평이 나타난다.

④ 운봉이 걸인의 글을 보고 놀란 것을 통해, 걸인이 어사또라는 것을 운봉이 눈치챘음을 알 수 있다.

13

난이도 ★☆☆

해설 ③ 주어는 동작이나 상태의 주체가 되는 말로, ㉠~㉣의 행위를 '누가' 했는지 파악하면 답을 찾을 수 있다. 그런데 앞 문장의 주어와 뒤 문장의 주어가 중복될 때나 화자와 청자가 명확할 때 주어가 생략되기도 하므로 이 경우에는 문맥을 파악하여 주어를 유추해야 한다. 이와 같은 방법으로 접근했을 때 ㉠ ㉡ ㉣의 주어는 '환자'이지만 ㉢의 주어는 '우리'임을 알 수 있으므로 답은 ③이다.

• ㉢: (우리가) 연락을 취해 보니

오답분석 ① ㉠ (환자가) 속여넘기려고

② ㉡ (환자가) 그러는 것 같았어요

④ ㉣ (환자가) 지니고 있지 않았어요

14

난이도 ★★☆

해설 ④ ㉣은 혜경궁 홍씨를 가리키는 말로, '소조(사도 세자)'가 하는 말을 들은 후의 필자(혜경궁 홍씨) 자신을 나타낸다. 반면 ㉠~㉢은 모두 '소조'를 가리키므로 답은 ④이다.

오답분석 ① ㉠소조(小朝): '왕세자'를 뜻하는 말로, 제시된 작품에서는 '사도 세자'를 나타낸다.

② ㉡내: 소조를 부른다는 말에 용포를 입는 주체가 '소조'이므로, 이어지는 말의 '내'가 가리키는 사람은 '소조'이다.

③ ㉢당신: 필자가 세손의 휘항은 작으니 소조의 휘항을 가져오라고 내인에게 말하는 내용이므로, '당신'은 필자가 '소조'를 높여 이르는 말임을 알 수 있다.

01

다음 글의 내용과 부합하지 않는 것은?

무슈 리와 엄마는 재혼한 부부다. 내가 그를 아버지라고 부르기 어려운 것은 거의 그런 말을 발음해 본 적이 없는 습관의 탓이 크다.

나는 그를 좋아할뿐더러 할아버지 같은 이로부터 느끼던 것의 몇 갑절이나 강한 보호 감정 – 부친다움 같은 것도 느끼고 있다.

그러나 나는 그의 혈족은 아니다.

무슈 리의 아들인 현규와도 마찬가지다. 그와 나는 그런 의미에서는 순전한 타인이다. 스물두 살의 남성이고 열여덟 살의 계집아이라는 것이 진실의 전부이다. 왜 나는 이 일을 그대로 알아서는 안 되는가?

나는 그를 영원히 아무에게도 주기 싫다. 그리고 나 자신을 다른 누구에게 바치고 싶지도 않다. 그리고 우리를 비끄러매는 형식이 결코 '오누이'라는 것이어서는 안 될 것을 알고 있다.

나는 또 물론 그도 나와 마찬가지로 같은 일을 생각하고 있기를 바란다. 같은 일을 – 같은 즐거움일 수는 없으나 같은 이 괴로움을.

이 괴로움과 상관이 있을 듯한 어떤 조그만 기억, 어떤 조그만 표정, 어떤 조그만 암시도 내 뇌리에서 사라지는 일은 없다. 아아, 나는 행복해질 수는 없는 걸까? 행복이란, 사람이 그것을 위하여 태어나는 그 일을 말함이 아닌가?

초저녁의 불투명한 검은 장막에 싸여 짙은 꽃향기가 흘러든다. 침대 위에 엎드려서 나는 마침내 느껴 울고 만다.

- 강신재, '젊은 느티나무' 중에서

① '나'는 '현규'도 '나'와 같은 감정을 갖고 있기를 기대하고 있다.
② '나'와 '현규'는 혈연적으로는 아무런 관계가 없는 타인이며, 법률상의 '오누이'일 뿐이다.
③ '나'는 '현규'에 대한 감정 때문에 '무슈 리'를 아버지로 부르는 것에 거부감을 갖고 있다.
④ '나'는 사회적 인습이나 도덕률보다는 '현규'에 대한 '나'의 감정에 더 충실해지고 싶어 한다.

02

다음 글을 잘못 이해한 것은?

서연: 여보게, 동연이.

동연: 왜?

서연: 자네가 본뜨려는 부처님 형상은 누가 언제 그렸는지 몰라도 흔히 있는 것을 베껴 놓은 걸세. 그런데 자네는 그 형상을 또다시 베껴 만들 작정이군. 자넨 의심도 없는가? 심사숙고해 보게. 그런 형상이 진짜 부처님은 아닐세.

동연: 나에겐 전혀 의심이 없네.

서연: 의심이 없다니……?

동연: 무엇 때문에 의심해서 아까운 시간을 낭비해야 하는가?

서연: 음…….

동연: 공부를 하게, 괜히 의심 말고! (허공에 걸려 있는 탱화를 가리키며) 자넨 얼마나 형상 공부를 했는가? 이십일면관세음보살의 머리 위에는 열한 개의 얼굴들이 있는데, 그 얼굴 하나하나를 살펴나 봤었는가? 귀고리, 목걸이, 손에 든 보병과 기현화란 꽃의 형태를 꼼꼼히 연구했었는가? 자네처럼 게으른 자들은 공부는 안 하고, 아무 의미 없다 의심만 하지!

서연: 자넨 정말 열심히 공부했네. 그렇다면 그 형태 속에 부처님 마음은 어디 있는지 가르쳐 주게.

- 이강백, '느낌, 극락 같은' 중에서

① 불상 제작에 대한 동연과 서연의 입장은 다르다.
② 서연은 전해지는 부처님 형상을 의심하는 인물이다.
③ 동연은 부처님 형상을 독창적으로 제작하는 인물이다.
④ 동연과 서연의 대화는 예술에 있어서 형식과 내용의 논쟁을 연상시킨다.

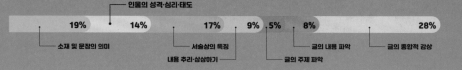

챕터별 출제 경향
(2015~2021 국가직 / 지방직 / 서울시 7·9급)

인물의 성격·심리·태도

19%	14%	17%	9%	5%	8%		28%

소재 및 문장의 의미 　서술상의 특징　 내용 추리·상상하기 　글의 주제 파악　 글의 내용 파악 　글의 종합적 감상

01

애설 ③ 1문단에서 '나'가 '무슈 리'를 아버지로 부르는 것에 어려움을 느끼는 까닭이 드러난다. 이는 '현규'에 대한 감정 때문이라기보다, 그동안 '아버지'라는 말을 해 본 적이 없었던 '나'의 습관으로 인한 것이다.

[관련 부분] 내가 그를 아버지라고 부르기 어려운 것은 거의 그런 말을 발음해 본 적이 없는 습관의 탓이 크다.

오답분석 ① 6문단을 통해 확인할 수 있다.

[관련 부분] 나는 또 물론 그도 나와 마찬가지로 같은 일을 생각하고 있기를 바란다.

② 1문단과 3~4문단을 통해 '나'와 '현규'가 혈연적 관계는 없지만 법률상 '오누이'임을 알 수 있다.

[관련 부분]
• 무슈 리와 엄마는 재혼한 부부다.
• 그러나 나는 그(무슈 리)의 혈족은 아니다.
• 무슈 리의 아들인 현규와도 마찬가지다.

④ 5문단을 통해 '나'는 '오누이' 관계에 대한 사회적 인식이나 도덕률 보다는 '현규'에 대한 사랑에 더 충실하고 싶어함을 알 수 있다.

[관련 부분] 나는 그를 영원히 아무에게도 주기 싫다. 그리고 나 자신을 다른 누구에게 바치고 싶지도 않다. 그리고 우리를 비끄러매는 형식이 결코 '오누이'라는 것이어서는 안 될 것을 알고 있다.

이것도 알면 합격
강신재, '젊은 느티나무'의 주제와 특징을 알아두자.
1. 주제: 현실의 굴레에 벗어나 사랑을 성취하는 청춘 남녀의 모습
2. 특징
• 감각적이고 섬세한 문체를 통해 젊은이들의 청순한 사랑을 그려냄
• 주인공의 심리를 내적 독백 형식으로 표출함

02

애설 ③ 서연의 두 번째 말을 통해, 동연은 누군가가 흔히 있는 것을 베껴 놓은 부처님의 형상을 그대로 본뜨려 했음을 알 수 있다. 따라서 동연이 부처님 형상을 독창적으로 제작한다는 ③의 설명은 옳지 않다.

[관련 부분] 자네가 본뜨려는 부처님 형상은 누가 언제 그렸는지 몰라도 흔히 있는 것을 베껴 놓은 걸세. 그런데 자네는 그 형상을 또 다시 베껴 만들 작정이군.

오답분석 ①④ 불상을 제작할 때 동연은 부처님의 형태(형식)를, 서연은 부처님의 마음(내용)을 중시한다. 이러한 두 인물의 대립은 예술의 형식과 내용의 논쟁을 연상시킨다고 볼 수 있다.

② 서연은 전해지는 부처님 형상이 누가 언제 그린 것인지 알 수 없으며, 그것 또한 베껴 만든 것이므로 진짜 부처님이 아님을 주장하고 있다.

[관련 부분] 부처님 형상은 누가 언제 그렸는지 몰라도 흔히 있는 것을 베껴 놓은 걸세. 그런데 자네는 그 형상을 또다시 베껴 만들 작정이군. 자넨 의심도 없는가? 심사숙고해 보게. 그런 형상이 진짜 부처님은 아닐세.

이것도 알면 합격
이강백, '느낌, 극락 같은'의 주제와 특징을 알아두자.
1. 주제: 예술의 본질적 가치에 대한 고찰과 깨달음
2. 특징
• 두 인물의 관점을 대조하여 올바른 가치관을 제시함
• 과거, 현재의 시간과 공간이 공존하는 방식으로 전개됨

03

[2021년 국가직 9급]

다음 글에서 '황거칠'이 처한 상황에 어울리는 한자 성어로 가장 적절한 것은?

황거칠 씨는 더 참을 수가 없었다. 그는 거의 발작적으로 일어섰다.

"이 개 같은 놈들아, 어쩌면 남이 먹는 식수까지 끊으려노?"

그는 미친 듯이 우르르 달려가서 한 인부의 괭이를 억지로 잡아서 저만큼 내동댕이쳤다. 〈중 략〉

경찰은 발포를 – 다행히 공포였지만 – 해서 겨우 군중을 해산시키고, 황거칠 씨와 청년 다섯 명을 연행해 갔다. 물론 강제집행도 일시 중단되었었다.

경찰에 끌려간 사람들은 밤에도 풀려나오지 못했다. 공무집행 방해에다, 산주의 권리행사 방해, 그리고 폭행죄까지 뒤집어쓰게 되었던 것이다. 그래서 그 이튿날도 풀려 나오질 못했다. 쌍말로 썩어 갔다.

황거칠 씨는 모든 죄를 자기가 안아맡아서 처리하려고 했다. 그러나 그것이 뜻대로 되지 않았다. 면회를 오는 가족들의 걱정스런 얼굴을 보자, 황거칠 씨는 가슴이 아팠다. 그는 만부득이 담당 경사의 타협안에 도장을 찍기로 했다. 석방의 조건으로서, 다시는 강제집행을 방해하지 않겠다는 각서였다.

이리하여 황거칠 씨는 애써 만든 산수도를 포기하게 되고 '마삿등'은 한때 도로 물 없는 지대가 되고 말았다.

– 김정한, '산거족'

① 同病相憐
② 束手無策
③ 自家撞着
④ 輾轉反側

04

[2019년 국가직 7급]

㉠ ~ ㉢에 대한 설명으로 옳은 것만을 〈보기〉에서 모두 고르면?

㉠"어렵다고 꼭 외로우란 법은 없어요. 혹 누가 압니까, 당신도 모르는 사이에 당신을 아끼는 어떤 이웃이 당신의 어려움을 덜어 주었을지?"

㉡"개수작 마! 그따위 이웃은 없다는 걸 난 똑똑히 봤어! 난 이제 아무도 안 믿어!"

그는 현관에 벗어 놓은 구두를 신고 있었다. 그 구두를 보기 위해 전등을 켜고 싶은 충동이 불현듯 일었으나 나는 꾹 눌러 참았다. 현관문을 열고 마당으로 내려선 다음 부주의하게도 그는 식칼을 들고 왔던 자기 본분을 망각하고 엉겁결에 문간방으로 들어가려 했다. 그의 실수를 지적하는 일은 훗날을 위해 나로서는 부득이한 조처였다.

"대문은 저쪽입니다."

문간방 부엌 앞에서 한동안 망연해 있다가 이윽고 그는 대문 쪽을 향해 느릿느릿 걷기 시작했다. 비틀비틀 걷기 시작했다. 대문에 다다르자 그는 상체를 뒤틀어 이쪽을 보았다.

㉢"이래 봬도 나 대학까지 나온 사람이오."

누가 뭐라고 그랬나. 느닷없이 그는 자기 학력을 밝히더니만 대문을 열고는 보안등 하나 없는 칠흑의 어둠 저편으로 자진해서 삼켜져 버렸다.

– 윤흥길, '아홉 켤레의 구두로 남은 사내' 중에서

〈보기〉

ㄱ. ㉠: '나'가 '그'에게 희망을 주려고 한다.

ㄴ. ㉡: '나'의 말을 '그'가 곧이듣지 않으려고 한다.

ㄷ. ㉢: '그'가 '나'보다 학력 면에서 우월함을 표현하고 있다.

① ㄱ
② ㄱ, ㄴ
③ ㄴ, ㄷ
④ ㄱ, ㄴ, ㄷ

05

'곰치'의 심리로 미루어 ㉠ ~ ㉢에 들어갈 지시문으로 적절하지 않은 것은?

> [어부 '곰치'가 선주 '임제순'에게 진 빚 때문에 모처럼 찾아온 만선(滿船)의 기회를 놓칠까 싶어 갈등하는 상황이다.]
>
> 임제순: (발끈해서) 아니면 으짤 참이였? 이자를 생각해 봐! 놀랠 것이 뭇이여?
> 연 철: (비꼬는 투로) 놀랠 것 하나도 없지라우! 이렇게 될 줄 뻔히 알았지라우! (불같은 한숨)
> 임제순: 뭇이라고? 저놈이 어따 대고 비양질이여?
> 곰 치: (㉠) 알았음녀…… . (연철에게) 아무 소리 말어! 다들 입을 봉해!
> 성 삼: 곰치! 입을 봉할 때가 따로 있어! (오기스런 안간힘)
> 곰 치: (㉡) 시끄러웠!
> 임제순: 곰치!
> 곰 치: (㉢) 말씀하시게라우…… .
> 임제순: ……자네 섭섭할는지 모르겠네만은…… . (강경하게) 남은 이만 원 청산할 때까지 내일부터 배를 묶겠네! 묶었어!
> 성삼·연철·도삼: 배를 묶다니?
> 구포댁: (펄쩍 뛰며) 웠따! 믄 말씀이싱게라우? 아니 해 필이면 이럴 때 배를 묶어라우? 예에?
> 임제순: (단호하게) 나는 두말 않는 사람이여!
> 곰 치: (㉣) 영감님! 배만은! 배만은! - 천승세, '만선' 중에서

① ㉠: 체념 조로
② ㉡: 비아냥거리는 투로
③ ㉢: 지친 듯
④ ㉣: 애걸 조로

03

해설 ② 제시된 작품에서 '황거칠'은 모든 죄를 자신이 떠맡으려 했으나, 자신을 걱정하는 가족들로 인해 어쩔 수 없이 담당 경사의 타협안에 도장을 찍고 애써 만든 '산수도'를 포기하게 된다. 이러한 '황거칠'의 상황과 가장 어울리는 한자 성어는 ②'束手無策(속수무책)'이다.
- 束手無策(속수무책): 손을 묶은 것처럼 어찌할 도리가 없어 꼼짝 못 함

오답분석 ① 同病相憐(동병상련): '같은 병을 앓는 사람끼리 서로 가엾게 여긴다'라는 뜻으로, 어려운 처지에 있는 사람끼리 서로 가엾게 여김을 이르는 말
③ 自家撞着(자가당착): 같은 사람의 말이나 행동이 앞뒤가 서로 맞지 않고 모순됨
④ 輾轉反側(전전반측): 누워서 몸을 이리저리 뒤척이며 잠을 이루지 못함

04

해설 ② ㉮~㉰에 대한 설명 중 옳은 것만으로 묶인 것은 ㄱ, ㄴ이므로 답은 ②이다.
- ㄱ. ㉮: '나'는 당신을 아끼는 이웃이 당신의 어려움을 덜어 주었을지 모른다고 말하면서 '그'에게 부정적인 상황을 극복할 수 있다는 희망을 주려고 한다.
- ㄴ. ㉯: '그'는 그따위 이웃은 없다는 걸 똑똑히 봤다며 '나'가 '그'에게 희망을 주려고 한 말을 곧이듣지 않으려 하고 있다.

오답분석 ・ㄷ. ㉰: '그'가 현실적 어려움 때문에 강도 짓을 하는 비참한 상황에서 자존심을 지키고 싶어 하는 '그'의 심리를 나타내는 것으로, '나'보다 학력 면에서 우월함을 표현하고 있다는 설명은 적절하지 않다.

05

해설 ② 어부 '곰치'는 모처럼 찾아온 만선의 기회를 놓치지 않기 위해 선주인 '임제순'에게 잘 보여야 하므로 '임제순'에게 언성을 높이는 '연철'과 '성삼'에게 주의를 주는 상황이다. 따라서 '성삼'에게 ㉡ '비아냥거리는 투로' 말한다는 지시문은 맥락상 적절하지 않으므로 답은 ②이다.

오답분석 ① '곰치'는 만선의 기회를 놓치지 않기 위해 배를 타야 하므로 '임제순'의 심기를 건드리지 않아야 한다. 따라서 '임제순'의 말에 ㉠ '체념 조로' 동의하는 것이 적절하다.
③ '곰치'는 '임제순'에게 달려들며 말하고 있는 '연철, 성삼'을 말리는 동시에 '임제순'의 기분을 파악하며 눈치를 보고 있는 상황이므로 '임제순'의 부름에 ㉢ '지친 듯' 대답하는 것이 적절하다.
④ '임제순'이 배를 묶음으로써 '곰치'는 만선의 기회를 놓치게 될 위기에 놓여있으므로 '임제순'의 태도에 ㉣ '애걸 조로' 부탁하는 것이 적절하다.

06

[2020년 국가직 9급]

㉠과 가장 유사한 정서가 드러나는 것은?

> 다시 방수액을 부어 완벽을 기하고 이음새 부분은 손가락으로 몇 번씩 문대어 보고 나서야 임 씨는 허리를 일으켰다. 임 씨가 일에 몰두해 있는 동안 그는 숨소리조차 내지 않고 일하는 양을 지켜보았다. ㉠저 열 손가락에 박힌 공이의 대가가 기껏 지하실 단칸방만큼의 생활뿐이라면 좀 너무하지 않나 하는 안타까움이 솟아오르기도 했다. 목욕탕 일도 그러했지만 이 사람의 손은 특별한 데가 있다는 느낌이었다. 자신이 주무르고 있는 일감에 한 치의 틈도 없이 밀착되어 날렵하게 움직이고 있는 임 씨의 열 손가락은 손가락 이상의 그 무엇이었다.
>
> - 양귀자, '비 오는 날이면 가리봉동에 가야 한다'

① 즐거운 지상의 잔치에 / 금으로 타는 태양의 즐거운 울림 / 아침이면, / 세상은 개벽을 한다.

② 산에 / 산에 / 피는 꽃은 / 저만치 혼자서 피어 있네. // 산에서 우는 작은 새여. / 꽃이 좋아 / 산에서 / 사노라네.

③ 남편은 어디에 나가 있는지 / 아침에 소 끌고 산에 올랐는데 / 산 밭을 일구느라 고생을 하며 / 저물도록 돌아오지 못한다네.

④ 눈을 가만 감으면 굽이 잦은 풀밭 길이, / 개울물 돌돌돌 길섶으로 흘러가고, / 백양 숲 사립을 가린 초집들도 보이구요.

07

[2018년 지방직 9급]

㉠~㉣에 대한 설명으로 적절하지 않은 것은?

> ㉠공방(孔方)의 자는 관지(貫之, 꿰미)이다. …… 처음 황제(黃帝) 때에 뽑혀 쓰였으나, 성질이 굳세어 세상일에 그리 익숙하지 못하였다. 황제가 ㉡관상을 보는 사람[相工]을 불러 보이니, 그가 한참 동안 들여다보고 말했다. "산야(山野)의 성질이어서 비록 쓸 만하지 못하오나, 만일 만물을 조화하는 폐하의 풀무와 망치 사이에 놀아 때를 긁고 빛을 갈면 그 자질이 마땅히 점점 드러날 것입니다. ㉢왕자(王者)는 사람을 그릇[器]으로 만듭니다. 원컨대 ㉣폐하께서는 저 완고한 구리[銅]와 함께 내버리지 마옵소서." 이로 말미암아 그가 세상에 이름을 드러냈다.

① ㉠은 ㉣의 결정에 의해 세상에 이름이 드러나게 되었다.

② ㉡은 ㉠의 단점보다는 앞으로의 발전 가능성에 주목하였다.

③ ㉢은 ㉡에게 자신의 견해를 펼칠 기회를 제공하였다.

④ ㉣은 ㉢의 이상적인 모습을 본받고 있다.

08

[2017년 국가직 7급 (8월)]

다음 글에 나타난 북곽 선생의 언행에 부합하는 한자 성어로 가장 적절한 것은?

> 북곽 선생이 머리를 조아리며 앞으로 엉금엉금 기어 나와, 세 번 절하고 꿇어앉았다. 고개를 쳐들고 이렇게 여쭈었다. "범님의 덕이야말로 참으로 지극하십니다. 대인은 그 변화를 본받고, 제왕은 그 걸음을 배웁니다. 남의 아들 된 자들은 그 효성을 법으로 사모하고, 장수는 그 위엄을 취합니다. 그 거룩한 이름이 신룡과 짝이 되어, 한 분은 바람을 일으키고 한 분은 구름을 일으키시니, 저처럼 하토의 천한 신하는 감히 그 바람 아래 서옵니다." 범이 이 말을 듣고 꾸짖었다. "앞으로 가까이 오지 말아라. 지난번에 내가 들으니 '유(儒)'는 '유(諛)'라 하더니 과연 그렇구나. 네가 평소에 천하에 나쁜 이름을 모두 모아서 망령되게도 내게 덧붙이더니 이제 낯간지러운 말을 하는구나. 그 말을 누가 곧이듣겠느냐?"
>
> - 박지원, '호질'

① 牽强附會　　　　② 巧言令色

③ 名論卓說　　　　④ 橘化爲枳

06
난이도 ★☆☆

해설 ③ ㉠에서 '그'는 '임 씨'의 열 손가락에 박인 굳은살(공이)을 보고, 자신의 일에 최선을 다하지만 지하실 단칸방에 사는 처지인 '임 씨'에게 안타까움과 연민의 정서를 느끼고 있다. ③에도 일을 하느라 날이 저물도록 돌아오지 못하는 남편의 고된 삶에 대한 화자의 연민과 안타까움의 정서가 드러나므로, ㉠과 가장 유사한 정서가 드러나는 것은 ③이다.

오답분석 ① 생동감 넘치는 아침 이미지에 대한 경외감이 드러난다.

② '혼자서', '작은 새'라는 시어를 통해 외로운 존재의 고독감을 드러내고 있다.

④ 눈을 감아도 보이는 고향의 정경을 회상하는 것을 통해 고향에 대한 그리움을 드러내고 있다.

이것도 알면 합격
제시된 작품들의 주제와 특징을 알아두자.

지문	양귀자, '비 오는 날이면 가리봉동에 가야 한다'	주제	소시민들 사이에 벌어지는 일상의 갈등과 화해
		특징	• 실제 공간을 배경으로 소시민들의 삶을 사실적으로 그려 냄 • 등장인물의 대화와 행동을 중심으로 사건을 전개함
①	박남수, '아침 이미지 1'	주제	즐겁고 생동감 넘치는 아침의 이미지
		특징	• 시간적 순서에 따라 시상이 전개됨 • 의인법과 절제된 어조를 사용함 • 공감각적 심상을 통해 생동감 넘치는 아침의 모습을 묘사함
②	김소월, '산유화'	주제	존재의 근원적 고독
		특징	• 종결 어미 '-네'를 통해 각운의 효과를 얻고 감정의 절제를 보여 줌 • 3음보를 여러 행에 걸쳐 배열하거나 한 행에 배열함
③	김창협, '산민(山民)'	주제	백성들의 힘겨운 삶과 관리들의 횡포
		특징	• 고통스러운 삶을 사는 백성들에 대한 연민과 애정의 시선이 느껴짐 • 지배 계층에 대한 비판적 관점이 드러남
④	김상옥, '사향(思鄕)'	주제	고향에 대한 그리움
		특징	• 다양한 감각적 심상을 사용함 • '현재 – 과거 – 현재'의 역순행적 구성

07
난이도 ★★☆

해설 ③ ㉡ '관상을 보는 사람[相工]'에게 공방에 대한 자신의 견해를 펼칠 기회를 제공한 사람은 ㉣ '폐하'이므로 ③의 설명은 적절하지 않다. 문맥상 ㉢ '왕자(王者)'는 일반적인 의미의 '임금'을 뜻하는 말로, ㉣ '폐하'와 같은 의미로 사용되지 않았다.

오답분석 ① ㉣ '폐하'는 ㉠ '공방(孔方)'을 버리지 말고 쓰라는 ㉡ '관상을 보는 사람[相工]'의 의견을 따라 ㉠ '공방(孔方)'의 이름이 세상에 드러나게 하였다.

② ㉡ '관상을 보는 사람[相工]'은 ㉠ '공방(孔方)'에 대해 쓸 만하지 못하지만 때를 긁고 빛을 갈면 그 자질이 마땅히 점점 드러날 것이라고 평가하였다.

④ ㉣ '폐하'는 ㉢ '왕자(王者)'라면 사람을 그릇으로 만든다는 ㉡ '관상을 보는 사람[相工]'의 말을 듣고 공방을 버리지 않고 취하였다. 이는 ㉣ '폐하'가 ㉢ '왕자(王者)'의 이상적인 본받고자 하였기 때문이다.

이것도 알면 합격
임춘, '공방전'의 주제와 특징에 대해 알아두자.
1. 주제: 돈에 대한 인간의 탐욕과 돈을 탐하는 세태에 대한 비판
2. 특징
   • '돈(엽전)'을 의인화한 가전체 문학임
   • '돈(엽전)'에 대한 풍자적, 비판적 성격이 드러남
   • '도입 – 전개 – 비평'의 3단 구성이 드러남

08
난이도 ★☆☆

해설 ② 범의 말에 따르면, 북곽 선생은 평소에 범의 험담을 했으나 범 앞에서는 태도를 바꿔 아첨하고 있다. 이러한 북곽 선생의 언행에 부합하는 한자 성어는 ② '巧言令色(교언영색)'이다.
   • 巧言令色(교언영색): 아첨하는 말과 알랑거리는 태도

오답분석 ① 牽強附會(견강부회): 이치에 맞지 않는 말을 억지로 끌어 붙여 자기에게 유리하게 함

③ 名論卓說(명론탁설): 훌륭하고 이름난 이론이나 학설

④ 橘化爲枳(귤화위지): '회남의 귤을 회북에 옮겨 심으면 탱자가 된다'라는 뜻으로, 환경에 따라 사람이나 사물의 성질이 변함을 이르는 말

이것도 알면 합격
박지원, '호질'에서 '범'의 역할과 활용 의의를 알아두자.

'범'의 역할	• 작가 의식을 대변하는 의인화된 인물 • 객관적인 관찰자로 양반 계층의 위선적 속성을 풍자함
활용 의의	• 작품에 흥미를 더하면서 신랄한 비판이 가능함 • 당시의 유교 사회의 지탄을 받지 않고 현실을 비판함

09

[2017년 국가직 9급 (4월)]

다음 글을 읽고 추론한 내용으로 적절하지 않은 것은?

> 　사방이 어두워지자 그들도 얘기를 그쳤다. 어디에나 눈이 덮여 있어서 길을 잘 분간할 수가 없었다. 뒤에 처졌던 백화가 눈 덮인 길의 고랑에 빠져 버렸다. 발이라도 삐었는지 백화는 꼼짝 못하고 주저앉아 신음을 했다. 영달이가 달려들어 싫다고 뿌리치는 백화를 업었다. 백화는 영달이의 등에 업히면서 말했다.
> 　"무겁죠?"
> 　영달이는 대꾸하지 않았다. 백화가 어린애처럼 가벼웠다. 등이 불편하지도 않았고 어쩐지 가뿐한 느낌이었다. 아마 쇠약해진 탓이리라 생각하니, 영달이는 어쩐지 대전에서의 옥자가 생각나서 눈시울이 화끈했다. 백화가 말했다.
> 　"어깨가 참 넓으네요. 한 세 사람쯤 업겠어."
> 　"댁이 근수가 모자라니 그렇다구." - 황석영, '삼포 가는 길'

① '눈 덮인 길의 고랑'은 백화가 신음하는 계기로 작용하기도 한다.

② 등에 업힌 백화는 영달이가 '옥자'를 떠올리는 계기로 작용하기도 한다.

③ 영달이는 '대전에서의 옥자'를, 어린애처럼 생각이 깊지 않은 존재로 인식하고 있다.

④ 백화는 처음에는 영달이의 등에 업히기를 싫어했으나, 영달이의 등에 업힌 이후 싫어하는 내색이 없어 보인다.

10

[2016년 국가직 9급]

다음 글에 대한 설명으로 옳지 않은 것은?

> 　거사는 이렇게 대답했다.
> 　"얼굴이 잘생기고 예쁜 사람은 맑고 아른아른한 거울을 좋아하겠지만, 얼굴이 못생겨서 추한 사람은 오히려 맑은 거울을 싫어할 것입니다. 그러나 잘생긴 사람은 적고 못생긴 사람은 많기 때문에, 만일 맑은 거울 속에 비친 추한 얼굴을 보기 싫어할 것인즉 흐려진 그대로 두는 것이 나을 것입니다. 그래서 차라리 깨쳐 버릴 바에야 먼지에 흐려진 그대로 두는 것이 나을 것입니다. 먼지로 흐리게 된 것은 겉뿐이지 거울의 맑은 바탕은 속에 그냥 남아 있는 것입니다. 만약 잘생기고 예쁜 사람을 만난 뒤에 닦고 갈아도 늦지 않습니다. 아! 옛날에 거울을 보는 사람들은 그 맑은 것을 취하기 위함이었지만, 내가 거울을 보는 것은 오히려 흐린 것을 취하는 것인데, 그대는 이를 어찌 이상스럽게 생각합니까?" 하니 나그네는 아무 대답이 없었다.
> 　　　　　　　　　　　　　　　　　 - 이규보, '경설' 중에서

① 잘생긴 사람이 적고 못생긴 사람이 많다는 말에서 거사의 현실 인식을 알 수 있다.

② 용모에 대한 거사의 논의는 도덕성, 지혜, 안목 등을 비유한 것으로 볼 수 있다.

③ 잘생기고 예쁜 사람을 만난 후 거울을 닦겠다는 말에서 거사가 지닌 처세관을 엿볼 수 있다.

④ 이상주의적이고 결백한 자세로 현실에 맞서고자 하는 거사의 높은 의지가 드러나 있다.

09
난이도 ★☆☆

해설 ③ 영달이가 '대전에서의 옥자'를 떠올린 것은 등에 업은 백화가 어린애처럼 가벼웠기 때문이다. 이를 통해 영달이가 옥자를 어린애처럼 생각이 깊지 않은 존재로 인식하는지는 알 수 없으므로 답은 ③이다.

오답분석 ① 3~4번째 줄을 통해 추론할 수 있는 내용이다.
[관련 부분] 백화가 눈 덮인 길의 고랑에 빠져 버렸다. 발이라도 삐었는지 백화는 꼼짝 못하고 주저앉아 신음을 했다.

② 5~11번째 줄을 통해 추론할 수 있는 내용이다.
[관련 부분] 백화는 영달이의 등에 업히면서 말했다. ~ 영달이는 어쩐지 대전에서의 옥자가 생각나서 눈시울이 화끈했다.

④ 4~5번째 줄을 통해 백화가 영달이에게 업히기 싫어했음을 알 수 있고, 끝에서 2번째 줄에서 백화가 영달이를 칭찬하는 것을 통해 싫은 내색이 없어졌음을 추론할 수 있다.
[관련 부분]
• 영달이가 달려들어 싫다고 뿌리치는 백화를 업었다.
• 어깨가 참 넓으네요. 한 세 사람쯤 업겠어.

이것도 알면 합격
황석영, '삼포 가는 길'에서 '삼포'의 상징적 의미를 알아두자.
정 씨의 고향인 '삼포'는 실제 존재하지 않는 허구의 지명으로, 정착할 곳 없이 떠도는 사람의 정신적인 안식처이자 고향을 의미한다. 따라서 '삼포'가 공사판으로 변했다는 사실은 그들의 유일한 쉼터마저 사라졌음을 의미한다.

10
난이도 ★★☆

해설 ④ 제시문에서 '흐린 거울'은 상대방의 흠과 결점을 감추어 주는 것을 말한다. 5~7번째 줄과 끝에서 1~4번째 줄을 통해 '흐린 거울'을 보는 거사는 지나치게 결백한 것보다 인간의 흠과 결점을 너그럽게 포용할 줄 아는 자세를 중요하게 생각하는 인물임을 알 수 있다. 따라서 ④는 옳지 않은 설명이다.
[관련 부분]
• 만일 맑은 거울 속에 비친 추한 얼굴을 보기 싫어할 것인즉 흐려진 그대로 두는 것이 나을 것입니다.
• 내가 거울을 보는 것은 오히려 흐린 것을 취하는 것인데, 그대는 이를 어찌 이상스럽게 생각합니까?

오답분석 ① 잘생긴 사람이 적고 못생긴 사람이 많다는 말은 세상에 흠과 허물이 없는 사람보다 있는 사람들이 더 많다는 거사의 현실 인식을 드러낸다.

② '잘생긴 사람'은 흠 없이 청렴결백한 사람을, '못생긴 사람'은 흠과 허물이 있는 사람을 의미한다. 따라서 '용모'는 도덕성, 지혜, 안목을 비유한 것으로 볼 수 있다.

③ 잘생기고 예쁜 사람을 만난 뒤에 거울을 닦고 갈아도 늦지 않다는 말은 자신의 능력을 펼칠 수 없는 때에는 스스로를 나타내기보다 때를 기다릴 줄 알아야 하고, 자신의 능력을 충분히 펼칠 수 있는 시기를 만났을 때 비로소 자신의 본모습을 드러내어도 늦지 않다는 뜻이다. 따라서 해당 부분에서 거사의 처세관을 엿볼 수 있다.

이것도 알면 합격
이규보, '경설'에 쓰인 '맑은 거울'과 '흐린 거울'의 의미를 알아두자.

맑은 거울	못생긴 얼굴(인간의 결점)까지 잘 비추어 줌 → 인간의 결점을 배척하며 지나치게 결벽이 심한 태도
흐린 거울	못생긴 얼굴(인간의 결점)을 적당히 감춰 줌 → 인간의 결점을 이해하고 포용해 주는 관대한 태도

11

[2015년 지방직 9급]

다음 글에 대한 설명으로 적절하지 않은 것은?

> 소장은 혼자서 빙긋 웃었다. 감독조를 짐짓 3공사장으로 보내길 잘했다고 그는 생각했다. 사실은 그들이 없으면 인부들을 통솔하기가 매우 어려운 실정이었다. 원하는 대로 모두 수걱수걱 들어주고 나면 길 잘못 들인 강아지 새끼처럼 또 무엇을 달라고 보챌지 몰라 불안할수록, 더욱 감독조는 필요했다. 그래서 잠잠해질 때까지 당분간 보냈다가 인부들과는 낯선 다른 패들로 교대시킬 뿐이었다. 현재 노임도 올렸고 시간 노동제도 실시하고 있는 척할 수밖에 없지만, 우선 내일의 행사를 위해 숨 좀 돌려보자는 게 그의 속셈이었다. 그 다음엔 주동자들을 먼저 아무도 모르게 경찰에 데려다가 책임을 물어 따끔하게 본때를 보인 후, 여비나 두둑이 주어 구슬리며 딴 지방으로 쫓아 보낼 작정이었다. 그의 손에는 쟁의에 참가했던 인부들의 명단이 저절로 들어와 있는 셈이었다. 그들 불평분자의 절반쯤은 3공사장 인부들과 교대시키고, 나머지는 남겨 두되 각 함바에 뿔뿔이 흩어지게 배당할 거였다. 점차로 시간을 보내면서 하나둘씩 해고해 나갈 것이었다. 차츰차츰 작업량을 늘리고 작업장을 줄여가면 남는 인부가 많게 될 테니 열흘도 못 가서 감원할 구실이 생길 거였다. 따라서 인상되었던 노임을 차츰 낮추며 도급을 계속시키면서 인부들이 모르는 사이에 전과 같이 나가면 어항에 물 갈아 넣는 것처럼 인부들은 모두 새 사람으로 바뀔 것이었다. 소장은 이 모든 일들을 열흘 안으로 해치우고 원상 복구를 해 놓을 자신이 있었다.
>
> — 황석영, '객지' 중에서

① 소장은 내일의 행사를 원만하게 치르려고 한다.
② 소장은 쟁의를 해결할 수 있다는 강한 자신감을 갖고 있다.
③ 소장은 쟁의 주동자들을 해고할 생각을 갖고 있다.
④ 소장은 감독조를 해체하여 상황을 원상 복구할 계획이다.

12

[2015년 지방직 7급]

다음 글에 대한 설명으로 가장 적절한 것은?

> 백운거사(白雲居士)는 선생의 자호이니, 그 이름을 숨기고 그 호를 드러낸 것이다. 그가 이렇게 자호하게 된 취지는 선생의 《백운어록(白雲語錄)》에 자세히 기재되었다.
>
> 집에는 자주 식량이 떨어져서 끼니를 잇지 못하였으나 거사는 스스로 유쾌히 지냈다. 성격이 소탈하여 단속할 줄을 모르며, 우주를 좁게 여겼다. 항상 술을 마시고 스스로 혼미하였다. 초청하는 사람이 있으면 곧 반갑게 나가서 잔뜩 취해 가지고 돌아왔으니, 아마도 옛적 도연명(陶淵明)의 무리이리라. 거문고를 타고 술을 마시며 이렇게 세월을 보냈다. 이것은 그의 기록이다. 거사는 취하면 시를 읊으며 스스로 전(傳)을 짓고 스스로 찬(贊)을 지었다.
>
> — 이규보, '백운거사전' 중에서

① 세상을 등지고 살고자 하는 백운거사의 의도를 드러내고 있다.
② 세상에 얽매이고 싶지 않은 백운거사의 의식을 드러내고 있다.
③ 백운거사의 불우한 삶에 대해 동경하는 시선을 드러내고 있다.
④ 유교적 세계관에 바탕을 둔 백운거사의 의지를 드러내고 있다.

11
난이도 ★☆☆

해설 ④ 5~8번째 줄을 통해 소장은 감독조를 해체할 마음이 없음을 알 수 있다. 따라서 ④의 감독조를 해체한다는 설명은 적절하지 않다.

[관련 부분] 또 무엇을 달라고 보챌지 몰라 불안할수록, 더욱 감독조는 필요했다. 그래서 잠잠해질 때까지 당분간 보냈다가 인부들과는 낯선 다른 패들로 교대시킬 뿐이었다.

오답분석 ① 9~10번째 줄에서 알 수 있는 내용이다.

[관련 부분] 우선 내일의 행사를 위해 숨 좀 돌려보자는 게 그의 속셈이었다.

② 끝에서 1~3번째 줄에서 알 수 있는 내용이다.

[관련 부분] 소장은 이 모든 일들을 열흘 안으로 해치우고 원상 복구를 해 놓을 자신이 있었다.

③ 끝에서 8~11번째 줄에서 알 수 있는 내용이다.

[관련 부분] 그들 불평분자의 절반쯤은 3공사장 인부들과 교대시키고, ~ 점차로 시간을 보내면서 하나둘씩 해고해 나갈 것이었다.

이것도 알면 합격

황석영, '객지'의 특징을 알아두자.

• 서해안 간척지 공사 현장을 배경으로 함
• 1970년대의 열악한 노동 현실을 사실적으로 표현하고 비판함
• 노동자들을 도구로 생각하는 비인간적 노동 현실을 고발하고, 이에 대항하는 떠돌이 노동자들의 저항 의지를 그려 냄

12
난이도 ★★☆

해설 ② 2문단의 1~3번째 줄을 통해, 생계나 세상에 얽매이지 않으면서 소박하고 자유롭게 살고 싶어 하는 백운거사(白雲居士)의 의식을 알 수 있다. 따라서 답은 ②이다.

[관련 부분] 집에는 자주 식량이 떨어져서 끼니를 잇지 못하였으나 거사는 스스로 유쾌히 지냈다. 성격이 소탈하여 단속할 줄을 모르며, 우주를 좁게 여겼다.

오답분석 ① 세상에 얽매이지 않고 유쾌하게 지내려 할 뿐, 세상을 등지려는 백운거사의 의도는 나타나지 않는다.

③ 백운거사의 가난하지만 유쾌한 삶에 대한 기록을 전하고 있을 뿐, 그의 삶을 동경하는 시선은 나타나지 않는다.

④ '충효(忠孝)' 등의 유교적 세계관은 나타나지 않는다.

01

[2021년 지방직 9급]

㉠ ~ ㉣에 대한 설명으로 옳지 않은 것은?

이때는 오월 단옷날이렷다. 일 년 중 가장 아름다운 시절이라. ㉠이때 월매 딸 춘향이도 또한 시서 음률이 능통하니 천중절을 모를쏘냐. 추천을 하려고 향단이 앞세우고 내려올 제, 난초같이 고운 머리 두 귀를 눌러 곱게 땋아 봉황 새긴 비녀를 단정히 매었구나. 〈중 략〉 장림 속으로 들어가니 ㉡녹음방초 우거져 금잔디 좌르르 깔린 곳에 황금 같은 꾀꼬리는 쌍쌍이 날아든다. 버드나무 높은 곳에서 그네 타려 할 때, 좋은 비단 초록 장옷, 남색 명주 홑치마 훨훨 벗어 걸어 두고, 자주색 비단 꽃신을 썩썩 벗어 던져두고, 흰 비단 새 속옷 턱밑에 훨씬 추켜올리고, 삼 껍질 그넷줄을 섬섬옥수 넌지시 들어 두 손에 갈라 잡고, 흰 비단 버선 두 발길로 훌쩍 올라 발 구른다. 〈중 략〉 ㉢한 번 굴러 힘을 주며 두 번 굴러 힘을 주니 발밑에 작은 티끌 바람 쫓아 펄펄, 앞뒤 점점 멀어 가니 머리 위의 나뭇잎은 몸을 따라 흔들흔들. 오고갈 제 살펴 보니 녹음 속의 붉은 치맛자락 바람결에 내비치니, 높고 넓은 흰 구름 사이에 번갯불이 쏘는 듯 잠깐 사이에 앞뒤가 바뀌는구나. 〈중 략〉 무수히 진퇴하며 한참 노닐 적에 시냇가 반석 위에 옥비녀 떨어져 쟁쟁하고, '비녀, 비녀' 하는 소리는 산호채를 들어 옥그릇을 깨뜨리는 듯. ㉣그 형용은 세상 인물이 아니로다.

- 작자 미상, '춘향전' 중에서

① ㉠: 설의적 표현을 통해 춘향이도 천중절을 당연히 알 것이라는 점을 서술하고 있다.

② ㉡: 비유법을 사용하고 음양이 조화를 이룬 아름다운 봄날의 풍경을 서술하고 있다.

③ ㉢: 음성상징어를 사용하여 춘향의 그네 타는 모습을 시각적으로 서술하고 있다.

④ ㉣: 서술자의 편집자적 논평을 통해 춘향이의 내면적 아름다움을 서술하고 있다.

02

[2020년 국가직 7급]

㉠에 나타난 말하기 방식에 대한 설명으로 가장 적절한 것은?

이른바 규중 칠우는 부인네 방 가온데 일곱 벗이니 글하는 선배는 필묵과 조희 벼루로 문방사우를 삼았나니 규중녀잰들 홀로 어찌 벗이 없으리오.

이러므로 침선(針線)의 돕는 유를 각각 명호를 정하여 벗을 삼을새, 바늘로 세요 각시라 하고, 침척(針尺)을 척 부인이라 하고, 가위로 교두 각시라 하고, 인도(引刀)로 인화 부인이라 하고, 달우리로 울 낭자라 하고, 실로 청홍흑백 각시라 하며, 골모로 감토 할미라 하여, 칠우를 삼아 규중 부인네 아침 소세를 마치매 칠위 일제히 모혀 종시하기를 한가지로 의논하여 각각 소임을 일워 내는지라.

일일은 칠위 모혀 침선의 공을 의논하더니 척 부인이 긴 허리를 자히며 이르되, 〈중 략〉

인화 낭재 이르되,

㉠"그대네는 다토지 마라. 나도 잠간 공을 말하리라. 미누비 세누비 눌로 하여 저가락같이 고으며, 혼솔이 나곧 아니면 어찌 풀로 붙인 듯이 고으리오. 침재(針才) 용속한 재 들락날락 바르지 못한 것도 내의 손바닥을 한번 씻으면 잘못한 흔적이 감초여 세요의 공이 날로 하여 광채 나나니라."

- 작자 미상, '규중칠우쟁론기' 중에서

① 풍자적 표현을 통해 내면의 갈등을 드러내고 있다.

② 각자의 역할과 직분을 지켜야 한다고 충고하고 있다.

③ 자신의 도움을 통해 상대방이 빛날 수 있음을 자랑하고 있다.

④ 상대방 말의 허점을 최대한 부각하면서 논리적으로 지적하고 있다.

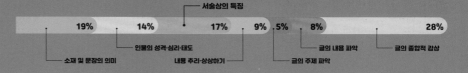

서술상의 특징

19%   14%   17%   9% 5%   8%   28%

소재 및 문장의 의미

인물의 성격·심리·태도

내용 추리·상상하기

글의 주제 파악

글의 내용 파악

글의 종합적 감상

03

[2018년 국가직 9급]

다음 글에 대한 이해로 적절하지 않은 것은?

> 우리 장인님은 약이 오르면 이렇게 손버릇이 아주 못 됐다. 또 사위에게 이 자식 저 자식 하는 이놈의 장인님은 어디 있느냐. 오죽해야 우리 동리에서 누굴 물론하고 그에게 욕을 안 먹는 사람은 명이 짜르다 한다. 조그만 아이들까지도 그를 돌아세 놓고 욕필이(본 이름이 봉필이니까), 욕필이, 하고 손가락질을 할 만치 두루 인심을 잃었다. 하나 인심을 정말 잃었다면 욕보다 읍의 배참봉 댁 마름으로 더 잃었다. 번이 마름이란 욕 잘 하고 사람 잘 치고 그리고 생김 생기길 호박개 같아야 쓰는 거지만 장인님은 외양에 똑 됐다. 장인께 닭 마리나 좀 보내지 않는다든가 애벌논 때 품을 좀 안 준다든가 하면 그해 가을에는 영락없이 땅이 뚝뚝 떨어진다. 그러면 미리부터 돈도 먹이고 술도 먹이고 안달 재신으로 돌아치던 놈이 그 땅을 슬쩍 돌아앉는다.
>
> - 김유정, '봄봄'

① 마름의 특성을 동물의 외양에 빗대어 낮잡아 표현했다.
② 비속어와 존칭어를 혼용하여 해학적 표현을 구사했다.
③ 여러 정황을 거론하며 장인의 됨됨이가 마땅치 않음을 드러냈다.
④ 장인과 소작인들 사이의 뒷거래 장면을 생생하게 묘사하여 제시했다.

01

난이도 ★★☆

해설 ④ ㉣에는 서술자가 작품 속 인물인 '춘향'에 대한 자신의 견해를 드러내는 편집자적 논평이 나타난다. 이때 서술자가 예찬하는 대상은 춘향의 '형용(외면적 아름다움)'이므로 춘향이의 '내면적 아름다움'을 서술하고 있다는 ④의 설명은 옳지 않다.
　• 형용(形容): 사람의 생김새나 모습

오답분석 ① ㉠에서는 '-ㄹ쏘냐'라는 종결 어미를 사용한 설의적 표현을 통해 춘향이가 천중절을 당연히 알 것임을 강조하고 있다.
　• 천중절: '좋은 명절'이라는 뜻으로, '단오'를 달리 이르는 말
② ㉡에는 연결어 '같은'을 통해 꾀꼬리를 황금에 직접 빗대어 표현하는 비유법(직유법)이 쓰였다. 또한 '녹음방초가 우거지고 금잔디가 깔린 곳에 꾀꼬리는 쌍쌍이 날아든다'라는 표현을 통해 음양의 조화를 이룬 아름다운 봄날의 풍경을 서술하고 있다.
③ '펄펄', '흔들흔들'과 같이 움직임을 흉내 낸 음성상징어를 사용하여 춘향이가 그네 타는 모습을 시각적으로 서술하고 있다.

02

난이도 ★★☆

해설 ③ ㉠에서 '인화 낭자(인두)'는 침재(바느질 솜씨)가 좋지 않더라도 자신이 한 번 다리면 잘못된 흔적이 모두 사라지기 때문에 '세요(바늘)'의 공이 빛날 수 있다고 말하고 있다. 따라서 ㉠에 나타난 말하기 방식으로 가장 적절한 것은 ③이다.

오답분석 ② ㉠에서 각자의 역할과 직분을 지켜야 한다는 충고는 드러나지 않는다. 참고로 '각자의 역할과 직분을 지키는 삶'은 작품의 주제와 연관이 있다.

03

난이도 ★★☆

해설 ④ 끝에서 1~3번째 줄을 통해 장인과 소작인들 사이의 뒷거래 장면을 확인할 수 있다. 그러나 이는 뒷거래 장면을 간략하게 서술한 것일 뿐, 생생하게 묘사한 것이 아니므로 ④의 설명은 적절하지 않다.
　[관련 부분] 미리부터 돈도 먹이고 술도 먹이고 안달 재신으로 돌아치던 놈이 그 땅을 슬쩍 돌아앉는다.

오답분석 ① 마름의 외양을 뼈대가 굵고 털이 북슬북슬한 '호박개'에 빗대어 우스꽝스럽게 표현하였다.
② 비속어인 '놈'과 존칭어인 '님'을 함께 쓴 '이놈의 장인님'이라는 표현을 통해 장인에 대한 '나'의 불만을 해학적으로 표현했음을 알 수 있다.
③ 장인의 손버릇이 좋지 않고 욕을 잘 하는 점, 동네 아이들에게까지 인심을 잃은 점 등을 거론하여 장인의 됨됨이가 마땅치 않음을 드러내었다.

04

윗글의 서술상 특징에 대한 설명으로 가장 적절한 것은?

"호오, 호오." 어린 마음에 할머니나 어머니의 입김이 와 닿기는 비단 다쳐서 아파할 때만이 아니었다. 화롯불에 파묻어 말랑말랑 익힌 감자나 밤을 꺼내 껍질을 벗겨 주시면서도 "호오, 호오." 입김을 불어 알맞게 식혀 주셨고, 끓는 국이나 찌개도 그렇게 식혀 주셨다. 먹고 싶은 걸 참느라 침을 꼴깍 삼키며 그분들의 입을 쳐다보면서도 어린 마음속엔 그분들에 대한 신뢰감이 싹텄었다.

어찌 상처나 뜨거운 먹을 것에만 그분들의 입김이 서렸을까? 그분들의 입김은 온 집안에 서렸었다. 학교 갔다가 집에 돌아왔을 때 간혹 어머니가 집에 안 계시면 나는 그것을 대문간에 들어서자마자 알아맞힐 수가 있었다. 집안 전체가 썰렁했다. 썰렁하다는 건 실제의 기온과는 상관없는 순전히 마음의 느낌이었고, 이 마음의 느낌은 한 번도 어긋난 적이 없었다. 학교에서 먹는 도시락에도 어머니의 입김은 서려 있었고, 입고 다니는 옷에도 어머니의 입김은 서려 있었다. 나는 그때 '다꾸앙'이나 달고 끈적끈적해 보이는 멸치볶음, 콩자반 등등 반찬 가게에서 파는 도시락 찬만 가지고 다니는 아이를 속으로 무척 불쌍하게 여기고 나중엔 경멸하는 마음까지 품었던 것이 지금까지 생각난다. 어머니의 입김이 들어가지 않은 걸 허구한 날 먹는 아이가 마치 헐벗은 아이처럼 보였던 것이다.

어린 날, 내가 누렸던 평화를 생각할 때마다 어린 날의 커다란 상처로부터 일용할 양식, 필요한 물건, 입고 다니던 옷, 그리고 식구들 사이, 집안 속 가득히 고루 스며있던 어머니의 입김, 그 따스한 숨결이 어제인 듯 되살아난다. 그것을 빼놓고 평화란 상상도 할 수 없다. 싸우지 않고 다투지 않고 슬퍼하지 않은 어린 날이 어디 있으랴. 다만 그런 일이 어머니의 입김 속에서 이루어졌기 때문에 행복과 평화로 회상되는 것이 아닐까?

그리고 보니 내 자식들이나 내 손자들이 훗날 그들의 어린 날을 어떻게 기억할지 문득 궁금하고 한편 조심스러워진다. 나보다는 내 자식들이, 내 자식들보다는 내 손자들이 따뜻한 입김의 덕을 덜 보고 자라는 게 아닌가 싶다. 하지만 그것이 부모의 허물만은 아니다. 요즘에는 아이들에게 필요한 모든 것이 구태여 입김을 거칠 필요 없이 대량으로 생산되기 때문이다. 아이들을 가르치는 법까지도 매스컴이나 그 밖의 정보를 통해 대량으로 전달되기 때문에 집집마다 대대로 물려오는 입김이 서린 가풍(家風)마저 소멸해 가고 있다. 아이들은 어머니의 입김이 서리지 않은 음식을 먹고도 배부르고, 어머니의 입김이 서리지 않은 옷을 입고도 등이 따뜻하고 예쁘다.

다쳐서 피가 났을 때 입김보다는 충분한 소독과 적당한 약이 더 좋다는 것도 잘 알고 있다. 그러나 텔레비전과 냉장고 속에 먹을 것만 있다면 어머니의 입김이 서리지 않은 집에서도 허전한 걸 모르는 아이들이 많아져 가고 있다는 것은 문제가 아닐 수 없다. 그런 아이는 처음부터 입김이 주는 살아 있는 평화를 모르는 아이일지도 모르기 때문이다. 입김이란 곧 살아 있는 표시인 숨결이고 사랑이 아닐까? 싸우지 않고 미워하지 않고 심심해하지 않는 것이 평화가 아니라 그런 일이 입김 속에서, 즉 사랑 속에서 될 수 있는 대로 활발하게 일어나는 것이 평화가 아닐는지.

세상이 아무리 달라져도 사랑이 없는 곳에 평화가 있다는 것은 억지밖에 안 되리라. 숨결이 없는 곳에 생명이 있다면 억지인 것처럼.

- 박완서, '사랑의 입김'

① 과거와 현재의 대비를 통해 주제 의식을 부각하고 있다.
② 내부의 이야기와 외부의 이야기를 반복적으로 교차하고 있다.
③ 공간적 배경을 구체적으로 묘사하여 인물의 성격 변화를 강조하고 있다.
④ 어린 시절의 경험을 바탕으로 인물 간의 갈등을 직접적으로 드러내고 있다.

05

〈보기〉에 대한 설명으로 가장 옳은 것은?

―――――〈보기〉―――――

대저 이 세상같이 억울하고 고르지 못한 세상이 없는지라. 가난코 약한 사람은 그 부모가 낳은 몸과 하늘이 주신 귀중한 목숨도 보전치 못하고, 심청 같은 출천대효가 필경 임당수 물에 가련한 몸을 잠겼도다. 그러나 그 잠긴 곳은 이 세상을 이별하고 간 상계니, 하나님의 능력이 한없이 큰 세상이라. 이욕에 눈이 어둔 세상 사람과 말 못하는 부처는 심청을 돕지 못하였거니와, 임당수 물귀신이야 어찌 심청을 모르리오.

① 서술자가 개입하여 자신의 견해를 나타내고 있다.
② 대화를 통해 인물 간 대립의 양상을 드러내고 있다.
③ 인물의 외양 묘사를 통해 인물의 심리를 보여 주고 있다.
④ 서술자가 주인공으로 등장하여 자신의 체험을 서술하고 있다.

06

[2017년 국가직 7급 (8월)]

다음 글의 서술 방식에 대한 설명으로 가장 적절한 것은?

'우르릉~ 쾅!' 하고 천둥이 울리면 사람들은 누구나 두려워한다. 그래서 '뇌동(雷同)'이란 말이 생겨났다. 내가 우렛소리를 들었을 때, 처음에는 간담이 서늘하였다. 하지만 반복해서 나의 잘못을 고쳐 허물을 발견하지 못한 뒤에야 몸이 조금 편안해졌다.

다만 한 가지 꺼림칙한 일이 있다. 내가 『춘추좌씨전(春秋左氏傳)』에서 '화부(華父)가 지나가는 미인에게 눈길을 주는 일'이 나오는 대목을 읽고는 그 일에 대해 비난하지 않은 적이 없었다. 그러므로 길을 가다가 아름다운 여인을 만나면 눈길을 주지 않으려고 머리를 숙이고 고개를 돌려 달아났다. 그러나 머리를 숙이고 고개를 돌리는 것은 그런 마음이 없지 않다는 것이니, 이것만은 스스로 미심쩍은 일이다.

일반 사람의 마음을 벗어나지 못하는 일이 또 하나 있다. 남이 나를 칭찬하면 아주 기뻐하고, 비방하면 몹시 언짢아한다. 이것은 비록 우레가 칠 때 두려워하는 것과는 다른 일이지만, 또한 경계하지 않을 수 없다. 옛사람 중에는 깜깜한 밤에도 자신의 마음을 속이지 않는 자가 있었다고 한다. 내가 어찌 이런 사람에게 미칠 수 있겠는가?

- 이규보, '뇌설'

① 개인적인 체험을 통해 얻은 깨달음을 제시하고 있다.
② 필자의 생각과 다른 사람의 생각을 비교하며 제시하고 있다.
③ 권위 있는 자의 말을 인용해 필자의 주장을 강조하고 있다.
④ 문답 형식을 통해 독자 스스로 깨달음을 얻도록 하고 있다.

04

난이도 ★★☆

해설 ① 작가는 작품의 1~3문단에서 '입김'에 대한 어린 시절 경험을 회상하고 있으며, 4~6문단에서는 사랑이 담긴 따뜻한 입김이 사라진 오늘날 현실에 대한 안타까움을 드러내고 있다. 따라서 제시된 작품은 과거와 현재를 대비하여 '사랑의 가치와 중요성'이라는 주제 의식을 부각하고 있으므로, 서술상 특징으로 적절한 것은 ①이다.

이것도 알면 합격
박완서, '사랑의 입김'의 주제와 특징을 알아두자.
1. 주제: 사랑의 가치와 중요성
2. 특징
• 글쓴이의 어린 시절과 오늘날 가정의 모습을 대조적으로 제시함
• 일상생활을 비판적으로 성찰하면서 글쓴이 자신의 가치관을 보여주고 있음

05

난이도 ★☆☆

해설 ① 〈보기〉에는 인물의 감정 상태를 분석하고 행동 및 심리적 변화의 의미까지 해석하는 편집자적 논평이 나타난다. 따라서 〈보기〉에 대한 설명으로 가장 옳은 것은 ①이다.
[관련 부분]
• 대저 이 세상같이 억울하고 고르지 못한 세상이 없는지라.
• 이욕에 눈이 어둔 세상 사람과 말 못하는 부처는 심청을 도웁지 못하였거니와, 임당수 물귀신이야 어찌 심청을 모르리오.

오답분석 ④ 제시된 작품에는 작품 밖의 서술자가 인물과 사건을 서술하는 전지적 작가 시점이 쓰였다. 참고로, 서술자가 작품 속 주인공으로 등장하여 자신의 체험을 서술하는 방식은 1인칭 주인공 시점이다.

06

난이도 ★★☆

해설 ① 필자는 '우렛소리'를 들은 경험을 계기로 자신을 성찰하며 깨달은 바를 제시하고 있으므로 답은 ①이다.

오답분석 ④ 작품의 마지막 문장에서 의미를 강조하기 위해 의문 형식이 사용되었을 뿐, 문답 형식의 서술 방식은 나타나지 않는다.

07

다음 글에 대한 설명으로 가장 적절한 것은?

> 나는 이때 온몸으로, 그리고 마음속으로 절절히 느끼게 되었다. 집착이 괴로움인 것을. 그렇다. 나는 난초에게 너무 집념해 버린 것이다. 이 집착에서 벗어나야겠다고 결심했다. 난을 가꾸면서는 산철에도 나그넷길을 떠나지 못한 채 꼼짝을 못 했다. 밖에 볼일이 있어 잠시 방을 비울 때면 환기가 되도록 들창문을 열어 놓아야 했고, 분(盆)을 내놓은 채 나가다가 뒤미처 생각하고는 되돌아와 들여놓고 나간 적도 한두 번이 아니었다.
>
> 우리들의 소유 관념이 때로는 우리들의 눈을 멀게 한다. 그래서 자기의 분수까지도 돌볼 새 없이 들뜬다. 그러나 우리는 언젠가 한 번은 빈손으로 돌아갈 것이다. 내 이 육신마저 버리고 훌훌히 떠나갈 것이다. 하고많은 물량일지라도 우리를 어떻게 하지 못할 것이다.
>
> 크게 버리는 사람만이 크게 얻을 수 있다는 말이 있다. 물건으로 인해 마음을 상하고 있는 사람들에게는 한번쯤 생각해 볼 말씀이다. 아무것도 갖지 않을 때 비로소 온 세상을 갖게 된다는 것은 무소유의 역리(逆理)이니까.

① 역설과 예시를 사용해 주제를 강조하고 있다.

② 전문적인 지식을 통해 논증을 뒷받침하고 있다.

③ 난초를 의인화하여 소유의 가치를 깨우치고 있다.

④ 단호한 어조로 독자의 반성을 촉구하고 있다.

08

다음 글에 대한 설명으로 옳지 않은 것은?

> 내가 어려서 최초로 대면한 중국 음식이 자장면이고 (자장면이 정말 중국의 전통적인 음식인지 어떤지는 따지지 말자.), 내가 맨 처음 가 본 내 고향의 중국집이 그런 집이고, 이따금 흑설탕을 한 봉지씩 싸 주며 "이거 먹어해, 헤헤헤." 하던 그 집주인이 그런 사람이어서, 나는 중국 음식이라면 우선 자장면을 생각했고 중국집이나 중국 사람은 다 그런 줄로만 알고 컸다. 〈중 략〉
>
> 그러나 적어도 우리 동네와 내 직장 근처에만은 좁고 깨끗하지 못한 중국집과 내 어리던 날의 그 장궤(掌櫃) 같은 뚱뚱한 주인이 오래오래 몇만 남아 있었으면 한다.
>
> — 정진권, '자장면' 중에서

① 일상적인 소재를 통해 추억을 회상하고 있다.

② 기억을 중심으로 편안하게 경험을 서술하고 있다.

③ 대상의 소박함과 정겨움을 중심으로 서술하고 있다.

④ 대상을 의인화하여 바람직한 삶의 자세를 이끌어 내고 있다.

09

다음 소설에서 사용된 문체의 특징에 대한 설명으로 가장 적절하지 않은 것은?

> 고향집에 돌아와서 농사를 한번 지어 보는디, 뼈에 붙은 농사일이 서툰 사람 먼저 알고 사흘거리 잔상처요 닷새마다 몸살이라, 지게 지면 뒤뚱뒤뚱 지게목발 따로 놀고, 삽질이며 괭이질에 도리깨질 쟁기질이 어느 하나 고분고분 손에 붙는 일이 없다. 힘 쓰기는 더 쓰는디 쓰는 힘 헛돌아서, 연장도구 부셔먹고 논밭 두렁 무너지고, 제 몸뚱이 다 치기에 넘 몸뚱이 겁주기라… 뼈빠지게 일한다고 뼈빠진 값 다 받을까. 하루 저녁 비바람에 일년 농사 다 망친다.
>
> — 서정인, '달궁'

① 4·4조의 율격은 판소리에서 고도로 구사되는 것으로, 위의 소설은 판소리 문체를 현대적으로 수용하고 있다.

② 3음보격의 반복적인 사용으로 민요적인 느낌을 주며 향토적인 정서를 환기한다.

③ 판소리의 사설과 닮아 있으며 전통적인 정서를 환기시킨다.

④ 사투리를 적절하게 사용하여 민중적 성격을 드러내고 있다.

10

다음 글이 독자에게 웃음을 유발하는 이유를 바르게 설명한 것은?

> 개의 몸에 기생하는 진드기가 있다. 미친 듯이 제 몸을 긁어 대는 개를 붙잡아서 털 속을 헤쳐 보라. 진드기는 머리를 개의 연한 살에 박고 피를 빨아 먹고 산다. 머리와 가슴이 붙어 있는데 어디까지가 배인지 꼬리인지도 분명치 않다. 수컷의 몸길이는 2.5밀리미터, 암컷은 7.5밀리미터쯤으로 핀셋으로 살살 집어내지 않으면 몸이 끊어져 버린다.
>
> 한번 박은 진드기의 머리는 돌아 나올 줄 모른다. 죽어도 안으로 파고들다가 죽는다. 나는 그 광경을 '몰두(沒頭)'라고 부르려 한다.
>
> — 성석제, '몰두' 중에서

① 소리는 같지만 뜻은 전혀 다른 두 단어를 의도적으로 혼란스럽게 섞어 사용해서

② 일반적으로 예상되는 사건 대신 아주 엉뚱한 사건을 전개해서

③ 묘사하는 대상의 우스꽝스러운 생태를 충분한 거리를 유지한 채 객관적으로 전달해서

④ 어떤 단어를 보통 쓰이는 의미 대신 글자 그대로의 의미로 짐짓 받아들여서

07

난이도 ★★☆

해설 ① 제시된 작품은 역설과 예시를 사용하여 '무소유의 원리'라는 주제를 강조하고 있다.
- 역설: '크게 버리는 사람만이 크게 얻을 수 있다는 말이 있다', '아무것도 갖지 않을 때 비로소 온 세상을 갖게 된다는 것' (3문단)
- 예시: 난초에 집착했던 자신의 이야기 (1문단)

오답 분석 ②③ 전문적인 지식이 드러나거나 난초를 의인화한 부분은 제시된 작품에 나타나지 않는다.

④ 제시된 작품은 단호한 어조를 사용하고 있지 않으며, 독자의 반성을 촉구하고 있지도 않다.

이것도 알면 합격

법정, '무소유'의 주제와 특징을 알아두자.

1. 주제
   무소유를 통해 누릴 수 있는 진정한 자유

2. 특징
   - 작가의 체험을 토대로 하여, 인간의 괴로움은 집착과 소유욕에서 비롯된다는 점을 나타냄
   - 주제가 형이상학적이고 다소 받아들이기 어려운 이치임에도 불구하고 강한 설득력을 지님
   - '크게 버리는 사람만이 크게 얻을 수 있다'라는 역설을 통해, 작가 자신의 인생관을 함축적으로 표현하는 동시에 모든 이에게 통용되는 인생의 진리를 제시함

08

난이도 ★☆☆

해설 ④ 대상을 의인화한 부분은 나타나지 않으며, 또한 바람직한 삶의 자세를 이끌어 내고 있지도 않다.

오답 분석 ① 일상적인 소재인 '자장면'을 통해 어릴 적 추억을 회상하고 있다.

② 어릴 적 기억을 중심으로 '자장면'에 얽힌 경험을 서술하고 있다.

③ 필자는 중심 소재인 '자장면'과 '좁고 깨끗하지 못한 중국집과 내 어리던 날의 그 장궤(掌櫃, 궤짝) 같은 뚱뚱한 주인'을 소박하고 정겨운 대상으로 기억하고 이를 중심으로 서술하고 있다.

09

난이도 ★☆☆

해설 ② 제시된 작품은 4음보 율격을 사용하여 민요적 느낌을 주고 향토적인 정서를 환기하고 있다. 따라서 3음보격을 반복적으로 사용하였다는 ②의 설명은 적절하지 않다.

예 연장도구 / 부셔먹고 / 논밭 두렁 / 무너지고
　　　1　　　　2　　　　3　　　　4

오답 분석 ① 제시된 작품은 판소리의 특징인 4·4조 율격을 현대적으로 수용한 소설이다.

예 뼈에 붙은 (4) / 농사일이 (4) / 서툰 사람 (4) / 먼저 알고 (4) / 사플거리 (4) / 잔상처요 (4) / 닷새마다 (4) / 몸살이라 (4)

③ 문체가 판소리 사설과 유사하며, '고향집, 농사일, 지게, 삽질, 괭이질, 도리깨질, 쟁기질' 등 고향 및 농사와 관련된 어휘를 사용해서 전통적인 정서를 환기하고 있다.

④ '농사를 한번 지어 보는디, 힘 쓰기는 더 쓰는디' 등의 사투리를 통해서 민중적 성격을 드러내고 있다.

10

난이도 ★★☆

해설 ④ '몰두(沒頭: 빠질 몰, 머리 두)'는 보통 '어떤 일에 온 정신을 다 기울여 열중함'이라는 의미로 쓰인다. 그러나 필자는 진드기가 개의 연한 살에 머리를 박고 파고들다가 죽는 광경을 보고, '몰두'를 일부러 글자 그대로의 의미인 '머리가 빠지다'로 표현하여 독자의 웃음을 유발하고 있다. 따라서 제시문이 웃음을 유발하는 이유로 가장 적절한 것은 ④이다.

오답 분석 ① 제시문에서 '몰두'와 동음이의 관계의 단어는 드러나지 않으므로, 두 단어를 혼란스럽게 섞어 사용했다는 설명은 옳지 않다.

② 예상에 빗나가는 사건을 전개한 부분은 제시문에 드러나지 않는다.

③ 진드기의 모습을 객관적으로 묘사한 것은 맞지만, 필자가 개의 살에 파고드는 진드기의 생태를 우스꽝스럽게 표현한 것은 아니다.

11

[2016년 지방직 9급]

두 사람의 대화에 대한 설명으로 적절한 것은?

> "저어기, 개천에서 올라오는 저 사람이 인제 어딜 가는 지 알아내시겠에요?"
>
> "어디, 누구?"
>
> "저거, 땅꾼 아니냐?"
>
> "땅꾼요?"
>
> "거지 대장 말야."
>
> "저건 둘째 대장예요. 근데 지금 어딜 가는지 아시겠에요?"
>
> "인석, 그걸 내가 으떻게 아니?"
>
> 그러면 소년은 가장 자랑스러이,
>
> "인제 보세요. 저어 다리께 가게루 갈 테니."
>
> "어디……. 참, 딴은 가게로 들어가는구나. 저놈이 담밸 사러 갔을까?"
>
> "아무것두 안 사구 그냥 나올 테니 보세요. 자아, 다시 돌쳐서서 이쪽으로 오죠?"
>
> "그래 인젠 저놈이 어딜 가누."
>
> "인제, 개천가 선술집으루 들어갈 테니 보세요."
>
> "어디……. 참, 딴은 술집으루 들어가는구나. 그래두 저놈이 가게서 뭐든지 샀겠지, 그냥 거긴 갔다 올 까닭이 있나?"
>
> "왜 들어가는지 아르켜 드릴까요? 저 사람이, 곧잘, 다리 밑으루 들어가서, 게서, 거지들한테 돈을 십 전이구 이십 전이구, 얻어 갖거든요. 그래 그걸루 술두 사 먹구, 밥두 사 먹구 허는데, 그게 거지들이 동냥해 들인 거니, 이십 전이구, 삼십 전이구 간에, 모두 동전 한 푼짜릴 거 아녜요? 근데 저 사람이 동전 가지군 절대 술집엘 안 들어가거든요. 그래 은제든지 꼭 가게루 가서 그걸 모두 십 전짜리루 바꿔달래서……."
>
> — 박태원, '천변풍경' 중에서

① 두 사람의 관심사가 달라서 대화가 지속되지 못하고 있다.

② 한 사람이 대화를 주도하면서 상대방의 관심을 끌어들이고 있다.

③ 상대방의 질문에 답하는 가운데 현실의 문제점을 확인하고 있다.

④ 서로 간의 의견 차이를 조정하면서 절충점을 찾아내고 있다.

12

[2015년 사회복지직 9급]

다음 글에 대한 설명으로 적절한 것은?

> "그래 일인들이 죄다 내놓구 가는 것을, 백성들더러 돈을 내구 사라구 마련을 했다면서?"
>
> "아직 자세힌 모르겠어두, 아마 그렇게 되기가 쉬우리라구들 하드군요."
>
> 해방 후에 새로 난 구장의 대답이었다.
>
> "그런 놈의 법이 어딨단 말인가? 그래, 누가 그렇게 마련을 했는구?"
>
> "나라에서 그랬을 테죠."
>
> "나라?"
>
> "우리 조선 나라요."
>
> "나라가 다 무어 말라비틀어진 거야? 나라 명색이 내게 무얼 해 준 게 있길래, 이번엔 일인이 내놓구 가는 내 땅을 저이가 팔아먹으려구 들어? 그게 나라야?"
>
> "일인의 재산이 우리 조선 나라 재산이 되는 거야 당연한 일이죠."
>
> "당연?"
>
> "그렇죠."
>
> "흥, 가만 뒤두면 저절루 백성의 것이 될 걸 나라 명색은 가만히 앉었다 어디서 툭 튀어나와 가지구, 걸 뺏어서 팔아먹어? 그따위 행사가 어딨다든가?"
>
> "한 생원은, 그 논이랑 멧갓이랑 길천이한테 돈을 받구 파셨으니깐 임자로 말하면 길천이지 한 생원인가요?"
>
> "암만 팔았어두, 길천이가 내놓구 쫓겨 갔은깐, 도루 내 것이 돼야 옳지, 무슨 말야. 걸, 무슨 탁에 나라가 뺏을 영으루 들어?"
>
> "한 생원한테 뺏는 게 아니라, 길천이한테 뺏는 거랍니다."

① 독백과 대화를 혼용하여 이야기를 이끌어가고 있다.

② 서술자가 인물의 성격을 직접적으로 평가하고 있다.

③ 특정한 단어를 활용하여 시대적 배경을 나타내고 있다.

④ 작가는 국민의 도덕성과 국가의 비도덕성을 대조하여 보여 준다.

13

[2015년 사회복지직 9급]

다음 글에 대한 설명으로 적절하지 않은 것은?

> 부인이 울며 말하기를,
> "나는 죽어 귀히 되어 인간 생각 아득하다. 너의 아버지 너를 키워 서로 의지하였다가 너조차 이별하니 너 오던 날 그 모습이 오죽하랴. 내가 너를 보니 반가운 마음이야 너의 아버지 너를 잃은 설움에다 비길쏘냐? 너의 아버지 가난에 절어 그 모습이 어떠하며 아마도 많이 늙었겠구나. 그간 수십 년에 재혼이나 하였으며, 뒷마을 귀 덕 어미 네게 극진하지 않더냐."
> 얼굴도 대어 보고 손발도 만져 보며,
> "귀와 목이 희니 너의 아버지 같기도 하다. 손과 발이 고운 것은 어찌 아니 내 딸이랴. 내 끼던 옥지환도 네가 지금 가졌으며, '수복강녕', '태평안락' 양편에 새긴 돈 붉은 주머니 청홍당사 벌매듭도, 애고, 네가 찼구나. 아버지 이별하고 어미를 다시 보니 두 가지 다 온전하기 어려운 건 인간 고락이라. 그러나 오늘 나를 다시 이별하고 너의 아버지를 다시 만날 줄을 네가 어찌 알겠느냐?"

① 과거 회상을 통하여 작중 인물 간의 갈등을 표출한다.
② 작중 인물의 말에서 사건의 비현실성이 드러난다.
③ 설의법을 활용하여 내면의 심경을 토로하고 있다.
④ 모녀 관계에 대한 부인의 자기 확신이 분명하게 드러난다.

11

난이도 ★☆☆

해설 ② 제시된 대화에서 대화를 시작한 '소년'이 질문을 통해 대화를 주도하면서 상대방의 관심을 끌어들이고 있으므로 답은 ②이다.

오답분석 ① 두 사람의 관심사가 다른지는 확인할 수 없다.
③ 상대방의 질문에 답을 하고 있지만, 현실의 문제점이 드러나지는 않는다.
④ 서로 간의 의견 차이는 나타나지 않으며, 절충점 역시 나타나지 않는다.

12

난이도 ★★☆

해설 ③ 5번째 줄의 '해방 후'라는 단어를 통해, 제시된 작품 속 시대적 배경이 광복 직후임을 알 수 있다. 따라서 설명이 적절한 것은 ③이다.

오답분석 ① 인물의 독백은 드러나지 않고, 한 생원과 구장의 대화로만 이야기를 이끌어가고 있다.
② 인물의 성격에 대한 서술자의 직접적 평가는 드러나지 않고, 인물 간의 대화 내용을 통해 간접적으로 성격을 짐작할 수 있다.
④ 제시된 작품에서 국민과 국가는 모두 비도덕적으로 나타난다.
　• **국민(한 생원):** 일제가 망하자 본인이 돈을 받고 팔았던 땅을 다시 차지하려 하며, 이것이 실패하자 국가를 원망하고 부정함
　• **국가:** 광복 이후 불합리한 토지 정책을 시행함

13

난이도 ★★☆

해설 ① 제시된 작품에서 과거 회상이나 인물 간의 갈등은 나타나지 않으므로 답은 ①이다. 참고로, 제시된 부분은 '심청전'에서 심청이 죽은 자신의 모친과 상봉하는 장면이다.

오답분석 ② 부인의 말을 통해 부인이 죽은 사람임을 알 수 있으며 사건의 비현실성이 나타난다.
[관련 부분] 나는 죽어 귀히 되어 인간 생각 아득하다.
③ 2~5번째 줄에서 설의법을 활용하여, '너(심청)'와 이별하여 슬퍼하고 있을 '너의 아버지(심 봉사)'를 걱정하는 부인의 심경을 드러내고 있다.
[관련 부분] 너의 아버지 너를 키워 서로 의지하였다가 너조차 이별하니 너 오던 날 그 모습이 오죽하랴. 내가 너를 보니 반가운 마음이야 너의 아버지 너를 잃은 설움에다 비길쏘냐?
④ 부인의 두 번째 말에서 부인은 '너(심청)'가 자신의 딸인 것을 확신하고 있다.
[관련 부분] 손과 발이 고운 것은 어찌 아니 내 딸이랴.

14 [2015년 기상직 9급]

다음 글에 대한 설명으로 적절하지 않은 것은?

> 회사정에서 다행히 대인(大人)을 만나고, 늙은 재상은 옥문관으로 귀양을 가다.
>
> 각설. 이때 충렬은 모친을 잃고 물에 빠져 살길이 없었다. 그러다가 문득 두 발이 닿아 자세히 살펴보니 물속의 큰 바위였다. 그 위에 올라앉아 하늘을 우러러 어미를 찾았으나 간 데 없고, 사방을 돌아보니 푸른 산이 은은하고 다만 물새 소리만 들릴 뿐이었다. 강가에서 수많은 원숭이들이 밤늦도록 슬피 우니, 충렬이 통곡하며 바위 위에 서 있더라.
>
> 이때 남경의 장사꾼들이 재물을 많이 싣고 북경으로 가면서 회수에 배를 띄워 놓고 두둥실 중류로 내려가는데, 처량한 울음소리가 바람을 타고 들려오는지라. 뱃사람들이 이상하게 생각하여 배를 바삐 저어 우는 곳을 찾아가니, 과연 한 동자 물에 서서 슬피 울고 있었다. 급히 건져 배 안에 올려놓고 사연을 물으니, "해상에서 수적을 만나 어미를 잃고 웁니다." 하는지라. 뱃사람들이 슬픔에 젖어서 충렬을 물가에 내려놓고 가고 싶은 대로 가라고 한 후 배를 띄워 북경으로 향하더라.
>
> 충렬은 뱃사람들과 이별하고 정처 없이 다니었다. 이 마을 저 마을을 돌아다니면서 구걸하여 먹고, 아무 데서나 빌어서 잠을 자곤 했다. 아침에는 동쪽에 있고 저녁에는 서쪽에 있으니 가을바람에 흩날리는 낙엽이요, 오가는 데 종적이 없으니 푸른 하늘을 떠다니는 뜬구름이었다. 얼굴이 비쩍 말라 죽은 사람 같고 차림새가 말이 아니었다. 가슴 속의 대장성은 때 속에 묻혀 있고 등 위의 삼태성은 헌 옷 속에 묻혔으니, 활달한 기남자(奇男子)가 도리어 걸인이 되었구나. 담장만 쌓던 부열(傅說)이도 은(殷)나라 고종인 무정(武丁)을 만났고, 밭만 갈던 이윤(伊尹)도 은나라 왕인 성탕(成湯)을 만났으며, 위수(渭水)의 여상(呂尙)도 주(周)나라의 문왕(文王)을 만났는데, 세월은 물같이 흘러가서 충렬의 나이도 어느덧 열네 살이 되었더라.

① 편집자적 논평을 통해 주인공의 심리를 직접 제시하고 있다.
② 사건을 빠른 속도로 서술하여 요약적으로 제시하고 있다.
③ 고전 소설의 우연적 성격을 엿볼 수 있는 부분이 있다.
④ 회장체 소설 형식을 취하고 있다.

15 [2014년 국가직 9급]

다음 작품에 대한 설명으로 가장 적절한 것은?

> 그 녀석은 박 씨 앞에 삿대질을 하듯이 또 거센 소리를 질렀다. 검초록색 잠바에 통이 좁은 깜장색 바지 차림의 서른 남짓 되어 보이는 사내였다. 짧게 깎은 앞머리가 가지런히 일어서 있고 손에는 올이 굵은 깜장 모자를 들었다. 칼칼하게 야윈 몸매지만 서슬이 선 눈매를 지녔고, 하관이 빠르고 얼굴색도 까무잡잡하다. 앞니에 금니 두 개를 해 박았다. 구두가 인상적으로 써늘하게 생겼다. 구둣방에 진열되어 있는 구두는 구두에 불과하지만 일단 사람의 발에 신기면 구두도 그 주인의 위인과 더불어 주인을 닮아 가게 마련이다. 끝이 뾰족하고 반들반들 윤기를 내고 있다.
>
> 헤프고, 사근사근하고, 무르고, 게다가 병역 기피자인 박 씨는 대번에 꺼칠한 얼굴이 되었다. 처음부터 나오는 것이 예사 손님 같지는 않다.
>
> "글쎄, 앉으십쇼. 빨리 해 드릴 테니."
> "얼마나 빨리 되어? 몇 분에 될 수 있소?"
> "허어, 이 양반이 참 급하기도."
> "뭐? 이 양반? 얻다 대구 반말이야? 말조심해."
>
> 앉았던 손님 두엇이 거울 속에서 힐끗 쳐다보았다. 그리고 거울 속에서 눈길이 부딪힐 듯하자 급하게 외면을 하였다. 세발대의 두 소년도 우르르 머리들을 이편으로 내밀고 구경을 하고 손이 빈 민 씨와 김 씨도 구석 쪽 빈 이발 의자에 앉아 묵은 신문을 보다가 말고 몸체만을 엉거주춤히 돌렸다.
>
> — 이호철, '1965년, 어느 이발소에서' 중에서

① 개인과 사회의 갈등을 중심으로 사건이 전개되고 있다.
② 외모와 말투를 통해서 등장인물의 성격이 드러나고 있다.
③ 초점이 되는 인물의 내면 심리를 중심으로 서술되고 있다.
④ 등장인물 중의 하나인 서술자가 자신의 관점에서 상황을 서술하고 있다.

16

다음 글에 대한 설명으로 가장 적절한 것은?

> 진주, 산호, 비취, 청옥, 백옥, 밀화의 구슬들이 일렁거리는 촛불 빛을 받아 오색의 빛을 찬연하게 뿜는다.
>
> 금방이라도 좌르르 소리를 내며 쏟아질 것처럼 소담한 구슬 무더기가 꽃밭이라도 되는가. 실낱같이 가냘픈 가지 끝에서 청강석나비가 날개를 하염없이 떨고 있다.
>
> 큰 비녀를 감으며 양 어깨 위로 드리워져 가슴으로 흘러내린 고운 검자주 비단 앞 댕기도 보이지 않게 떨리고 있다.
>
> 앞 댕기에 물려진 금박과 진주, 산호 구슬들이 파르르 빛을 떤다.
>
> 마당을 가득 채우며 넘치던 웃음소리, 부산한 발자국 소리, 그리고 사랑에서 간간이 터지던 홍소의 소리들도 이제는 잠잠하다.
>
> 온 집안을 뒤덮던 음식 냄새조차도 싸늘한 밤공기에 씻기운 듯 어느 결에 차갑게 가라앉아 있다.
>
> 점봉이네가 부엌 바라지를 걸어 잠그는 삐이거억 소리가 난 것도 벌써 한참 전의 일이다.
>
> 밤이 깊을 대로 깊은 모양이다.
>
> 그러나 방 안의 두 사람은 아직도 말이 없다.
>
>   - 최명희, '혼불' 중에서

① 여주인공의 당당함을 드러내기 위해 사물들을 구체적으로 묘사하고 있다.

② 서사 시간의 흐름을 지연하는 서술자의 감정 이입이 강하게 나타나 있다.

③ 서술자가 관찰한 사실을 감각적으로 묘사하면서 담담하게 서술하고 있다.

④ 간결한 문체를 사용하여 서사 정보를 보다 명확하게 보여준다.

14

난이도 ★☆☆

해설 ① '활달한 기남자(奇男子)가 도리어 걸인이 되었구나'에서 충렬의 신세를 안타까워하는 서술자의 시각이 편집자적 논평을 통해 드러난다. 그러나 이를 통해 주인공의 심리를 직접적으로 제시하고 있지는 않으므로 설명으로 적절하지 않은 것은 ①이다.

오답분석 ② 충렬이 모친을 잃고 나서 떠돌다가 열네 살이 되기까지의 과정이 요약적으로 전개되고 있다.

③ 물에 빠진 충렬이 뱃사람들을 만나 구출되는 과정이 우연적으로 제시되어 있다.

④ '회장체 소설'은 여러 회(回)나 장(章)으로 나누어 내용을 구성하는 소설을 의미한다. 글의 처음에 '회사정에서 다행히 대인(大人)을 만나고, 늙은 재상은 옥문관으로 귀양을 가다'라는 소제목이 붙어 있는 것으로 보아, 제시된 작품이 회장체 소설임을 알 수 있다.

15

난이도 ★★☆

해설 ② '사내(그 녀석)'의 외모와 그의 말투를 통해 사내가 거칠고 험악한 성격의 사람임이 간접적으로 드러나 있다. 따라서 ②는 적절한 설명이다.

오답분석 ① 개인(박 씨)과 개인(사내)의 갈등을 중심으로 사건이 전개되고 있다.

③ 초점이 되는 인물인 '사내'의 외양 묘사와 행동을 중심으로 서술되고 있다.

④ 작품 밖의 서술자가 내용을 전개하는 전지적 작가 시점의 작품이다.

16

난이도 ★☆☆

해설 ③ 서술자는 다양한 심상을 사용하여 관찰한 바를 감각적이고 담담하게 묘사하고 있으므로 답은 ③이다.

- **시각적 심상**: 신부의 모습 묘사
- **청각적 심상**: 웃음소리, 발자국 소리, 홍소의 소리, 삐이거억 소리
- **공감각적 심상(후각의 촉각화)**: 온 집 안을 뒤덮던 음식 냄새조차도 싸늘한 밤공기에 씻기운 듯 어느 결에 차갑게 가라앉아 있다.

오답분석 ① 첫날밤 신부의 모습과 밤의 풍경이 구체적으로 묘사되어 있으나, 여주인공의 당당함은 드러나지 않는다. 오히려 신부가 착용하고 있는 족두리의 청강석나비와 댕기가 떨리고 있는 것으로 보아, 여주인공이 긴장하였음을 알 수 있다.

② 서술자의 감정 이입은 나타나지 않는다.

④ 신부의 모습을 묘사한 부분에 길고 장황한 문장이 나타난다.

01

[2021년 지방직 9급]

(가)에 들어갈 한자 성어로 적절한 것은?

> "집안 내력을 알고 보믄 동기간이나 진배없고, 성환이도 이자는 대학생이 됐으니께 상의도 오빠겉이 그렇게 알아라."
>
> 하고 장씨 아저씨는 말하는 것이었다. 그러나 상의는 처음 만났을 때도 그랬지만 두 번째도 거부감을 느꼈다. 사람한테 거부감을 느꼈기보다 제복에 거부감을 느꼈는지 모른다. 학교규칙이나 사회의 눈이 두려웠는지 모른다. 어쨌거나 그들은 청춘남녀였으니까. 호야 할매 입에서도 성환의 이름이 나오기론 이번이 처음이 아니었다.
>
> "   (가)   , 손주 때문에 눈물로 세월을 보내더니, 이자는 성환이도 대학생이 되었으니 할매가 원풀이 한풀이를 다 했을 긴데 아프기는 와 아프는고, 옛말 하고 살아야 하는 긴데."
>
>   - 박경리, '토지' 중에서

① 오매불망(寤寐不忘)   ② 망운지정(望雲之情)

③ 염화미소(拈華微笑)   ④ 백아절현(伯牙絶絃)

02

[2020년 지방직 9급]

다음 글에서 의인화하고 있는 사물은?

> 姓은 楮이요, 이름은 白이요, 字는 無玷이다. 회계 사람이고, 한나라 중상시 상방령 채륜의 후손이다. 태어날 때 난초탕에 목욕하여 흰 구슬을 희롱하고 흰 띠로 꾸렸으므로 빛이 새하얗다. 〈중 략〉 성질이 본시 정결하여 武人은 좋아하지 않고 文士와 더불어 노니는데, 毛學士가 그 벗으로 매양 친하게 어울려서 비록 그 얼굴에 점을 찍어 더럽혀도 씻지 않았다.

① 대나무   ② 백옥

③ 엽전   ④ 종이

03

[2019년 서울시 9급 (6월)]

〈보기〉의 (   ) 안에 들어갈 가장 알맞은 말을 차례로 나열한 것은?

> ─────〈보기〉─────
>
> 지난여름 작가 회의에서 북한 동포 돕기 시 낭송회를 한 적이 있다. 시인들만 참석하는 줄 알았더니 각계 원로들도 자기가 평소에 애송하던 시를 낭송하는 순서가 있다고, 나한테도 한 편 낭송해 달라고 했다. 내가 (㉠) 소리를 듣게 된 것이 당혹스러웠지만, 북한 돕기라는 데 핑계를 둘러대고 빠질 만큼 빤질빤질하지는 못했나 보다. 하겠다고 했다. 그러나 거역할 수 없는 명분보다 더 중요한 것은 (㉡) 아니었을까. 그 무렵 나는 김용택의 '그 여자네 집'이라는 시에 사로잡혀 있었다. 김용택은 내가 좋아하는 시인 중의 한 사람일 뿐 가장 좋아하는 시인이라고는 말 못하겠다. 마찬가지로 '그 여자네 집'이 그의 많은 시 중 빼어난 시인지 아닌지도 잘 모르겠다.

	㉠	㉡
①	원로	낭송하고 싶은 시가 있었다는 게
②	아쉬운	서로가 만족하게 될 실리가
③	시인	잠깐의 수고로 동포를 도울 수 있다는 것이
④	입에 발린	원로들에 대한 예의가

챕터별 출제 경향
(2015-2021 국가직 / 지방직 / 서울시 7·9급)

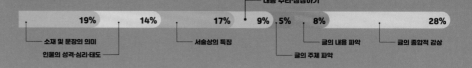

내용 추리·상상하기

19% 14% 17% 9% 5% 8% 28%

소재 및 문장의 의미
인물의 성격·심리·태도
서술상의 특징
글의 주제 파악
글의 내용 파악
글의 종합적 감상

01
난이도 ★★☆

해설 ① (가)의 뒤에서 '호야 할매'는 손주인 성환이를 생각하며 눈물로 세월을 보냈으나, 성환이가 대학생이 되어 이제는 원과 한을 다 풀어냈다고 말한다. 따라서 (가)에 들어갈 한자 성어로 가장 적절한 것은 ① '오매불망(寤寐不忘)'이다.
- 오매불망(寤寐不忘): 자나 깨나 잊지 못하여

오답분석 ② 망운지정(望雲之情): 자식이 객지에서 고향에 계신 어버이를 생각하는 마음

③ 염화미소(拈華微笑): 말로 통하지 않고 마음에서 마음으로 전하는 일

④ 백아절현(伯牙絶絃): 자기를 알아주는 참다운 벗의 죽음을 슬퍼함

02
난이도 ★★☆

해설 ④ 제시된 작품에 등장하는 인물의 성이 '楮(닥나무 저)'고 이름이 '白(흰 백)'이라는 점과 무인(武人)보다 문사(文士)와 가까웠으며 붓을 의미하는 '毛學士(모학사)'가 친한 벗이라는 점을 통해 '종이'를 의인화한 것임을 알 수 있다. 참고로, 인물의 출신지가 최초의 종이 생산지로 알려진 '회계'이며, 종이를 발명한 사람인 '채륜'의 후손이라는 점을 통해서도 알 수 있다.

이것도 알면 합격
이첨, '저생전'에 대해 알아두자.
1. 주제: 선비로서의 올바른 삶
2. 구성: '가계-행적-논평'의 3단 구성
3. 특징
- 종이를 의인화한 가전체 문학
- 종이의 용도와 내력을 통시적으로 기술함

03
난이도 ★★☆

해설 ① ㉠과 ㉡에는 각각 '원로, 낭송하고 싶은 시가 있었다는 게'가 순서대로 들어가야 하므로 답은 ①이다.
- ㉠: 2~4번째 줄을 통해 시를 낭송해 달라는 요청을 받은 이유는 '나'가 '원로'이기 때문임을 알 수 있다.
[관련 부분] 각계 원로들도 자기가 평소에 애송하던 시를 낭송하는 순서가 있다고, 나한테도 한 편 낭송해 달라고 했다.
- ㉡: 끝에서 4~5번째 줄을 통해 내가 시 낭송 요청을 받아들인 이유는 낭송하고 싶은 시가 있었기 때문임을 알 수 있다.
[관련 부분] 그 무렵 나는 김용택의 '그 여자네 집'이라는 시에 사로잡혀 있었다.

04

〈보기〉의 ㉠ ~ ㉢에 들어갈 말로 가장 옳은 것은?

――――――――〈보기〉――――――――

　　예배당에 가서 찬미하고 기도하다가 기도하는 중간에 갑자기 나는 '혹시 아저씨도 예배당에 오지 않았나' 하는 생각이 나서 눈을 뜨고 고개를 들어 남자석을 바라보았습니다. (㉠) 하, 바로 거기에 아저씨가 와 앉아 있겠지요. (㉡) 아저씨는 어른이면서도 눈 감고 기도하지 않고 우리 아이들처럼 눈을 번히 뜨고 여기저기 두리번두리번 바라봅니다. 나는 얼른 아저씨를 알아보았는데 아저씨는 나를 못 알아보았는지 내가 빙그레 웃어 보여도 웃지도 않고 멀거니 보고만 있겠지요. (㉢) 나는 손을 흔들었지요. (㉣) 아저씨는 얼른 고개를 숙이고 말더군요.

	㉠	㉡	㉢	㉣
①	그런데	그랬더니	그래	그러니까
②	그런데	그래	그랬더니	그러니까
③	그랬더니	그런데	그래	그러니까
④	그랬더니	그런데	그러니까	그래

05

다음 〈보기〉의 글 다음에 나올 내용으로 가장 적절한 것은?

――――――――〈보기〉――――――――

　　재작년이던가 여름날에 있었던 일이다. 날씨가 화창하여 밀린 빨래를 해치웠다. 성미가 비교적 급한 나는 빨래를 하더라도 그날로 풀을 먹여 다려야지 그렇지 않으면 찜찜해서 심기가 홀가분하지 않다. 그날도 여름 옷가지를 빨아 다리고 나서 노곤해진 몸으로 마루에 누워 쉬려던 참이었다. 팔베개를 하고 누워서 서까래 끝에 열린 하늘을 무심히 바라보고 있었다. 그러다가 모로 돌아누워 산봉우리에 눈을 주었다. 갑자기 산이 달리 보였다. 하, 이것 봐라 하고 나는 벌떡 일어나, 이번에는 가랑이 사이로 산을 내다보았다. 우리들이 어린 시절 동무들과 어울려 놀이를 하던 그런 모습으로.

① 자연 속에서 무소유의 교훈을 찾아야 한다.
② 성실한 삶의 자세를 가져야 한다.
③ 종교적 의지를 통해 현실을 초월해야 한다.
④ 틀에 박힌 고정관념을 극복해야 한다.

06

㉠ ~ ㉣을 사건의 시간 순서에 따라 가장 적절하게 배열한 것은?

　　잔을 씻어 다시 술을 부으려 하는데 ㉠갑자기 석양에 막대기 던지는 소리가 나거늘 괴이하게 여겨 생각하되, '어떤 사람이 올라오는고.' 하였다. 이윽고 한 중이 오는데 눈썹이 길고 눈이 맑고 얼굴이 특이하더라. 엄숙하게 자리에 이르러 승상을 보고 예하여 왈,

　　"산야(山野) 사람이 대승상께 인사를 드리나이다."

　　승상이 이인(異人)인 줄 알고 황망히 답례하여 왈,

　　"사부는 어디에서 오신고?"

　　중이 웃으며 왈,

　　"평생의 낯익은 사람을 몰라보시니 귀인이 잘 잊는다는 말이 옳도소이다."

　　승상이 자세히 보니 과연 낯이 익은 듯하거늘 문득 깨달아 능파 낭자를 돌아보며 왈,

　　"소유가 전에 토번을 정벌할 때 꿈에 동정 용궁에 가서 잔치하고 돌아오는 길에 남악에 가서 놀았는데 한 화상이 법좌에 앉아서 불경을 강론하더니 노부께서 바로 그 노화상이냐?"

　　중이 박장대소하고 말하되,

　　"옳다. 옳다. 비록 옳지만 ㉡꿈속에서 잠깐 만나본 일은 생각하고 ㉢십 년을 같이 살던 일은 알지 못하니 누가 양 장원을 총명하다 하더뇨?"

　　승상이 어리둥절하여 말하되,

　　"소유가 ㉣열대여섯 살 전에는 부모 슬하를 떠나지 않았고, 열여섯에 급제하여 줄곧 벼슬을 하였으니 동으로 연국에 사신을 갔고 서로 토번을 정벌한 것 외에는 일찍이 서울을 떠나지 않았으니 언제 사부와 십 년을 함께 살았으리오?"

　　중이 웃으며 왈,

　　"상공이 아직 춘몽에서 깨어나지 못하였도소이다."

　　승상이 왈,

　　"사부는 어떻게 하면 소유를 춘몽에게 깨게 하리오?"

　　중이 왈,

　　"어렵지 않으니이다."

　　하고 손 가운데 돌 지팡이를 들어 난간을 두어 번 치니 갑자기 사방 산골짜기에서 구름이 일어나 누대 위에 쌓여 지척을 분변하지 못했다. 승상이 정신이 아득하여 마치 꿈에 취한 듯하더니 한참 만에 소리 질러 말하되,

　　"사부는 어찌 소유를 정도로 인도하지 않고 환술(幻術)로 희롱하느뇨?"

　　대답을 듣기도 전에 구름이 날아가니 중은 간 곳이 없고 좌우를 돌아보니 여덟 낭자 또한 간 곳이 없는지라.

- 김만중, '구운몽'

①㉠ → ㉢ → ㉣ → ㉡　　②㉠ → ㉣ → ㉢ → ㉡

③㉢ → ㉣ → ㉡ → ㉠　　④㉣ → ㉢ → ㉡ → ㉠

04

난이도 ★★☆

애설 ③ 괄호 안에 들어갈 접속어는 순서대로 '그랬더니 – 그런데 – 그래 – 그러니까'이므로 답은 ③이다.

- ⊙: ⊙의 앞은 '나'는 아저씨가 예배당에 왔는지 기대하며 남자석을 바라보는 장면이고, ⊙의 뒤는 '나'의 기대대로 아저씨가 예배당에 앉아 있는 내용이므로 ⊙은 과거의 사태나 행동에 뒤이어 일어난 상황을 연결해주는 '그랬더니'가 들어가는 것이 적절하다.
- ⓛ: ⓛ의 앞에서 아저씨가 '나'의 기대대로 예배당에 왔음을 언급하였으나, ⓛ의 뒤에서 아저씨가 어른이면서도 아이들처럼 두리번두리번하는 것을 언급하였으므로 ⓛ에는 화제를 앞의 내용과 관련시키면서 다른 방향으로 이끄는 '그런데'가 들어가는 것이 적절하다.
- ⓒ: ⓒ의 앞에서 아저씨가 '나'를 알아보지 못하고 있고, ⓒ의 뒤에서 '나'는 '나'를 알아보지 못하는 아저씨가 '나'를 알아볼 수 있도록 손을 흔들고 있으므로 ⓒ에는 앞의 내용이 뒤의 내용의 원인일 때 쓰이는 '그리하여'의 준말 '그래'가 들어가는 것이 적절하다.
- ⓔ: ⓔ의 앞에서 '나'는 아저씨를 향해 손을 흔들고 있고, ⓔ의 뒤에서 아저씨는 그것을 확인하고 고개를 숙이는 반응을 보이고 있으므로 ⓔ에는 앞의 내용이 뒤의 내용의 이유나 근거가 될 때 쓰이는 '그러니까'가 들어가는 것이 적절하다.

─────────────
[이것도 알면 **합격**]

주요섭, '사랑손님과 어머니'의 주제와 특징을 알아두자.

1. 주제
   - 어머니의 사랑과 이별
   - 사랑과 봉건적인 윤리관 사이의 갈등
2. 특징
   - 어린아이를 화자로 설정함으로써 인물 간 심리적 거리를 조절함
   - 인물들의 감정이 직접적으로 드러나지 않고 적절히 감추는 기법을 활용함

05

난이도 ★☆☆

애설 ④ 서술자는 모로 돌아누워 바라본 산봉우리가 평소와 다르게 보여, 자리에서 일어나 가랑이 사이로 다시 내다본다. 이와 같은 글의 흐름을 고려하면, 〈보기〉의 글 다음에는 기존의 태도나 인식을 바꾸었을 때 새로운 결과가 나타난다는 내용이 나오는 것이 자연스럽다. 따라서 답은 ④이다.

06

난이도 ★★☆

애설 ③ 제시된 작품의 ⊙~ⓔ을 사건의 시간 순서대로 옳게 배열한 것은 ③ 'ⓒ → ⓔ → ⓛ → ⊙'이다. 참고로 '구운몽'은 '현실(천상) – 꿈(지상) – 현실(천상)'의 환몽 구조로 이야기가 전개되는 특징이 있는데, 제시된 부분은 주인공이 꿈(지상)에서 깨어 현실(천상)로 돌아오게 되는 장면이다.

- ⓒ: 꿈(지상)의 세계 이전에 현실(천상)에서 겪었던 일이다.
- ⓔ: 꿈(지상)에서 벼슬을 하기 전에 겪은 일이다.
- ⓛ: 꿈(지상)에서 벼슬을 하며 토번을 정벌할 때 겪은 일이다.
- ⊙: 꿈(지상)에서 현재 일어난 일이다.

─────────────
[이것도 알면 **합격**]

김만중, '구운몽'의 줄거리를 알아두자.

승려인 '성진'은 육관 대사의 심부름으로 용궁에 갔다가 술을 마시고 팔선녀를 만나 즐거운 시간을 보낸다. 절에 돌아온 성진은 팔선녀를 그리워하며 부귀영화만 생각하다가 속세로 추방되어 '양소유'로 환생한다. 양소유는 인간 세상에서 승상이라는 지위까지 오르는 등 입신양명하고 부귀영화를 누린다. 벼슬에서 물러나 한가한 여생을 즐기던 양소유는 어느 날 문득 인생의 허무함을 느끼는데, 이때 한 중(육관 대사)이 나타나 그의 꿈을 깨운다. 꿈에서 깬 성진은 이후 자신의 잘못을 뉘우치고 불교에 귀의하여 극락세계로 들어간다.

01
[2018년 국가직 7급]

㉠에 해당하는 것과 ㉡에 해당하는 것을 문맥적 의미를 고려하여 짝지을 때 적절하지 않은 것은?

> 내 집에 당장 쓰러져 가는 행랑채가 세 칸이나 되어 할 수 없이 전부 수리하였다. 그중 두 칸은 이전 장마에 비가 새면서 기울어진 지 오래된 것을 알고도 이리저리 미루고 수리하지 못한 것이고 한 칸은 한 번 비가 새자 곧 기와를 바꿨던 것이다. 이번 수리할 때에 기울어진 지 오래였던 두 칸은 들보와 서까래들이 다 썩어서 다시 쓰지 못하게 되어 수리하는 비용도 더 들었으나, 비가 한 번 새었던 한 칸은 재목이 다 성하여 다시 썼기 때문에 비용도 덜 들었다. 나는 ㉠이 경험을 통해 ㉡깨달음을 얻었다. 이러한 것은 사람에게도 있는 일이다. 자기 과오를 알고 곧 고치지 않으면 나무가 썩어서 다시 쓰지 못하는 것과 같고, 과오를 알고 고치기를 서슴지 않으면 다시 착한 사람이 되기 어렵지 않으니 집 재목을 다시 쓰는 이로움과 같은 것이다. 다만 한 사람만이 아니라 한 나라의 정치도 또한 이와 같아서 백성의 이익을 침해하는 일이 심하여도 그럭저럭 지내고 고치지 않다가 백성이 떠나가고 나라가 위태롭게 된 뒤에는 갑자기 고치려고 해도 바로잡기가 대단히 어려우니 삼가지 않아서야 되겠는가?
>
> - 이규보, '이옥설'

	㉠	㉡
①	기와를 바꾸다	과오를 고치다
②	미루고 수리하지 않다	과오를 알고도 곧 고치지 않다
③	들보와 서까래가 다 썩다	나라를 바로잡을 방도가 없다
④	비가 새서 기울어진 상태	자기 과오

02
[2018년 지방직 7급]

다음 글의 중심 생각을 표현한 성어는?

> 내 집이 산속에 있는데 문 앞에 큰 개울이 있다. 해마다 여름철에 소낙비가 한 차례 지나가면, 개울물이 갑자기 불어 언제나 수레 소리, 말 달리는 소리, 대포 소리, 북소리를 듣게 되어 마침내 귀에 못이 박혔다. 내가 일찍이 문을 닫고 누워서 소리의 종류를 비교해 들어 보았다. 깊은 솔숲에서 솔바람 소리 이는 듯하니 이 소리는 청아하게 들린다. 산이 찢어지고 언덕이 무너지는 것 같으니 이 소리는 격분한 듯 들린다. 개구리들이 다투어 우는 듯하니 이 소리는 교만하게 들린다. 많은 축(筑)이 차례로 연주되는 것 같으니 이 소리는 성난 듯이 들린다. 번개가 치고 우레가 울리는 것 같으니 이 소리는 놀란 듯 들린다. 약한 불 센 불에 찻물이 끓는 듯하니 이 소리는 아취 있게 들린다. 거문고가 궁조(宮調)와 우조(羽調)에 맞게 연주되는 것 같으니 이 소리는 슬프게 들린다. 종이 창문에 바람이 문풍지를 울게 하는 듯하니 이 소리는 의아하게 들린다.
>
> - 박지원, '일야구도하기(一夜九渡河記)'

① 以心傳心
② 心機一轉
③ 人心不可測
④ 一切唯心造

챕터별 출제 경향
(2015~2021 국가직 / 지방직 / 서울시 7·9급)

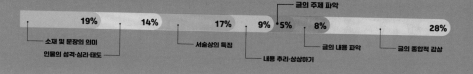

글의 주제 파악
19%   14%   17%   9% 5% 8%   28%
소재 및 문장의 의미
인물의 성격·심리·태도   서술상의 특징   글의 내용 파악
내용 추리·상상하기   글의 종합적 감상

01

난이도 ★★☆

해설 ③ 제시된 작품의 필자는 행랑채가 퇴락하여 수리하였던 개인적 경험을 통해 얻은 깨달음을 제시하고 있다. 또한 필자는 자신이 깨달은 바를 유추의 방식으로 사람과 정치에도 적용하고 있다. 이때 '들보와 서까래가 다 썩은 것'은 행랑채가 퇴락한 일에 해당하므로 ㉠'이 경험'에 적절하게 대응한다. 그러나 필자는 '나라를 바로잡기가 대단히 어렵다'라고 하였을 뿐 '나라를 바로잡을 방도가 없다'라고 말하지는 않았으므로 ㉡'깨달음'에 대응하는 내용으로 적절하지 않다.

[관련 부분] 나라가 위태롭게 된 뒤에는 갑자기 고치려고 해도 바로잡기가 대단히 어려우니 삼가지 않아서야 되겠는가?

오답 분석 ① '기와를 바꾸는 것'은 한 번 비가 새자 바로 수리했던 일을 뜻하므로 ㉠'이 경험'에, '과오를 고치는 것'은 ㉡'깨달음'에 문맥상 적절하게 대응한다.

② '미루고 수리하지 않는 것'은 수리를 미뤘던 행랑채 두 칸의 사례에 해당하므로 ㉠'이 경험'에, '과오를 알고도 곧 고치지 않는 것'은 ㉡'깨달음'에 문맥상 적절하게 대응한다.

④ '비가 새서 기울어진 상태'는 이전 장마를 통해 발생한 결과이므로 ㉠'이 경험'에, '자기 과오'는 ㉡'깨달음'에 문맥상 적절하게 대응한다.

이것도 알면 합격

이규보, '이옥설(理屋說)'의 특징을 알아두자.

1. 잘못을 먼저 알고 고쳐 나가는 자세의 중요성을 강조함

2. '경험 + 깨달음'의 2단 구성 방식을 통해 교훈을 전달함

3. 유추의 방법을 통해 내용을 전달함 (퇴락한 행랑채를 수리한 경험에서 느낀 바가 사람과 정치에도 적용됨)

02

난이도 ★★☆

해설 ④ 작가는 집 앞의 개울물 소리가 다양하게 들린다고 말함으로써 같은 소리라도 듣는 사람의 마음에 따라 다르게 느껴질 수 있음을 말하고 있다. 따라서 글의 중심 생각을 표현한 한자 성어로 적절한 것은 ④'一切唯心造(일체유심조)'이다.

• 一切唯心造(일체유심조): 모든 것은 오로지 마음이 지어내는 것임

오답 분석 ① 以心傳心(이심전심): 마음과 마음으로 서로 뜻이 통함

② 心機一轉(심기일전): 어떤 동기가 있어 이제까지 가졌던 마음가짐을 버리고 완전히 달라짐

③ 人心不可測(인심불가측): '사람의 마음은 그 깊이를 잴 수가 없다'라는 뜻으로 사람의 마음은 헤아릴 수 없다는 말

이것도 알면 합격

박지원, '일야구도하기(一夜九渡河記)'에 대해 알아두자.

1. 갈래: 한문 수필, 기행 수필

2. 주제
• 마음을 다스리는 일의 중요성
• 외물(外物)에 현혹되지 않는 자세

3. 특징
• 구체적 경험을 통해 결론을 이끌어 냄
• 치밀하고 예리한 관찰력으로 사물의 본질을 파악함

01

[2020년 국가직 9급]

다음 글에 대한 이해로 가장 적절한 것은?

> 용왕의 아들 이목(璃目)은 항상 절 옆의 작은 연못에 있으면서 남몰래 보양(寶壤) 스님의 법화(法化)를 도왔다. 문득 어느 해에 가뭄이 들어 밭의 곡식이 타들어 가자 보양 스님이 이목을 시켜 비를 내리게 하니 고을 사람들이 모두 흡족히 여겼다. 하늘의 옥황상제가 장차 하늘의 뜻을 모르고 비를 내렸다 하여 이목을 죽이려 하였다. 이목이 보양 스님에게 위급함을 아뢰자 보양 스님이 이목을 침상 밑에 숨겨 주었다. 잠시 후에 옥황상제가 보낸 천사(天使)가 뜰에 이르러 이목을 내놓으라고 하였다. 보양 스님이 뜰 앞의 배나무[梨木]를 가리키자 천사가 배나무에 벼락을 내리고 하늘로 올라갔다. 그 바람에 배나무가 꺾어졌는데 용이 쓰다듬자 곧 소생하였다(일설에는 보양 스님이 주문을 외워 살아났다고 한다). 그 나무가 근래에 땅에 쓰러지자 어떤 이가 빗장 막대기로 만들어 선법당(善法堂)과 식당에 두었다. 그 막대기에는 글귀가 새겨져 있다.
>
> - 일연, '삼국유사'

① 천사의 벼락을 맞은 배나무는 저절로 소생했다.

② 천사는 이목을 죽이려다 실수로 배나무에 벼락을 내렸다.

③ 벼락 맞은 배나무로 만든 막대기가 글쓴이의 당대까지 전해졌다.

④ 제멋대로 비를 내린 보양 스님을 벌하려고 옥황상제가 천사를 보냈다.

02

[2020년 지방직 9급]

다음 글에 대한 이해로 적절하지 않은 것은?

> 말뚝이: (벙거지를 쓰고 채찍을 들었다. 굿거리장단에 맞추어 양반 삼 형제를 인도하여 등장.)
>
> 양반 삼 형제: (말뚝이 뒤를 따라 굿거리장단에 맞추어 점잔을 피우나, 어색하게 춤을 추며 등장. 양반 삼 형제 맏이는 샌님[生員], 둘째는 서방님[書房], 끝은 도련님[道令]이다. 샌님과 서방님은 흰 창옷에 관을 썼다. 도련님은 남색 쾌자에 복건을 썼다. 샌님과 서방님은 언청이이며(샌님은 언청이 두 줄, 서방님은 한 줄이다.) 부채와 장죽을 가지고 있고, 도련님은 입이 삐뚤어졌고 부채만 가졌다. 도련님은 대사는 일절 없으며, 형들과 동작을 같이하면서 형들의 면상을 부채로 때리며 방정맞게 군다.)
>
> 말뚝이: (가운데쯤에 나와서) 쉬이. (음악과 춤 멈춘다.) 양반 나오신다아! 양반이라고 하니까 노론, 소론, 호조, 병조, 옥당을 다 지내고 삼정승, 육판서를 다 지낸 퇴로 재상으로 계신 양반인 줄 알지 마시오. 개잘량이라는 '양' 자에 개다리소반이라는 '반' 자 쓰는 양반이 나오신단 말이오.
>
> 양반들: 야아, 이놈, 뭐야!
>
> 말뚝이: 아, 이 양반들, 어찌 듣는지 모르갔소. 노론, 소론, 호조, 병조, 옥당을 다 지내고 삼정승, 육판서 다 지내고 퇴로 재상으로 계신 이 생원네 삼 형제 분이 나오신 다고 그리 하였소.
>
> 양반들: (합창) 이 생원이라네. (굿거리장단으로 모두 춤을 춘다. 도령은 때때로 형들의 면상을 치며 논다. 끝까지 그런 행동을 한다.)
>
> - 작자 미상, '봉산탈춤'

① 양반들이 자신들을 조롱하는 말뚝이에게 야단쳤군.

② 샌님과 서방님이 부채와 장죽을 들고 춤을 추며 등장했군.

③ 말뚝이가 굿거리장단에 맞춰 양반을 풍자하는 사설을 늘어놓았군.

④ 도련님이 방정맞게 굴면서 샌님과 서방님의 얼굴을 부채로 때렸군.

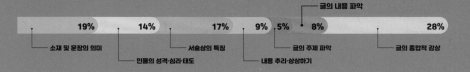

챕터별 출제 경향
(2015~2021 국가직 / 지방직 / 서울시 7·9급)

19% — 소재 및 문장의 의미
14% — 인물의 성격·심리·태도
17% — 서술상의 특징
9% — 내용 추리·상상하기
5%
8% — 글의 내용 파악 / 글의 주제 파악
28% — 글의 종합적 감상

01

난이도 ★★☆

 해설 ③ 제시된 작품의 끝에서 5~7번째 줄에서 천사가 벼락을 내린 배나무를 용이 쓰다듬자 소생하였다는 것을 알 수 있고, 끝에서 2~4번째 줄을 통해 그 나무가 근래에 들어 쓰러지자 이를 어떤 이가 빗장 막대기로 만들어 선법당과 식당에 두었음을 알 수 있다. 따라서 벼락 맞은 배나무로 만든 막대기가 글쓴이의 당대까지 전해지고 있다는 것을 파악할 수 있다.

[관련 부분]
- 천사가 배나무에 벼락을 내리고 하늘로 올라갔다. 그 바람에 배나무가 꺾어졌는데 용이 쓰다듬자 곧 소생하였다.
- 그 나무가 근래에 땅에 쓰러지자 어떤 이가 빗장 막대기로 만들어 선법당(善法堂)과 식당에 두었다.

오답 분석 ① 끝에서 4~7번째 줄을 통해 천사의 벼락을 맞은 배나무는 용의 쓰다듬음으로써 소생하였거나 보양 스님의 주문으로 인해 살아났음을 알 수 있으므로 적절하지 않다.

[관련 부분] 천사가 배나무에 벼락을 내리고 하늘로 올라갔다. 그 바람에 배나무가 꺾어졌는데 용이 쓰다듬자 곧 소생하였다(일설에는 보양 스님이 주문을 외워 살아났다고 한다).

② 끝에서 6~9번째 줄을 통해 천사는 실수로 배나무에 벼락을 내린 것이 아니라, 보양 스님이 가리킨 배나무를 이목이라고 여겨 벼락을 내렸음을 알 수 있다.

[관련 부분] 잠시 후에 옥황상제가 보낸 천사(天使)가 뜰에 이르러 이목을 내놓으라고 하였다. 보양 스님이 뜰 앞의 배나무[梨木]를 가리키자 천사가 배나무에 벼락을 내리고 하늘로 올라갔다.

④ 4~6번째 줄을 통해 제멋대로 비를 내린 죄로 옥황상제가 천사를 보내 벌하려던 사람은 보양 스님이 아닌 이목임을 알 수 있다.

[관련 부분] 보양 스님이 이목을 시켜 비를 내리게 하니 고을 사람들이 모두 흡족히 여겼다. 하늘의 옥황상제가 장차 하늘의 뜻을 모르고 비를 내렸다 하여 이목을 죽이려 하였다.

02

난이도 ★★☆

 해설 ③ 말뚝이가 말을 시작하는 부분에서 '음악과 춤 멈춘다'라는 지시문을 통해 말뚝이가 굿거리장단 없이 양반을 풍자하는 사설을 늘어놓고 있다는 것을 알 수 있으므로 적절하지 않다.

오답 분석 ① '야아, 이놈, 뭐야아!'라는 대사를 통해 양반들이 자신들을 조롱하는 말뚝이에게 야단치고 있음을 알 수 있다.

②④ 양반 삼 형제의 등장 부분 지시문을 통해 샌님과 서방님이 부채와 장죽을 가지고 춤을 추며 등장하고, 이어서 등장한 도련님이 형들의 얼굴을 부채로 때리며 방정맞게 굴고 있음을 알 수 있다.

[관련 부분] 어색하게 춤을 추며 등장. ~ 샌님과 서방님은 언청이이며 (샌님은 언청이 두 줄, 서방님은 한 줄이다.) 부채와 장죽을 가지고 있고, ~ 도련님은 대사는 일절 없으며, 형들과 동작을 같이하면서 형들의 면상을 부채로 때리며 방정맞게 군다.

이것도 알면 합격

'봉산 탈춤'에서 '춤'의 기능을 알아두자.
1. 재담을 마무리하고 장면을 구분함
2. 말뚝이와 양반 간의 갈등이 해소되었음을 나타냄
3. 극의 흥겨운 분위기를 고조시킴

03

[2020년 국가직 9급]

다음 글에 대한 이해로 적절하지 않은 것은?

천국에 사는 사람들은 지옥을 생각할 필요가 없다. 그러나 우리 다섯 식구는 지옥에 살면서 천국을 생각했다. 단 하루라도 천국을 생각해 보지 않은 날이 없다. 하루하루의 생활이 지겨웠기 때문이다. 우리의 생활은 전쟁과 같았다. 우리는 그 전쟁에서 날마다 지기만 했다.

아버지가 평생을 통해 해 온 일은 다섯 가지이다. 채권 매매, 칼 갈기, 고층 건물 유리 닦기, 펌프 설치하기, 수도 고치기이다. 이 일들만 해 온 아버지가 갑자기 다른 일을 하겠다고 했다. 서커스단의 일이었다. 아버지는 처음 보는 꼽추 한 사람을 데리고 와 여러 가지 이야기를 했다. 처음 얼마 동안은 그의 조수로 일하면 된다고 했다. 두 사람은 자기들이 무대 위에서 해야 할 연기에 대해 이야기 했다. 그러자 어머니가 아버지에게 대들었다. 우리들도 아버지를 성토했다. 아버지는 힘없이 물러섰다. 꼽추는 멍하니 앉아 우리를 보았다. 꼽추는 눈물이 핑 돌아 돌아갔다. 그의 뒷모습은 아주 쓸쓸해 보였다. 아버지의 꿈은 깨어졌다. 아버지는 무거운 부대를 메고 다시 일을 찾아 나갔다. 〈중 략〉

어머니가 울었다. 어머니는 인쇄소 제본 공장에 나가 접지일을 했다. 고무 골무를 끼고 인쇄물을 접었다. 나는 겁이 났다. 나는 인쇄소 공무부 조역으로 출발했다. 땀을 흘리지 않고는 아무것도 얻을 수 없다는 것을 뒤늦게 알았다. 영호와 영희도 몇 달 간격을 두고 학교를 그만두었다. 마음이 차라리 편해졌다. 우리를 해치는 사람은 없었다. 우리는 보이지 않는 보호를 받고 있었다. 남아프리카의 어느 원주민들이 일정한 구역 안에서 보호를 받듯이 우리도 이질 집단으로서 보호를 받았다. 나는 우리가 이 구역 안에서 한 걸음도 밖으로 나갈 수 없다는 것을 깨달았다. 나는 조역, 공목, 약물, 해판의 과정을 거쳐 정판에서 일했다. 영호는 인쇄에서 일했다. 나는 우리가 한 공장에서 일하는 것이 싫었다. 영호도 마찬가지였다. 그래서 영호는 먼저 철공소 조수로 들어가 잔심부름을 했다. 가구 공장에서도 일했다. 그 공장에 가 일하는 영호를 보았다. 뿌얀 톱밥 먼지와 소음 속에 서 있는 작은 영호를 보고 나는 그만두라고 했다. 인쇄 공장의 소음도 무서운 것이었으나 그곳에는 톱밥 먼지가 없었다. 우리는 죽어라 하고 일했다. 우리의 팔목은 공장 안에서 굵어 갔다. 영희는 그때 큰길가 슈퍼마켓 한쪽에 자리 잡은 빵집에서 일했다. 우리가 고맙게 생각한 것은 환경이 깨끗하다는 것 하나뿐이었다.

우리는 무슨 일이 있든 공부는 해야 한다고 생각했다. 공부를 하지 않고는 우리 구역에서 벗어날 수가 없다고 생각했다. 세상은 공부를 한 자와 못 한 자로 너무나 엄격하게 나누어져 있었다. 끔찍할 정도로 미개한 사회였다. 우리가 학교 안에서 배운 것과는 정반대로 움직였다. 나는 무슨 책이든 손에 잡히는 대로 읽었다. 정판에서 식자로 올라간 다음에는 일을 하다 말고 원고를 읽는 버릇까지 생겼다. 동생들에게 필요하다고 느껴지는 것은 판을 들고 가 몇 벌씩 교정쇄를 내기도 했다. 영호와 영희는 나의 말을 잘 들었다. 내가 가져다준 교정쇄를 동생들은 열심히 읽었다. 실제로 우리가 이 노력으로 잃은 것은 하나도 없었다. 나는 고입 검정고시를 거쳐 방송 통신 고교에 입학했다.

　　　　　　　　　　　　　　　　- 조세희, '난장이가 쏘아 올린 작은 공'

① '우리 다섯 식구'는 생존을 위해 애쓰지만 윤택한 삶을 누리기 어려운 처지에 있다.

② '아버지'는 가족들의 바람을 수용하여, 평생 해 온 일을 그만두고 새로운 일을 시작하기로 결심한다.

③ '보이지 않는 보호'는 말 그대로의 보호라기보다는 벗어날 수 없는 계층적 한계를 의미한다고 할 수 있다.

④ '우리'는 자신들의 '구역'에서 벗어날 길을 '공부를 한 자'가 됨으로써 찾을 수 있다고 여긴다.

04

다음 글의 공간에 대한 설명으로 적절하지 않은 것은?

시(市)를 남북으로 나누며 달리는 철도는 항만의 끝에 이르러서야 잘려졌다. 석탄을 싣고 온 화차(貨車)는 자칫 바다에 빠뜨릴 듯한 머리를 위태롭게 사리며 깜짝 놀라 멎고 그 서슬에 밑구멍으로 주르르 석탄 가루를 흘려보냈다.

집에 가 봐야 노루꼬리만큼 짧다는 겨울 해에 점심이 기다리고 있는 것도 아니어서 우리들은 학교가 파하는 대로 책가방만 던져둔 채 떼를 지어 선창을 지나 항만의 북쪽 끝에 있는 제분 공장에 갔다.

제분 공장 볕 잘 드는 마당 가득 깔린 멍석에는 늘 덜 건조된 밀이 널려 있었다. 우리는 수위가 잠깐 자리를 비운 틈을 타서 마당에 들어가 멍석의 귀퉁이를 밟으며 한 움큼씩 밀을 입 안에 털어 넣고는 다시 걸었다. 올올이 흩어져 대글대글 이빨에 부딪치던 밀알들이 달고 따뜻한 침에 의해 딱딱한 껍질을 불리고 속살을 풀어 입 안 가득 풀처럼 달라붙다가 제법 고무질의 질긴 맛을 낼 때쯤이면 철로에 닿게 마련이었다.

우리는 밀껍으로 푸우푸우 풍선을 만들거나 침목(枕木) 사이에 깔린 잔돌로 비사치기를 하거나 전날 자석을 만들기 위해 선로 위에 얹어 놓았던 못을 뒤지면서 화차가 닿기를 기다렸다.

드디어 화차가 오고 몇 번의 덜컹거림으로 완전히 숨을 놓으면 우리들은 재빨리 바퀴 사이로 기어 들어가 석탄가루를 훑고 이가 벌어진 문짝 틈에 갈퀴처럼 팔을 들이밀어 조개탄을 후벼내었다. 철도 건너 저탄장에서 밀차를 밀며 나오는 인부들이 시커멓게 모습을 나타낼 즈음이면 우리는 대개 신발주머니에, 보다 크고 몸놀림이 잽싼 아이들은 시멘트 부대에 가득 든 석탄을 팔에 안고 낮은 철조망을 깨금발로 뛰어넘었다.

선창의 간이음식점 문을 밀고 들어가 구석 자리의 테이블을 와글와글 점거하고 앉으면 그날의 노획량에 따라 가락국수, 만두, 찐빵 등이 날라져 왔다.

석탄은 때로 군고구마, 딱지, 사탕 따위가 되기도 했다. 어쨌든 석탄이 선창 주변에서는 무엇과도 바꿀 수 있는 현금과 마찬가지라는 것을 우리는 알고 있었고, 때문에 우리 동네 아이들은 사철 검정 강아지였다.

— 오정희, '중국인 거리'

① 철길 때문에 도시가 남북으로 나뉘어 있다.

② 항만 북쪽에는 제분 공장이 있고, 철도 건너에는 저탄장이 있다.

③ 선로 주변에 아이들이 넘을 수 없는 철조망이 있다.

④ 석탄을 먹을거리와 바꿀 수 있는 간이음식점이 있다.

03

 해설 ② 2문단에서 '아버지'는 가족들의 바람을 수용하여, 새로운 일 (서커스단의 일)의 시작을 포기했다는 것을 알 수 있다. 따라서 평생 해 온 일을 그만두고 새로운 일을 시작하기로 결심했다는 ②의 설명은 적절하지 않다.

오답분석 ① '나'와 식구들은 모두 일을 했지만 1문단 끝에서 1~2번째 줄을 통해 그들이 아무리 애써도 윤택한 삶을 누리기 어려웠음을 알 수 있다.
[관련 부분] 우리의 생활은 전쟁과 같았다. 우리는 그 전쟁에서 날마다 지기만 했다.

③ 3문단에서 '나'와 가족이 속한 구역에서 한 걸음도 밖으로 나갈 수 없다는 내용을 통해 '보이지 않는 보호'는 벗어날 수 없는 계층적 한계를 의미한다는 것을 알 수 있다.
[관련 부분] 우리는 보이지 않는 보호를 받고 있었다. 남아프리카의 어느 원주민이 일정한 구역 안에서 보호를 받듯이 우리도 이질 집단으로서 보호를 받았다. 나는 우리가 이 구역 안에서 한 걸음도 밖으로 나갈 수 없다는 것을 깨달았다.

④ 4문단에서 '나'와 동생들은 세상이 공부를 한 자와 못 한 자로 나누어져 있으므로, 자신들의 '구역'에서 벗어날 방법은 공부를 하는 것이라고 여기고 있음을 확인할 수 있다.
[관련 부분] 우리는 무슨 일이 있든 공부는 해야 한다고 생각했다. 공부를 하지 않고는 우리 구역에서 벗어날 수가 없다고 생각했다. 세상은 공부를 한 자와 못 한 자로 너무나 엄격하게 나누어져 있었다.

04

 해설 ③ 5문단 끝에서 1~3번째 줄을 통해 아이들이 선로 주변에 있는 낮은 철조망을 넘을 수 있음을 알 수 있다.
[관련 부분] 보다 크고 몸놀림이 잽싼 아이들은 시멘트 부대에 가득 든 석탄을 팔에 안고 낮은 철조망을 깨금발로 뛰어넘었다.

오답분석 ① 첫 문장 '시(市)를 남북으로 나누며 달리는 철도는 항만의 끝에 이르러서야 잘려졌다'에서 확인할 수 있다.

② 2문단 끝에서 1~2번째 줄을 통해 항만 북쪽에 제분 공장이 있음을 알 수 있고, 5문단 4번째 줄을 통해 철도 건너에 저탄장이 있음을 알 수 있다.
[관련 부분]
• 항만의 북쪽 끝에 있는 제분 공장에 갔다.
• 철도 건너 저탄장에서

④ 6문단을 통해 간이음식점에서 석탄을 먹을거리와 바꿀 수 있다는 것을 알 수 있다.
[관련 부분] 선창의 간이음식점 문을 밀고 들어가 구석 자리의 테이블을 와글와글 점거하고 앉으면 그날의 노획량에 따라 가락국수, 만두, 찐빵 등이 날라져 왔다.

이것도 알면 합격

오정희, '중국인 거리'의 주제와 특징을 알아두자.

1. 주제: 어린 시절의 체험과 성장

2. 특징
• 감각적인 문체를 사용하여 중심인물의 섬세한 감각을 표현함
• 대화나 독백 등이 화자의 서술과 표면적으로 구분되지 않은 채 사용됨

01
[2021년 법원직 9급]

다음 글에 대한 설명으로 가장 적절하지 않은 것은?

[중중모리]
　홍보 마누라 나온다. 홍보 마누라 나온다. "아이고 여보 영감. 영감 오신 줄 내 몰랐소. 어디 돈, 어디 돈허고 돈봅시다, 돈 봐." "놓아두어라 이 사람아. 이 돈 근본(根本)을 자네 아나. 못난 사람도 잘난 돈, 잘난 사람은 더 잘난 돈, 이놈의 돈아, 아나 돈아, 어디 갔다가 이제 오느냐. 얼씨구나 돈 봐. 어 어 어 얼씨구 얼씨구 돈 봐."

[아니리]
　이 돈을 가지고 쌀팔고 고기 사고 고기 죽을 누그름하게 열한 통이 되게 쑤어 가지고 각기 한 통씩 먹여 놓으니, 모두 식곤증이 나서 앉은 자리에서 고자빠기잠*을 자는데, 죽 국물이 코끝에서 쇠죽 후주국 내리듯 댕강댕강 떨어지것다. 홍보 마누라가 하는 말이, "여보 영감 그런디 이 돈이 무슨 돈이오? 어떻게 해서 생겨난 돈인지 좀 압시다." "이 돈이 다른 돈이 아닐세. 우리 고을 좌수가 병영 영문에 잡혔는데 대신 가서 곤장 열대만 맞으면 한 대에 석 냥씩 서른 냥을 준다기에 대신 가기로 하고 삯으로 받아 온 돈이제." 홍보 마누라 깜짝 놀라며, "소중한 가장 매품 팔아 먹고산단 말은 고금천지에 어디서 보았소."

[진양]
　"가지 마오 가지 마오, 불쌍한 영감, 가지를 마오. 하늘이 무너져도 솟아날 구멍이 있는 법이니, 설마한들 죽사리까. 병영 영문 곤장 한 대를 맞고 보면 죽도록 골병 된답디다. 여보 영감 불쌍한 우리 영감, 가지를 마오."

[아니리]
　홍보 아들놈들이 저의 어머니 울음소리를 듣고 물소리들은 거위 모양으로 고개를 들고, "아버지 병영 가시오?" "오냐 병영 간다." "갔다 올 제 떡 한 보따리 사 가지고 오시오."

[중모리]
　아침밥을 끓여 먹고 병영 길을 나려간다. 허유허유 나려를 가며 신세자탄(身世自嘆) 울음을 운다. "어떤 사람 팔자 좋아 화려한 집 짓고 잘사는데 내 팔자는 왜 그런고." 병영골을 당도하여 치어다보니 대장기요, 나려 굽어보니 숙정패로구나. 깊은 산속에 있는 사나운 범의 용맹 같은 용(勇) 자 붙인 군로사령들이 이리 가고 저리 간다. 그때 박홍보는 숫한 사람이라 벌벌 떨며 들어간다.

[아니리]
　방울이 떨렁, 사령 "예이." 야단났지. 홍보가 삼문 간에 들어서 가만히 굽어보니 죄인이 볼기를 맞거늘, 홍보

마음에는 그 사람들도 돈 벌러 온 줄 알고, '저 사람들은 먼저 와서 돈 수백 냥 번다. 나도 볼기 좀 까고 업저 볼까.' 볼기를 까고 삼문 간에 가 엎드렸을 제 사령 한 쌍이 나오더니, "병영 생긴 후 볼기전 보는 놈이 생겼구나." 사령 중에 뜻밖에 홍보 씨 아는 사령이 있던가, "아니 박생원 아니시오?" "알아맞혔구만그려." "당신 곯았소." "곯다니 계란이 곯지, 사람이 곯나. 그게 어떤 말인가?" "박생원 대신이라 하고 어떤 사람이 와서 곤장 열 대 맞고 돈 서른 냥 받아 가지고 벌써 떠나갔소." 홍보가 기가 막혀, "그놈이 어떻게 생겼던가?" "키가 구 척이요 방울눈에 기운 좋습디다." 홍보가 말을 듣더니, "허허 그전 밤에 우리 마누라가 밤새도록 울더니마는 옆집 꾀수 애비란 놈이 알고 발등걸이*를 허였구나."

[중모리]
　"번수네들 그러한가. 나는 가네. 지키기나 잘들하소. 매품 팔러 왔는데도 손재(損財)가 붙어 이 지경이 웬일이냐. 우리 집을 돌아가면 밥 달라고 우는 자식은 떡 사 주마고 달래고, 떡 사 달라 우는 자식 엿 사 주마고 달랬는데, 돈이 있어야 말을 허지." 그렁저렁 울며불며 돌아온다. 그때에 홍보 마누라는 영감이 떠난 그날부터 후원에 단(壇)을 세우고 정화수를 바치고, 병영 가신 우리 영감 매 한 대도 맞지 말고 무사히 돌아오시라고 밤낮 기도하면서, "병영 가신 우리 영감 하마 오실 제 되었는데 어찌하여 못 오신가. 병영 영문 곤장을 맞고 허약한 체질 주린 몸에 병이 나서 못 오신가. 길에 오다 누웠는가."

[아니리]
문밖에를 가만히 내다보니 자기 영감이 분명하것다. 눈물 씻고 바라보니 홍보가 들어오거늘, "여보영감 매 맞았소? 매 맞았거든 어디 곤장 맞은 자리 상처나 좀 봅시다." "놔둬. 상처고 여편네 죽은 것이고, 요망스럽게 여편네가 밤새도록 울더니 돈 한 푼 못 벌고 매 한 대를 맞았으면 인사불성 쇠아들이다." 홍보 마누라 좋아라고,
　　　　　　　　　　　　　　　- 작자 미상, '홍보가(興甫歌)'

*고자빠기잠: 나무를 베어 낸 뒤에 남은 밑동처럼 꼿꼿이 앉아서 자는 잠
*발등걸이: 남이 하려는 일을 앞질러 하는 행위

① 동일한 어구를 반복하여 운율을 조성하고 있다.
② 서술자가 개입하여 인물에 대한 자신의 생각을 전달하고 있다.
③ 비현실적 상황을 설정하여 사건을 효과적으로 전개하고 있다.
④ 상황에 맞는 장단을 사용하여 인물의 정서를 효과적으로 전달하고 있다.

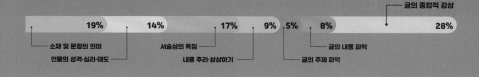

챕터별 출제 경향
(2015-2021 국가직 / 지방직 / 서울시 7·9급)

글의 종합적 감상

19% 14% 17% 9% 5% 8% 28%

소재 및 문장의 의미
인물의 성격·심리·태도
서술상의 특징
내용 추리·상상하기
글의 내용 파악
글의 주제 파악

02

[2021년 국가직 9급]

다음 글에 대한 이해로 가장 적절한 것은?

> 암소의 뿔은 수소의 그것보다도 한층 더 겸허하다. 이 애상적인 뿔이 나를 받을 리 없으니 나는 마음 놓고 그 곁 풀밭에 가 누워도 좋다. 나는 누워서 우선 소를 본다.
>
> 소는 잠시 반추를 그치고 나를 응시한다.
>
> '이 사람의 얼굴이 왜 이리 창백하냐. 아마 병인인가 보다. 내 생명에 위해를 가하려는 거나 아닌지 나는 조심해야 되지.'
>
> 이렇게 소는 속으로 나를 심리하였으리라. 그러나 오 분 후에는 소는 다시 반추를 계속하였다. 소보다도 내가 마음을 놓는다.
>
> 소는 식욕의 즐거움조차를 냉대할 수 있는 지상 최대의 권태자다. 얼마나 권태에 지질렸길래 이미 위에 들어간 식물을 다시 게워 그 시큼털털한 반소화물의 미각을 역설적으로 향락하는 체해 보임이리오?
>
> 소의 체구가 크면 클수록 그의 권태도 크고 슬프다. 나는 소 앞에 누워 내 세균 같이 사소한 고독을 겸손하면서 나도 사색의 반추는 가능할는지 불가능할는지 몰래 좀 생각해 본다.
>
>   - 이상, '권태'

① 대상의 행위를 통해 글쓴이의 심리가 투사되고 있다.
② 과거의 삶을 회상하며 글쓴이의 처지를 후회하고 있다.
③ 공간의 이동을 통해 글쓴이의 무료함을 표현하고 있다.
④ 현실에 대한 글쓴이의 불만이 반성적 어조로 표출되고 있다.

01

난이도 ★★☆

해설 ③ 제시된 작품에서 비현실적 상황이 설정된 부분은 나타나지 않으므로 적절하지 않다.

오답분석
① '흥보 마누라 나온다', '얼씨구', '가지 마오' 등 동일한 어구를 반복하여 운율을 형성하고 있다.

② 5문단의 '그때 박흥보는 숫한 사람이라 벌벌 떨며 들어간다'에서 서술자가 개입하여 흥보가 겁많고 소심한 성격임을 전달하고 있다.

④ 각 문단마다 상황에 맞는 장단을 사용하여 인물의 정서를 전달하고 있다.
• 1문단: 중중모리장단을 사용하여 오랜만에 돈을 벌어온 흥보와 흥보 마누라의 기쁜 마음을 드러내고 있다.
• 3문단: 진양조장단을 사용하여 돈을 벌기 위해 매를 대신 맞으러 떠나는 흥보와 그를 말리는 흥보 마누라의 애달픈 감정을 표현하고 있다.
• 5문단: 중모리장단을 사용하여 자신의 신세를 한탄하는 흥보의 심정을 표현하고 있다.
• 7문단: 중모리장단을 사용하여 흥보가 무사히 집으로 돌아오기 바라는 흥보 마누라의 간절한 마음을 표현하고 있다.

이것도 알면 합격
판소리 장단의 종류에 대해 알아두자.

진양조장단	가장 느린 판소리 장단으로서 서정적이고 느슨한 전개에서 쓰임
중모리장단	서정적인 장면이나 담담하게 사연을 서술하는 장면에서 쓰임
중중모리장단	중모리보다 빠른 장단으로 활동적인 장면에서 쓰임
자진모리장단	중중모리보다 빠른 장단으로 여러 사건이 나열되거나 격동하는 장면에서 쓰임
휘모리장단	가장 빠른 판소리 장단으로서 어떤 사건이나 일이 빠르게 전개되는 장면에서 쓰임

02

난이도 ★★☆

해설 ① 글쓴이는 소가 반추(되새김질)하는 모습을 보고, 소를 '식욕의 즐거움조차를 냉대할 수 있는 지상 최대의 권태자'라고 표현하는데, 이는 단조로운 시골 생활에서 느끼는 글쓴이의 권태로움을 소의 행위에 투사하여 표현한 것이다. 따라서 작품에 대한 이해로 적절한 것은 ①이다.

오답분석
② 글쓴이가 과거의 삶을 회상하며 자신의 처지를 후회하는 부분은 드러나지 않는다.

③ 글쓴이는 자신의 무료함과 권태로움을 공간의 이동이 아닌 되새김질하는 '소'를 통해 표현하고 있다.

④ 글쓴이는 현실에 대한 권태로움을 드러내고 있으나 이를 반성적인 어조로 표출하고 있지 않다.

03

[2021년 소방직 9급]

윗글에 대한 설명으로 가장 적절하지 않은 것은?

"달밤에는 그런 이야기가 격에 맞거든."

조 선달 편을 바라는 보았으나, 물론 미안해서가 아니라 달빛에 감동하여서였다. 이지러졌으나 보름을 가제 지난 달은 부드러운 빛을 흐붓이 흘리고 있다. 대화까지는 칠십 리의 밤길. 고개를 둘이나 넘고 개울을 하나 건너고 벌판과 산길을 걸어야 된다. 길은 지금 긴 산허리에 걸려 있다. 밤중을 지난 무렵인지 죽은 듯이 고요한 속에서 짐승 같은 달의 숨소리가 손에 잡힐 듯이 들리며, 콩 포기와 옥수수 잎새가 한층 달에 푸르게 젖었다. 산허리는 온통 메밀밭이어서 피기 시작한 꽃이 소금을 뿌린 듯이 흐붓한 달빛에 숨이 막힐 지경이다. 붉은 대궁이 향기같이 애잔하고, 나귀들의 걸음도 시원하다. 길이 좁은 까닭에 세 사람은 나귀를 타고 외줄로 늘어섰다. 방울 소리가 시원스럽게 딸랑딸랑 메밀밭께로 흘러간다. 앞장선 허 생원의 이야기 소리는 꽁무니에 선 동이에게는 확적(確的)히는 안 들렸으나, 그는 그대로 개운한 제멋에 적적하지는 않았다.

"장 선 꼭 이런 날 밤이었네. 객줏집 토방이란 무더워서 잠이 들어야지. 밤중은 돼서 혼자 일어나 개울가에 목욕하러 나갔지. 봉평은 지금이나 그제나 마찬가지지. 보이는 곳마다 메밀밭이어서 개울가가 어디 없이 하얀 꽃이야. 돌밭에 벗어도 좋을 것을 달이 너무도 밝은 까닭에 옷을 벗으러 물방앗간으로 들어가지 않았나. 이상한 일도 많지. 거기서 난데없는 성 서방네 처녀와 마주쳤단 말이네. 봉평서야 제일가는 일색이었지."

"팔자에 있었나 부지."

아무렴 하고 응답하면서 말머리를 아끼는 듯이 한참이나 담배를 빨 뿐이었다. 구수한 자줏빛 연기가 밤기운 속에 흘러서는 녹았다.

"날 기다린 것은 아니었으나, 그렇다고 달리 기다리는 놈팽이가 있는 것두 아니었네. 처녀는 울고 있단 말이야. 짐작은 대고 있었으나 성 서방네는 한창 어려워서 들고 날 판인 때였지. 한집안 일이니 딸에겐들 걱정이 없을 리 있겠나? 좋은 데만 있으면 시집도 보내련만 시집은 죽어도 싫다지……. 그러나 처녀란 울 때같이 정을 끄는 때가 있을까. 처음에는 놀라기도 한 눈치였으나 걱정 있을 때는 누그러지기도 쉬운 듯해서 이럭저럭 이야기가 되었네……. 생각하면 무섭고도 기막힌 밤이었어."

"제천인지로 줄행랑을 놓은 건 그다음 날이었나?"

"다음 장(場)도막에는 벌써 온 집안이 사라진 뒤였네. 장판은 소문에 발끈 뒤집혀 고작해야 술집에 팔려가기가 상수라고, 처녀의 뒷공론이 자자들 하단 말이야. 제천 장판을 몇 번이나 뒤졌겠나. 하나 처녀의 꼴은 펑그 먹은 자리야. 첫날밤이 마지막 밤이었지. 그때부터

봉평이 마음에 든 것이 반평생을 두고 다니게 되었네. 평생인들 잊을 수 있겠나."

"수 좋았지. 그렇게 신통한 일이란 쉽지 않어. 항용 못난 것 얻어 새끼 낳고 걱정 늘고, 생각만 해두 진저리가 나지……. 그러나 늘그막바지까지 장돌뱅이로 지내기도 힘드는 노릇 아닌가? 난 가을까지만 하구 이 생애와두 하직하려네. 대화쯤에 조그만 전방이나 하나 벌이구 식구들을 부르겠어. 사시장철 뚜벅뚜벅 걷기란 여간이래야지."

"옛 처녀나 만나면 같이나 살까……. 난 거꾸러질 때까지 이 길 걷고 저 달 볼 테야." — 이효석, '메밀꽃 필 무렵'

① 서술자가 등장인물의 심리와 행동을 드러내고 있다.

② 시간적 배경이 작품의 서사 진행과 긴밀하게 연관되어 있다.

③ 허 생원은 논리적 근거를 들어 자신의 과거 행위를 정당화하고 있다.

④ 허 생원은 자신의 삶을 운명으로 받아들이는 태도를 보여주고 있다.

04

[2020년 지방직 7급]

다음 글에 대한 이해로 적절하지 않은 것은?

> 작은 산골 간이역에서 제시간에 정확히 도착하는 완행열차를 보기가 그리 쉬운 일은 아님을 익히 알고 있는 탓이다. 더구나 오늘은 눈까지 내리고 있지 않은가. 〈중략〉 지금 대합실에 남아 있는 사람은 모두 다섯이다. 한가운데에 톱밥 난로가 놓여 있고 그 주위로 세 사람이 달라붙어 있다.
>
> 출감한 지 며칠이 지났건만 사내는 감방 밖에서 보낸 그간의 시간이 오히려 꿈처럼 현실감이 없다. 사내는 출감 후부터 자꾸만 무엇인가 대단히 커다란 것을 빼앗겼다는 느낌을 감출 수가 없었다. 감방 안에서 사내는 손바닥 안에 움켜쥔 모래알이 빠져나가듯 하릴없이 축소되어 가고 있는 자기 몫의 삶의 부피를 안타깝게 저울질해 보곤 했었다. 〈중략〉
>
> 대학생에겐 삶은 이 세상과 구별할 수 없는 그 무엇이다. 스물넷의 나이인 그에게는 세상 돌아가는 내력을 모르고, 아니 모른 척하고 산다는 것은 절대로 용서할 수 없다. 그런 삶은 잠이다. 마취 상태에 빠져 흘려보내는 시간일 뿐이라고 청년은 믿고 있다. 하지만 그는 얼마 전부터 그런 확신이 조금씩 흔들리기 시작하는 걸 느끼고 있다. 유치장에서 보낸 한 달 남짓한 기억과 퇴학, 끓어오르는 그들의 신념과는 아랑곳없이 이루어지고 있는 강의실 밖의 질서……그런 것들이 자꾸만 청년의 시야를 어지럽히고 혼란을 일으키고 있는 중이다.
>
> – 임철우, '사평역' 중에서

① 등장인물들의 과거 삶이 순탄치 않았음을 보여 준다.
② 등장인물들 사이의 갈등이 없이 이야기가 전개되고 있다.
③ 대합실에서 열차를 기다리는 사람들의 상황을 그리고 있다.
④ 등장인물들의 구체적인 행위가 객관적으로 기술되고 있다.

03

난이도 ★★☆

 ③ 허 생원은 성 서방네 처녀와의 하룻밤 인연을 낭만적이고 운명적인 경험으로 인식하고 있을 뿐, 과거 행위를 논리적으로 정당화하고 있지 않으므로 적절하지 않다.
[관련 부분]
• 이상한 일도 많지. 거기서 난데없는 성 서방네 처녀와 마주쳤단 말이네.
• 그러나 처녀란 울 때같이 정을 끄는 때가 있을까. 처음에는 놀라기도 한 눈치였으나 걱정 있을 때는 누그러지도 쉬운 듯해서 이럭저럭 이야기가 되었네……. 생각하면 무섭고도 기막힌 밤이었어.

오답분석 ① 작품 밖의 서술자가 등장인물의 심리와 행동을 드러내는 전지적 작가 시점이 나타난다.
[관련 부분]
• 말머리를 아끼는 듯이 한참이나 담배를 빨 뿐이었다.
• 조 선달 편을 바라는 보았으나, 물론 미안해서가 아니라 달빛에 감동하여서였다.

② 시간적 배경인 '달밤'은 허 생원과 성 서방네 처녀가 인연을 맺었던 시간적 배경임과 동시에 허 생원이 추억을 떠올리며 서사를 진행하게 하는 기능을 하므로 적절하다.

④ 허 생원은 성 서방네 처녀와의 인연과 장돌뱅이로 살아온 자신의 삶을 운명으로 받아들이는 숙명론적 인생관의 태도를 보이고 있다.
[관련 부분] "옛 처녀나 만나면 같이나 살까……. 난 거꾸러질 때까지 이 길 걷고 저 달 볼테야."

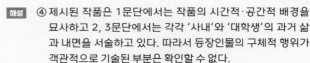
이효석, '메밀꽃 필 무렵'의 주제와 특징을 알아두자.
1. **주제:** 장돌뱅이로서 떠도는 삶에 대한 애환과 인간의 근원적 애정
2. **특징**
• 전지적 작가 시점으로 등장인물의 행동과 심리를 섬세하게 서술함
• 여운을 남기는 열린 결말의 구성을 취함

04

난이도 ★★☆

 ④ 제시된 작품은 1문단에서는 작품의 시간적·공간적 배경을 묘사하고 2, 3문단에서는 각각 '사내'와 '대학생'의 과거 삶과 내면을 서술하고 있다. 따라서 등장인물의 구체적 행위가 객관적으로 기술된 부분은 확인할 수 없다.

오답분석 ① '사내'는 며칠 전 교도소에서 출감하였고, '대학생'은 유치장을 다녀온 뒤 퇴학을 당했다. 이를 통해 등장인물들의 과거 삶이 모두 순탄치 않았음을 짐작할 수 있다.

② 등장인물들 사이의 외적 갈등은 드러나지 않는다.

③ 1문단을 통해 등장인물들이 간이역 대합실의 난로 주변에 모여 완행열차를 기다리고 있는 상황임을 알 수 있다.

05

[2020년 경찰직 1차]

다음 작품을 이해한 내용으로 가장 적절하지 않은 것은?

> 　그해에도 아주머니는 마찬가지였다. 그해에도 그녀는 5월로 접어들며 몇 번씩이나 철쭉 꿈을 꾸었고 그만큼 혼자서 개화를 기다려 왔다 하였다. 그리고 다시 집 앞을 찾아와 담 위로 흰 꽃이 흐드러진 것을 보고서야 비로소 마음이 놓였다는 것이었다. 〈중 략〉 아주머니는 그쯤에서 대강 이야기를 끝내고 우리들에 대한 치하의 말과 함께 그만 자리를 일어섰다.
> 　우리는 이제 그 아주머니를 보고도 서로간에 잠시 할 말을 잃고 있었다. 공연히 애틋하고 무거운 기분에, 가져선 안 되는 것을 빼앗아 가진 사람처럼 아주머니에게 자꾸 송구스러워지고 있었다. 〈중 략〉
> 　하지만 그건 물론 실현성이 없는 소리였다. 아주머니네는 이제 나무를 옮겨가 심을 집이 없었다. 그런 일을 치를 만한 힘도 없었다. 아니, 그보다 아주머니 자신이 그것을 원하지 않고 있을 일이었다. 아주머니는 차마 그녀의 본심을 말하지 못하고 있었다. 아주머니가 꿈속에서 본 것은 다만 흰 철쭉꽃만이 아니었다. 흰 철쭉꽃은 그녀의 고향의 모습이자 친정어머니의 모습이기도 하였다. 아주머니는 철쭉으로 고향을 만나고 그 어머니를 대신 만나 온 것이었다. 그리고 거기서 그리운 고향과 어머니의 소식을 기다려 온 것이었다. 친정어머니가 행여 이 남으로 넘어와 어디에 살아 있다면 그 어머니는 철쭉을 기억하고 있을 것이었다. 〈중 략〉
> 　나무는 언제까지나 거기 남아 있어야 하였다. 거기서 끝끝내 기다리고 있어야 하였다. 아내나 나는 이미 그것을 알고 있었다. 나무를 옮겨 가도 좋다는 아내의 제안은 그러니까 그저 자기 진심에 겨운 위로의 말일 뿐이었다. 〈하 략〉

① 인물들 사이의 갈등이 구체적으로 드러나 있다.
② 철쭉꽃이 의미하는 바가 직접적으로 나타나 있다.
③ 이야기가 전개되는 시대적 배경을 짐작할 수 있다.
④ 이 작품의 시점을 확인할 수 있는 표지와 내용이 있다.

06

[2020년 경찰직 2차]

다음 작품에 대한 설명으로 가장 적절하지 않은 것은?

> 　차설. 울대 군중에 명령하여 일시에 불을 지르니, 화약 터지는 소리 산천이 무너지는 듯하고, 불이 사면으로 일어나며 화광이 충천하니, 부인이 계화를 명하여 부적을 던지고, 왼손에 홍화선을 들고, 오른손에 백화선을 들고, 오색 실을 매어 화염 중에 던지니, 문득 피화당으로부터 큰바람이 일며 도리어 오랑캐 중으로 불길이 일며 오랑캐 군사가 불 속에 들어 천지를 분변치 못하니 불에 타 죽는 자가 부지기수라. 울대 대경하여 앙천탄식하기를, "기병하여 조선에 왔으나 이곳에 와 여자를 만나 불쌍한 동생을 죽이고 무슨 면목으로 임금과 귀비를 뵈오리오." 하더라.

① 역순행적 구성을 통해 사건 전개에 입체감을 드러낸다.
② 과장된 표현을 사용하여 인물의 능력을 강조하고 있다.
③ 영웅의 일대기 구조를 지니고 있어 영웅소설로 분류되고 있다.
④ 역사적 사실과 반대되는 내용을 통해 현실 극복의 의지를 볼 수 있다.

07

[2019년 국가직 9급]

다음 글에 대한 설명으로 옳지 않은 것은?

> 해설자: (관객들에게 무대와 등장인물을 설명한다.) 이곳은 황야입니다. 이리 떼의 내습을 알리는 망루가 세워져 있죠. 드높이 솟은 이 망루는 하늘로 둘러싸여 있습니다. 하늘은 연극의 진행에 따라 황혼, 초승달이 뜬 밤, 그리고 아침으로 변할 겁니다. 저기 위를 바라보십시오. 파수꾼이 앉아 있습니다. 높은 곳에서 하늘을 등지고 있기 때문에 그는 언제나 시커먼 그림자로만 보입니다. 그는 내가 태어나기 전부터 파수꾼이었습니다. 나의 늙으신 아버지께서도 어린 시절에 저 유명한 파수꾼의 이야기를 들으셨다 합니다.　- 이강백, '파수꾼'

① 공간적 배경은 망루가 세워져 있는 황야이다.
② 시간적 배경은 연극의 진행에 따라 변한다.
③ 해설자는 무대 위의 아버지를 소개한다.
④ 파수꾼의 얼굴은 분명하게 알 수 없다.

05
난이도 ★★☆

해설 ① 제시된 작품은 '나'가 담담한 어조로 '아주머니'의 삶을 서술하여 이야기를 전개하고 있을 뿐, 인물들 사이의 갈등은 구체적으로 드러나 있지 않으므로 이해한 내용으로 적절하지 않은 것은 ①이다.

오답분석 ② 3문단 6~8번째 줄에서 아주머니에게 흰 철쭉꽃이 고향과 친정어머니의 모습을 의미한다는 것을 직접적으로 제시하고 있으므로 적절하다.

[관련 부분] 흰 철쭉꽃은 그녀의 고향의 모습이자 친정어머니의 모습이기도 하였다.

③ 3문단 끝에서 1~3번째 줄에서 아주머니는 친정어머니가 행여 이남으로 넘어와 어딘가에 살아 있다면 철쭉을 기억할 것이라고 믿고 있음을 알 수 있다. 이를 통해 한국 전쟁 이후를 시대적 배경으로 이야기가 전개되고 있음을 짐작할 수 있다.

[관련 부분] 친정어머니가 행여 이남으로 넘어와 어디에 살아 있다면 그 어머니는 철쭉을 기억하고 있을 것이었다.

④ 제시된 작품은 1인칭 관찰자 시점을 취하고 있는데, 이를 확인할 수 있는 표지와 작품의 내용은 아래와 같다.
- **표지**: 서술자가 1인칭 '나'로 작품 속에 등장하고 있음
- **내용**: 서술자 '나'가 주인공 '아주머니'를 관찰한 내용을 서술하고 있음

이것도 알면 합격

이청준, '흰 철쭉'의 주제와 특징을 알아두자.

1. 주제: 분단으로 인한 실향민의 애환과 그에 대한 연민
2. 특징
   - 상징적인 소재를 통해 주제 의식을 간접적으로 나타냄
   - 사회 전체의 문제를 개인의 문제를 통해 드러냄

06
난이도 ★★☆

해설 ① 제시된 작품은 '박씨전'으로, 청나라 장수 '올대'가 박 씨와 박 씨의 몸종 '계화'의 도술로 인해 전투에서 패하는 장면을 시간의 흐름에 따라 순행적으로 나타내고 있다. 따라서 역순행적 구성을 통한 입체감은 작품에 드러나지 않으므로 답은 ①이다.

오답분석 ② '산천이 무너지는 듯하고'와 같이 과장된 표현을 통해 청나라 장수인 '올대'의 능력이 범상치 않음을 표현하고 있다.

③ '박씨전'은 영웅의 일대기 구조를 취하는 영웅소설로 분류된다.

④ '박씨전'은 병자호란 당시 청나라에 인조가 항복한 치욕스런 역사적 사실과는 반대되는 내용을 그림으로써 상처받은 민족의 자긍심을 회복하여 현실을 극복하고자 하는 의지를 드러낸 작품이다.

07
난이도 ★☆☆

해설 ③ 5~6번째 줄을 통해 해설자는 무대 위의 파수꾼을 소개하고 있음을 알 수 있다. 이때 해설자는 파수꾼을 소개하기 위해 '나의 늙으신 아버지' 역시 파수꾼의 이야기를 들은 적이 있다고 이야기했을 뿐, 무대 위의 아버지를 소개하고 있지는 않으므로 ③의 설명은 적절하지 않다.

[관련 부분] 저기 위를 바라보십시오. 파수꾼이 앉아 있습니다.

오답분석 ① 1~3번째 줄에서 알 수 있는 내용이다.

[관련 부분] 이곳은 황야입니다. 이리 떼의 내습을 알리는 망루가 세워져 있죠.

② 4~5번째 줄에서 알 수 있는 내용이다.

[관련 부분] 하늘은 연극의 진행에 따라 황혼, 초승달이 뜬 밤, 그리고 아침으로 변할 겁니다.

④ 끝에서 3~4번째 줄에서 알 수 있는 내용이다.

[관련 부분] 그는 언제나 시커먼 그림자로만 보입니다.

08

[2019년 국가직 9급]

다음 글에 대한 설명으로 옳지 않은 것은?

> 동네 사람들이 방앗간의 터진 두 면을 둘러쌌다. 그리고 방앗간 속을 들여다보았다. 과연 어둠 속에 움직이는 게 있었다. 그리고 그게 어둠 속에서도 흰 짐승이라는 걸 알 수 있었다. 분명히 그놈의 신둥이개다. 동네 사람들은 한 걸음 한 걸음 죄어들었다. 점점 뒤로 움직여 쫓기는 짐승의 어느 한 부분에 불이 켜졌다. 저게 산개의 눈이다. 동네 사람들은 몽둥이 잡은 손에 힘을 주었다. 이 속에서 간난이 할아버지도 몽둥이 잡은 손에 힘을 주었다. 한 걸음 더 죄어들었다. 눈앞의 새파란 불이 빠져나갈 틈을 엿보듯이 휙 한 바퀴 돌았다. 별나게 새파란 불이었다. 문득 간난이 할아버지는 이런 새파란 불이란 눈앞에 있는 신둥이개 한 마리의 몸에서 나오는 것이 아니고 여럿의 몸에서 나오는 것이 합쳐진 것이라는 생각이 들었다. 말하자면 지금 이 신둥이개의 뱃속에 든 새끼의 몫까지 합쳐진 것이라는. 그러자 간난이 할아버지의 가슴속을 흘러 지나가는 게 있었다. 짐승이라도 새끼 밴 것을 차마?
>
> 이때에 누구의 입에선가, 때레라! 하는 고함 소리가 나왔다. 다음 순간 간난이 할아버지의 양옆 사람들이 욱개를 향해 달려들며 몽둥이를 내리쳤다. 그와 동시에 간난이 할아버지는 푸른 불꽃이 자기 다리 곁을 빠져나가는 것을 느꼈다.
>
> 뒤이어 누구의 입에선가, 누가 빈틈을 냈어? 하는 흥분에 찬 목소리가 들렸다. 그리고 저마다, 거 누구야? 거 누구야? 하고 못마땅해 하는 말소리 속에 간난이 할아버지 턱밑으로 디미는 얼굴이 있어,
>
> "아즈반이웨다레"
>
> 하는 것은 동장네 절가였다.
>
> — 황순원, '목넘이 마을의 개' 중에서

① 토속적이면서도 억센 삶의 현장을 그리고 있다.
② 신둥이의 새파란 불은 생의 욕구를 암시한다.
③ 간난이 할아버지에게서 생명에 대한 외경을 느낄 수 있다.
④ 동장네 절가는 간난이 할아버지의 행동에 동조하고 있다.

09

[2019년 지방직 9급]

다음 글에서 '소리'에 대한 이해로 적절하지 않은 것은?

> 바깥은 어둡고 뜰 변두리의 늙은 나무들은 바람에 불려 서늘한 소리를 내었다. 처마 끝 저편에 퍼진 하늘에는 별이 총총하게 박혀 있으나, 아스므레한 초여름 기운에 잠겨 있었다. 집은 전체로 조용하고 썰렁했다.
>
> 꽝 당 꽝 당.
>
> 먼 어느 곳에서는 이따금 여운이 긴 쇠붙이 두드리는 소리가 들려왔다. 밑 거리의 철공소나 대장간에서 벌겋게 단 쇠를 쇠망치로 뚜드리는 소리 같았다.
>
> 근처에는 그런 곳은 없을 것이었다. 그렇다면 굉장히 먼 곳일 것이었다. 굉장히 굉장히 먼 곳일 것이었다.
>
> 꽝 당 꽝 당.
>
> 단조로운 소리이면서 송곳처럼 쑤시는 구석이 있는, 밤중에 간헐적으로 들려오는 그 소리는 이상하게 신경을 자극했다.
>
> "참, 저거 무슨 소리유?"
>
> 영희가 미간을 찌푸리면서 말했다.
>
> "글쎄, 무슨 소릴까……."
>
> 정애가 심드렁하게 대답했다.
>
> "이 근처에 철공소는 없을 텐데."
>
> "……."
>
> 정애는 표정으로만 수긍을 했다.
>
> 꽝 당 꽝 당.
>
> 그 쇠붙이에 쇠망치 부딪치는 소리는 여전히 간헐적으로 이어지고 있었다. 밤내 이어질 모양이었다. 자세히 그 소리만 듣고 있으려니까 바깥의 선들대는 늙은 나무들도 초여름 밤의 바람에 불려서 그런 것이 아니라 저 소리의 여운에 울려 흔들리고 있었다. 저 소리는 이 방안의 벽 틈서리를 쪼개고도 있었다. 형광등 바로 위의 천장에 비수가 잠겨 있을 것이었다.
>
> — 이호철, '닳아지는 살들'

① '서늘한 소리'는 예사롭지 않은 분위기를 조성하기 시작한다.
② '꽝 당 꽝 당' 소리는 인물의 심리적 상태의 변화를 촉발한다.
③ '단조로운 소리'는 반복적으로 드러남으로써 모종의 의미가 부여된다.
④ '소리의 여운'은 단선적 구성에 변화를 주어 갈등 해소의 기미를 강화한다.

10

[2019년 경찰직 2차]

'나'와 관련된 설명으로 가장 적절하지 않은 것은?

> 노인이 정말로 내게 빚이 없다는 사실을 잊어버리고
> 만 것인가. 노인의 말처럼 그건 일테면 노망기가 분명했
> 다. 그런 염치도 못 가릴 정도로 노인은 그렇게 늙어 버
> 린 것이었다. 하지만 나는 굳이 노인의 그런 노망기를 원
> 망할 필요도 없었다. 문제는 서로간의 빚의 문제였다. 노
> 인에 대해 빚이 없다는 사실만이 내게는 중요했다. 염치
> 가 없어져서건 노망을 해서건 노인에 대해 내가 갚아야
> 할 빚만 없으면 그만이었다.
> 빚이 있을 리 없지. 절대로! 글쎄 노인도 그걸 알고 있
> 으니까 정면으로는 말을 꺼내지 못하질 않던가 말이다.
> 〈중 략〉
> "방이 이렇게 비좁은데 그럼 어머니, 이 옷장이라도
> 어디 다른 데로 좀 내놓을 수 없으세요? 이 옷장을 들
> 여놓으니까 좁은 방이 더 비좁지 않아요."
> 아내는 마침내 내가 가장 거북스럽게 시선을 피해 오
> 던 곳으로 화제를 끌어들이고 있었다. 〈중 략〉
> 나중에야 안 일이지만 노인은 그렇게 나에게 저녁밥
> 한 끼를 지어 먹이고 마지막 밤을 지내게 해 주고 싶어,
> 새 주인의 양해를 얻어 그렇게 혼자서 나를 기다리고 있
> 었다 했다.

① '나'가 서술되었기에 1인칭 시점이다.
② '나'는 어머니와의 거리를 두기 위해 어머니를 '노인'으로 지칭하고 있다.
③ '나'와 아내를 보니, '초록은 동색'이란 말이 떠오른다.
④ '나'는 '빚'을 경제적인 부분으로 한정하여 자식 된 도리를 부정하려 애쓰고 있다.

08

난이도 ★★☆

해설 ④ 제시된 작품에서 간난이 할아버지는 신둥이에게 연민을 느끼고 일부러 신둥이가 도망칠 수 있도록 돕고 있다. 이때 동네 사람들이 빈틈을 낸 범인을 찾으려고 하자 동장네 절가가 '아 즈반이웨다레(아저씨로구려)'라고 하며 간난이 할아버지를 지목하고 있으므로 ④의 설명은 옳지 않다.

오답분석 ① 동네 사람들이 신둥이를 잡기 위해 달려들어 몽둥이를 내리치는 모습을 통해 토속적이면서 억센 삶의 현장을 그리고 있음을 알 수 있다.
② '새파란 불이란 눈앞에 있는 신둥이개 한 마리의 몸에서 나오는 것이 아니고 여럿의 몸에서 나오는 것이 합쳐진 것이라는 생각이 들었다'를 통해 '새파란 불'이 새끼를 지키기 위한 신둥이의 생의 욕구를 암시하고 있음을 알 수 있다.
③ '짐승이라도 새끼 밴 것을 차마?'를 통해 간난이 할아버지에 게서 생명에 대한 외경을 느낄 수 있다.

09

난이도 ★★☆

해설 ④ '소리의 여운'은 '꽝 당 꽝 당' 소리에 해당하는데, 이 소리는 단선적 구성에 변화를 주지 않고 갈등 해소의 기미를 강화하지도 않으므로 '소리'에 대한 이해로 적절하지 않은 것은 ④이다.

오답분석 ① '서늘한 소리'가 제시된 작품의 초반부에 등장함으로써 예사롭지 않은 분위기를 조성한다.
② '꽝 당 꽝 당' 소리가 '이상하게 신경을 자극했다'라는 서술을 통해 이 소리가 인물의 심리적 상태 변화를 촉발하였음을 알 수 있다.
③ '단조로운 소리'는 '꽝 당 꽝 당' 소리로, 이 소리는 제시된 작품에 반복적으로 드러남으로써 가족들의 정신적 고뇌가 상징적으로 표현됨과 동시에 '분단 상황이 낳은 비극'이라는 모종의 의미가 부여된 것이다.

10

난이도 ★★☆

해설 ③ '나'는 '어머니'를 '노인'으로 지칭하며 지속적으로 '어머니'와 거리를 두려 하고 있으나, '아내'는 어머니의 사랑을 상징하는 소재인 '옷장'을 화제로 끌어들여 '나'와 '어머니'의 관계를 개선하기 위해 노력하고 있다. 따라서 '나'와 '아내'를 보며 '초록은 동색'이라는 말을 떠올리는 것은 적절하지 않다.
• 초록은 동색: '풀색과 녹색은 같은 색'이라는 뜻으로, 처지가 같은 사람들끼리 한패가 되는 경우를 비유적으로 이르는 말

오답분석 ① 주인공 '나'가 이야기를 전개하는 1인칭 주인공 시점이 나타난다.
② '나'는 어머니를 '노인'으로 일컬음으로써 어머니에 대한 심리적 거리를 두고 있다.
④ '나'는 '빚'의 범위를 경제적인 부분으로 한정하여 어린 시절 어머니에게 경제적인 도움을 받지 못했으므로 어머니에게 갚을 빚이 없다고 생각하고 있다.

11

[2019년 지방직 7급]

다음 글에 대한 감상으로 적절하지 않은 것은?

이처럼 동리자가 수절을 잘하는 부인이라 했는데 실은 슬하의 다섯 아들이 저마다 성(姓)을 달리하고 있었다. 어느 날 밤, 다섯 놈의 아들들이 서로 이르기를,

"강 건넛마을에서 닭이 울고 강 저편 하늘에 샛별이 반짝이는데 방 안에서 흘러나오는 말소리는 어찌도 그리 북곽 선생의 목청을 닮았을까."

하고, 다섯 놈이 차례로 문틈을 들여다보았다. 동리자가 북곽 선생에게,

"오랫동안 선생님의 덕을 사모했사온데 오늘 밤은 선생님 글 읽는 소리를 듣고자 하옵니다."

라고 간청하매, 북곽 선생은 옷깃을 바로잡고 점잖게 앉아서 시(詩)를 읊는 것이 아닌가.

"'원앙새는 병풍에 그려 있고 / 반딧불이 흐르는데 잠 못 이루어 / 저기 저 가마솥 세발솥은 / 무엇을 본떠서 만들었나.' 흥야(興也)라."

다섯 놈들이 서로 소곤대기를

"북곽 선생과 같은 점잖은 어른이 과부의 방에 들어올 리가 있겠나. 우리 고을의 성문이 무너진 데에 여우가 사는 굴이 있다더라. 여우란 놈은 천 년을 묵으면 사람 모양으로 둔갑할 수가 있다더라. 저건 틀림없이 그 여우란 놈이 북곽 선생으로 둔갑한 것이다."

하고 함께 의논했다.

"들으니 여우의 갓을 얻으면 큰 부자가 될 수 있고, 여우의 신을 신으면 대낮에 그림자를 감출 수 있고, 여우의 꼬리를 얻으면 애교를 잘 부려서 남에게 이쁘게 보일 수 있다더라. 우리 저 여우를 때려잡아서 나누어 갖도록 하자."

다섯 놈들이 방을 둘러싸고 우루루 쳐들어갔다. 북곽 선생은 크게 당황하여 도망쳤다. 사람들이 자기를 알아볼까 겁이 나서 모가지를 두 다리 사이로 들이박고 귀신처럼 춤추고 낄낄거리며 문을 나가서 내닫다가 그만 들판의 구덩이 속에 빠져 버렸다. 그 구덩이에는 똥이 가득 차 있었다. 간신히 기어올라 머리를 들고 바라보니 뜻밖에 범이 길목에 앉아 있는 것이 아닌가. 범은 북곽 선생을 보고 오만상을 찌푸리고 구역질을 하며 코를 싸쥐고 외면을 했다.

"어허, 유자(儒者)여! 더럽다."

북곽 선생은 머리를 조아리고 범 앞으로 기어가서 세 번 절하고 꿇어 앉아 우러러 아뢴다.

"범님의 덕은 지극하시지요. 대인(大人)은 그 변화를 본받고, 제왕(帝王)은 그 걸음을 배우며, 자식 된 자는 그 효성을 본받고, 장수는 그 위엄을 취하며, 거룩하신 이름은 신령스런 용(龍)의 짝이 되는지라, 풍운의 조

화를 부리시매 하토(下土)의 천신(賤臣)은 감히 아랫바람에서 욥나이다."

범은 북곽 선생을 여지없이 꾸짖었다.

"내 앞에 가까이 오지 말아라. 내 듣건대 유(儒)는 유(諛)라 하더니 과연 그렇구나. 네가 평소에 천하의 악명을 죄다 나에게 덮어씌우더니, 이제 사정이 급해지자 면전에서 아첨을 떠니 누가 곧이듣겠느냐?"

- 박지원, '호질' 중에서

① 자연의 묘사를 통해 주제를 강화하고 있다.
② 시를 통해 인물의 속셈을 넌지시 드러내고 있다.
③ 동물을 의인화하여 유학자의 이중성을 들추고 있다.
④ 동음이의어를 활용한 언어유희로 대상을 비판하고 있다.

12

[2018년 국가직 7급]

(가), (나)에 대한 이해로 가장 적절한 것은?

> (가) 내 개인적인 체험에 불과한 일이기는 하지만, 저 혹
> 독한 6·25의 경험 속의 공포의 전짓불(다른 곳에서 그
> 것에 대해 쓴 일이 있다), 그 비정한 전짓불빛 앞에 나
> 는 도대체 어떤 변신이나 사라짐이 가능했을 것인가.
> 앞에선 사람의 정체를 감춘 채 전짓불은 일방적으로
> '너는 누구 편이냐'고 운명을 판가름할 대답을 강요한
> 다. 그 앞에선 물론 어떤 변신도 사라짐도 불가능하다.
> 대답은 불가피하다. 그리고 그 대답이 빗나간 편을 잘
> 못 맞췄을 땐 그 당장에 제 목숨이 달아난다. 불빛 뒤
> 의 상대방이 어느 편인지를 알면 대답은 간단하다. 그
> 러나 이쪽에선 그것을 알 수 없다. 그것을 알 수 없으
> 므로 상대방을 기준하여 안전한 대답을 선택할 수가
> 없다. 길은 다만 한 가지. 그 대답은 자기 자신의 진실
> 을 근거로 한 선택이 될 수밖에 없다. 그것은 바로 제
> 목숨을 건 자기 진실의 드러냄인 것이다. 그 밖의 다른
> 길은 없는 것이다.
> - 이청준, '전짓불 앞의 방백'
>
> (나) 한데 요즘 나는 나의 소설 작업 중에도 가끔 그 비
> 슷한 느낌을 경험하곤 한다. 내가 소설을 쓰고 있는 것
> 이 마치 그 얼굴이 보이지 않은 전짓불 앞에서 일방적
> 으로 나의 진술만을 하고 있는 것 같다는 말이다. 문학
> 행위란 어떻게 보면 가장 성실한 작가의 자기 진술이
> 라고 할 수 있다. 한데 나는 지금 어떤 전짓불 아래서
> 나의 진술을 행하고 있는지 때때로 엄청난 공포감을
> 느낄 때가 많다는 말이다. 지금 당신 같은 질문을 받게
> 될 때가 바로 그렇다……
> - 이청준, '소문의 벽'

① (나)와 달리 (가)는, 경험에서 파생된 상징적 장치를 적용
하여 사태의 의미를 도출하고 있다.

② (가)와 달리 (나)는, 이념적 대립에 의해 자유를 억압당하
는 인물의 고통을 낱낱이 진술하고 있다.

③ (가)와 (나)는, 상호적 소통의 여지가 가로막힌 상황의 공
포를 다룸으로써 유사한 의미를 공유하고 있다.

④ (가)와 (나)는, 고립된 채 두려움에 떠는 인물의 행동을 극
화함으로써 공통된 주제 의식을 제시하고 있다.

11

난이도 ★★☆

해설 ① 제시된 작품은 등장인물들 간의 대화와 상황 묘사를 통해 주
제를 강화하고 있을 뿐, 자연을 묘사하는 부분은 나타나지 않
으므로 글에 대한 감상으로 적절하지 않은 것은 ①이다.

오답분석
② '원앙새는 병풍에 그려 있고~무엇을 본떠서 만들었나'에서
'원앙새'와 '반딧불'은 남녀 간의 정을 의미하고, '가마솥 세
발솥'은 성이 각기 다른 다섯 아들들을 의미한다. 이를 통해
북곽 선생이 시를 읊으며, 동리자와 통정하고자 하는 욕정을
넌지시 드러내고 있음을 알 수 있다.

③ 범이 북곽 선생을 꾸짖는 장면을 통해 범을 의인화하여 평소
의 명망 높은 유학자로 존경받는 모습과 달리 위급한 상황에
처하자 아첨하는 태도를 보이는 북곽 선생의 이중성을 들추
고 있음을 알 수 있다.

④ '유(儒)'는 유(諛)'에 동음이의어를 활용한 언어유희가 나타난
다. 이때 '유(儒)'는 '선비'를, '유(諛)'는 '아첨하다'를 의미하
며, 이를 활용한 언어유희를 통해 아첨하는 말을 일삼는 양반
들을 비판하고 있다.

12

난이도 ★★☆

해설 ③ (가)는 6·25 전쟁 중에 북한군인지 남한군인지 모를 사람의
전짓불 앞에서 대답을 강요당한 경험으로 인해 느낀 공포감
을 서술하고 있으며, (나)는 소설 작업 중 느낀, 일방적이고
소통 없는 진술 과정이 유발하는 공포감을 서술하고 있다. 따
라서 (가)와 (나)가 소통의 여지가 없는 상황의 공포를 다룸으
로써 유사한 의미를 공유하고 있다는 ③의 설명은 적절하다.

오답분석
① (가)와 (나) 모두 경험에서 파생된 상징적 장치인 '전짓불'을
적용하여 사태의 의미를 도출하고 있다.

② (가)의 '대답은 불가피하다. 그리고 그 대답이 빗나간 편을 잘
못 맞췄을 땐 그 당장에 제 목숨이 달아난다'를 통해 이념적
대립에 의해 자유를 억압당하는 인물의 고통이 진술되고 있
음을 확인할 수 있다. 그러나 (나)에서는 이를 확인할 수 없다.

④ (가)와 (나) 모두 고립된 채 공포에 떠는 인물의 행동이 드러
나지만 이를 극화(극의 형식으로 만듦)하지는 않았다.

13

[2018년 지방직 7급]

(가)를 바탕으로 할 때, (나)에 나타난 사랑의 모습으로 적절하지 않은 것은?

(가) 근대적 연애에서 자기 의사를 중시하는 대등한 개인의 만남과 둘 사이에 타오르는 감정의 비중이 부각된다. 특히 상대방의 모습이 불러일으키는 열정은 결정적으로 중요하다. 전통 사회의 남녀 관계에서 가족 사이의 약속, 상대방에 대한 의존 가능성, 서로의 처지와 상황에 대한 비교 같은 외적 기준이 중시되었던 것과 구별되는 특징이라 할 수 있다.

(나) 옳다, 그렇다. 나는 영채를 구원할 의무가 있다. 영채는 나의 은사의 따님이요, 또 은사가 내 아내로 허락하였던 여자라. 설혹 운수가 기박하여 일시 더러운 곳에 몸이 빠졌다 하더라도 나는 그를 건져 낼 책임이 있다. 내가 먼저 그를 찾아다니지 못한 것이 도리어 한이 되고 죄송하거늘, 이제 그가 나를 찾아왔으니 어찌 모르는 체하고 있으리요. 나는 그를 구원하리라. 구원하여서 사랑하리라. 처음에 생각하던 대로, 만일 될 수만 있으면 나의 아내를 삼으리라. 설혹 그가 기생이 되었다 하더라도 원래 양반의 집 혈속이요, 또 어려서 가정의 교훈을 많이 받았으니 반드시 여자의 아름다운 점을 구비하였으리라. 또 만일 기생이라 하면 인정과 세상도 많이 알았을지요, 시와 노래도 잘할지니, 글로 일생을 보내려는 나에게는 가장 적합하다 하고 형식은 가만히 눈을 떴다. 멍하니 모기장을 바라보고 모기장 밖에서 앵앵하는 모기의 소리를 듣다가 다시 눈을 감으며 싱긋 혼자 웃었다. 아까 영채의 태도는 과연 아름다웠다. 눈썹을 짓고, 향수 내 나는 것이 좀 불쾌하기는 하였으나 그 살빛과 눈찌와 앉은 태도가 참 아름다웠다. 더구나 그 이야기할 때에 하얀 이빨이 반작반작하는 것과 탄식할 때에 잠깐 몸을 틀며 보일 듯 말 듯양 미간을 찌그리는 것이 못 견디리만큼 어여뻤다. 아까 형식은 너무 감격하여 미처 영채의 얼굴과 태도를 자세히 비평할 여유가 없었거니와 지금 가만히 생각하니 영채의 일언일동과 옷고름 맨 모양까지도 어여뻐 보인다. 형식은 눈을 감고 한번 더 영채의 모양을 그리면서 싱긋 웃었다. 도리어 저 김장로의 딸 선형이도 그 얌전한 태도에 이르러서는 영채에게 및지 못한다 하였다. 선형의 얼굴과 태도도 얌전치 아니함이 아니지마는 영채에 비기면 변화가 적고 생기가 적다 하였다.

- 이광수, '무정'

① 영채가 형식에게 원하는 것이 형식의 보호라면, 이를 근대적 사랑이라 보기 어렵다.

② 은사가 아내로 허락하였다는 점을 먼저 생각하는 것을 보면 형식의 영채에 대한 감정은 근대적 사랑이라 보기 어렵다.

③ 자신의 처지에 비추어 시와 노래에 능한 영채의 장점을 호평하는 형식의 생각은 열정과 연결시킬 수 있다.

④ 영채의 외모와 행동을 떠올리며 미소 짓는 장면에서 영채에 대한 형식의 열정을 찾을 수 있다.

14

다음 글에 대한 설명으로 옳지 않은 것은?

> 우리들은 서로 오해하고 있느니라. 설마 아내가 아스피린 대신에 아달린의 정량을 나에게 먹여 왔을까? 나는 그것을 믿을 수는 없다. 아내가 대체 그럴 까닭이 없을 것이니, 그러면 나는 날밤을 새면서 도둑질을 계집질을 하였나? 정말이지 아니다.
>
> 우리 부부는 숙명적으로 발이 맞지 않는 절름발이인 것이다. 내나 아내나 제 거동에 로직을 붙일 필요는 없다. 변해할 필요도 없다. 사실은 사실대로 오해는 오해대로 그저 끝없이 발을 절뚝거리면서 세상을 걸어가면 되는 것이다. 그렇지 않을까?
>
> 그러나 나는 이 발길이 아내에게로 돌아가야 옳은가 이것만은 분간하기가 좀 어려웠다. 가야 하나? 그럼 어디로 가나?
>
> 이때 뚜우 하고 정오 사이렌이 울었다. 사람들은 모두 네 활개를 펴고 닭처럼 푸드덕거리는 것 같고 온갖 유리와 강철과 대리석과 지폐와 잉크가 부글부글 끓고 수선을 떨고 하는 것 같은 찰나! 그야말로 현란을 극한 정오다.
>
> 나는 불현듯 겨드랑이가 가렵다. 아하, 그것은 내 인공의 날개가 돋았던 자국이다. 오늘은 없는 이 날개, 머릿속에서는 희망과 야심이 말소된 페이지가 딕셔너리 넘어가듯 번뜩였다.
>
> 나는 걷던 걸음을 멈추고 그리고 일어나 한 번 이렇게 외쳐보고 싶었다.
>
> 날개야 다시 돋아라.
>
> 날자. 날자. 날자. 한 번만 더 날자꾸나.
>
> 한 번만 더 날아 보자꾸나.
>
> — 이상, '날개' 중에서

① 1인칭 주인공 시점을 취하고 있다.

② 상징적 표현들이 여러 차례 나타나고 있다.

③ 의식의 흐름에 따라 내면이 드러나고 있다.

④ 자아 분열의 상황을 극복하려는 인물의 의지를 읽을 수 있다.

⑤ 일제 강점기 시절 고통 받는 지식인의 사회 변혁에 대한 욕구가 담겨 있다.

13

해설 ③ (가)는 근대적 연애의 특징을 전통 사회의 남녀 관계와 대조하여 설명하고 있다. (나)에서 형식이 글로 일생을 보내는 자신의 처지에 비추어 시와 노래에 능한 영채를 호평하는 것은 (가)의 '서로의 처지와 상황에 대한 비교'이므로 전통 사회의 남녀 관계에 해당한다. 따라서 형식이 자신의 처지에 비추어 영채의 장점을 호평한 것을 근대적 연애의 특징인 '열정'과 연결시킬 수 있다는 ③의 설명은 적절하지 않다.

오답 분석 ① 영채가 형식에게 원하는 것이 형식의 보호라면 이는 (가)의 '상대방에 대한 의존 가능성'으로 설명할 수 있으므로 전통 사회의 남녀 관계에 해당한다.

② 은사가 아내로 허락하였다는 점을 먼저 생각하는 것은 (가)의 '가족 사이의 약속'을 중시하는 것이므로 전통 사회의 남녀 관계에 해당한다.

④ 영채의 외모와 행동을 떠올리며 미소를 짓는 장면은 (가)의 '상대방의 모습이 불러일으키는 열정'에 해당한다.

14

해설 ⑤ 제시된 작품은 일제 강점기 시기에 자아 분열의 고통을 겪는 지식인의 내면을 그리고 있지만, 지식인의 사회 변혁에 대한 욕구는 드러나지 않으므로 적절하지 않다.

오답 분석 ① 작품의 주인공인 '나'가 자신의 내면세계를 중심으로 이야기를 서술하는 1인칭 주인공 시점이 나타나므로 적절하다.

② '절름발이', '날개' 등 여러 상징적 표현을 통해 주인공의 상황이나 내면을 표현하고 있으므로 적절하다.

- 절름발이: '나'의 삶이 아내에게 종속되어 있는 비정상적인 부부의 모습을 상징함
- 정오 사이렌: '나'의 의식을 깨우는 매개체로 작용함
- 날개: 진정한 자신의 자아를 상징함

③ 주인공 '나'의 의식의 흐름에 따라 이야기를 전개하고 있으므로 적절하다.

④ 정신적으로 방황(자아 분열)하던 주인공이 '정오 사이렌'을 듣고 각성하여 본연의 자아(날개)를 되찾고 주체적인 삶을 살려는 의지를 드러내고 있다.

이것도 알면 합격

이상, '날개'의 주제와 특징을 알아두자.

1. **주제**: 무기력한 인생과 자아 분열에서 탈피하여 본래의 자아를 찾으려고 하는 의지

2. **특징**
   - 주인공의 의식의 흐름이 내적 독백을 통해 서술됨
   - 식민지 지식인의 어두운 내면을 상징적 장치를 사용하여 드러냄

15

[2018년 법원직 9급]

다음 글에 대한 설명으로 적절하지 않은 것은?

허생은 묵적골에 살았다. 곧장 남산(南山) 밑에 닿으면, 우물 위에 오래된 은행나무가 서 있고, 은행나무를 향하여 사립문이 열렸는데, 두어 칸 초가는 비바람을 막지 못할 정도였다. 그러나 허생은 글 읽기만 좋아하고, 그의 처가 남의 바느질품을 팔아서 입에 풀칠을 했다. 하루는 그의 처가 몹시 배가 고파서 울음 섞인 소리로 말했다.

"당신은 평생 과거(科擧)를 보지 않으니, 글을 읽어 무엇합니까?"

허생은 웃으며 대답했다.

"나는 아직 독서를 익숙히 하지 못하였소."

"그럼 장인바치 일이라도 못 하시나요?"

"장인바치 일은 본래 배우지 않은 걸 어떻게 하겠소?"

"그럼 장사는 못 하시나요?"

"장사는 밑천이 없는 걸 어떻게 하겠소?"

처는 왈칵 성을 내며 소리쳤다.

"밤낮으로 글을 읽더니 기껏 '어떻게 하겠소' 소리만 배웠단 말씀이오? 장인바치 일도 못 한다, 장사도 못 한다면, 도둑질이라도 못 하시나요?"

허생은 읽던 책을 덮어 놓고 일어나면서,

"아깝다. 내가 당초 글 읽기로 십 년을 기약했는데, 인제 칠 년인걸……."

하고 휙 문밖으로 나가 버렸다. 〈중 략〉

이때, 변산(邊山)에 수천의 군도(群盜)들이 우글거리고 있었다. 각 지방에서 군사를 징발하여 수색을 벌였으나 좀처럼 잡히지 않았다. 군도들도 감히 나가 활동을 못해서 배고프고 곤란한 판이었다. 허생이 군도의 산채를 찾아가서 우두머리를 달래었다.

"천 명이 천 냥을 빼앗아 와서 나누면 하나 앞에 얼마씩 돌아가지요?"

"일 인당 한 냥이지요."

"모두 아내가 있소?"

"없소." / "논밭은 있소?"

군도들이 어이없어 웃었다.

"땅이 있고 처자식이 있는 놈이 무엇 때문에 도둑이 된단 말이오?"

"정말 그렇다면, 왜 아내를 얻고, 집을 짓고, 소를 사서 논밭을 갈고 지내려 하지 않는가? 그럼 도둑놈 소리도 안 듣고 살면서, 집에는 부부의 낙(樂)이 있을 것이요, 돌아다녀도 잡힐까 걱정을 않고 길이 의식의 요족을 누릴텐데."

"아니, 왜 바라지 않겠소? 다만 돈이 없어 못 할 뿐이지요."

허생은 웃으며 말했다.

"도둑질을 하면서 어찌 돈을 걱정할까? 내가 능히 당신들을 위해서 마련할 수 있소. 내일 바다에 나와 보오. 붉은 깃발을 단 것이 모두 돈을 실은 배이니, 마음대로 가져가구려."

허생이 군도와 언약하고 내려가자, 군도들은 모두 그를 미친놈이라고 비웃었다. 이튿날, 군도들이 바닷가에 나가 보았더니, 과연 허생이 삼십만 냥의 돈을 싣고 온 것이었다. 모두들 대경(大驚)해서 허생 앞에 줄지어 절했다.

"오직 장군의 명령을 따르겠소이다."

이에 군도들이 다투어 돈을 짊어졌으나, 한 사람이 백 냥 이상을 지지 못했다.

"너희들 힘이 한껏 백 냥도 못 지면서 무슨 도둑질을 하겠느냐? 인제 너희들이 양민이 되려고 해도, 이름이 도둑의 장부에 올랐으니, 갈 곳이 없다. 내가 여기서 너희들을 기다릴 것이니, 한 사람이 백 냥씩 가지고 가서 여자 하나, 소 한 필을 거느리고 오너라."

허생의 말에 군도들은 모두 좋다고 흩어져 갔다. 허생은 몸소 이천 명이 1년 먹을 양식을 준비하고 기다렸다. 군도들이 빠짐없이 모두 돌아왔다. 드디어 다들 배에 싣고 그 빈 섬으로 들어갔다. 허생이 도둑을 몽땅 쓸어 가서 나라 안에 시끄러운 일이 없었다.

- 박지원, '허생전'

① 실제 지명을 사용함으로써 소설에 현실감을 부여하고, 부인과의 대화를 통해 그들의 갈등 원인을 구체적으로 드러내고 있다.

② 영웅적 면모를 가진 인물을 내세워 당대 지배층의 무능으로 말미암아 양민이 도둑이 될 수밖에 없는 사회 현실을 비판하고 있다.

③ 군도들과의 대화를 통해 군도가 된 이유가 땅과 처자식이 없어서라는 내용은 작가가 당대 민중의 삶이 피폐했음을 보여주기 위한 장치라고 할 수 있다.

④ 허생이 군도를 데리고 가 빈 섬을 개척한 것을 통해, 작가는 조선의 국력을 강화시키기 위해서는 영토 확장이 필요하다는 인식을 가지고 있었음을 확인할 수 있다.

16

[2019년 서울시 9급 (6월)]

〈보기〉의 소설에 대한 설명으로 가장 적절하지 않은 것은?

―――――――――〈보기〉―――――――――

"혼자 있기가 싫습니다."라고 아저씨가 중얼거렸다.

"혼자 주무시는 게 편하실 거예요." 안이 말했다.

우리는 복도에서 헤어져서 사환이 지적해 준, 나란히 붙은 방 세 개에 각각 한 사람씩 들어갔다.

"화투라도 사다가 놉시다." 헤어지기 전에 내가 말했지만,

"난 아주 피곤합니다. 하시고 싶으면 두 분이나 하세요."라고 안은 말하고 나서 자기의 방으로 들어가 버렸다.

"나도 피곤해 죽겠습니다. 안녕히 주무세요."라고 나는 아저씨에게 말하고 나서 내 방으로 들어갔다. 숙박계엔 거짓 이름, 거짓 주소, 거짓 나이, 거짓 직업을 쓰고 나서 사환이 가져다 놓은 자리끼를 마시고 나는 이불을 뒤집어썼다. 나는 꿈도 안 꾸고 잘 잤다.

다음날 아침 일찍이 안이 나를 깨웠다.

① 물화된 도시의 삶이 만든 비정함, 절망감, 권태 등이 바탕에 깔려 있다.

② 주인공들은 자기 지위나 이름을 버린 익명적 존재로 기호화되어 있다.

③ 잠은 현실을 초월한 삶에 대한 강렬한 동경을 환기하는 매개체다.

④ 화투는 절망과 권태를 견디는 의미 없는 놀이의 상징으로 볼 수 있다.

15

난이도 ★★☆

해설 ④ 작가는 허생이 군도를 데리고 빈 섬을 개척한 것을 통해 조선 후기 사대부 사회의 무능함을 비판하고 자신의 이상향을 드러내고 있다. 이는 영토 확장에 대한 작가의 인식과는 관련이 없으므로 설명으로 적절하지 않은 것은 ④이다.

오답분석 ① '묵적골, 남산(南山), 변산(邊山)' 등의 실제 지명을 사용함으로써 소설에 현실감을 부여하고, 허생과 부인의 대화를 통해 그들의 갈등 원인이 가난과 허생의 경제적 무능력에 있음을 구체적으로 드러내고 있다.

② 영웅적 면모를 지닌 '허생'을 통해 조선 후기 양반 사대부들의 무능함을 드러내고, 이로 인해 양민이 도둑이 될 수밖에 없는 사회 현실을 비판하고 있다.

③ 군도들과의 대화를 통해 군도들이 도둑질을 하는 이유가 농사 지을 땅도, 처자식도 없기 때문임을 알 수 있다. 이러한 내용은 당대 민중의 삶이 평범한 생활을 영위할 수 없을 정도로 피폐했음을 보여 주는 장치이다.

[관련 부분] 땅이 있고 처자식이 있는 놈이 무엇 때문에 괴롭게 도둑이 된단 말이오?

16

난이도 ★☆☆

해설 ③ 제시된 작품은 김승옥의 '서울, 1964년 겨울'로, 혼자 있기 싫다는 '아저씨'의 요구에도 '나'와 '안'은 '잠'을 잔다는 핑계로 거절한다. 따라서 '잠'은 타인에게 무관심한 현대인 모습을 나타내는 것일 뿐 현실을 초월한 삶에 대한 강렬한 동경을 환기하는 매개체라는 설명은 적절하지 않다.

오답분석 ① 나란히 붙은 세 개의 방에 각각 들어가는 행위, 피곤하다며 '아저씨'의 요구를 거절하는 행위 등을 통해 물화된 도시의 삶이 만든 비정함, 절망감, 권태 등이 작품의 바탕에 깔려 있음을 알 수 있다.

② '나', '안', '아저씨'와 같이 이름이 언급되지 않는 모습, 숙박계에 거짓으로 이름, 주소, 나이, 직업을 쓰는 모습 등을 통해 주인공들이 익명적 존재로 기호화되어 있음을 알 수 있다.

④ 화투는 '나'가 마지못해 제안한 놀이이므로 절망과 권태를 견디는 의미 없는 놀이의 상징으로 볼 수 있다.

17

윗글에 대한 설명으로 가장 적절하지 않은 것은?

[앞부분 줄거리] 유광억은 영남 합천 사람으로 글을 잘 지었다. 과거를 보는 사람을 대신하여 글을 써 주며 생계를 꾸려 나갔는데, 날이 갈수록 유광억의 이름이 나라 안에 퍼졌다. 이 소문을 들은 경시관과 경상 감사는 과거 시험에서 유광억의 글을 가려낼 수 있는지를 두고 내기를 한다.

경시관이 그 시권을 읽고서,
"이게 필시 유광억의 시야!"
라고 생각하였다. 그는 어구가 빼어난 곳에 여기저기 붉은 먹으로 점을 찍고서 이하(二下)의 등급을 매겨 장원으로 뽑았다. 또 시권 하나가 제법 잘 되었으므로, 이하의 두 번째로 뽑고, 또 시권 하나를 삼등으로 뽑았다. 시권 머리의 봉해 둔 곳을 뜯어 이름을 확인하니 어느 시권에도 유광억의 이름이 없었다. 경시관이 남몰래 알아보게 했더니, 모두 유광억이 남의 돈을 받아 써 준 것으로, 재화의 많고 적음에 따라 글의 차이를 낸 것이었다.

경시관은 비록 이 사실을 알아냈지만, 감사가 자기를 믿지 않을까 염려하여, 유광억의 자백을 받아서 증거를 삼으려고 했다. 그래서 공식 문건을 합천으로 내려보내 유광억을 잡아 올리게 했다. 재판을 일으킬 의도는 없었다.

유광억은 군에서 구속되어 감영으로 송치될 판이었다. 그는 두려운 마음에 스스로 생각했다.
'나야말로 과거 법규를 해치는 도적이니, 감영으로 가더라도 역시 죽을 것이다. 차라리 가지 않는 게 낫겠다.'
그는 밤에 친척을 모아 놓고 한껏 술을 마셔 댔다. 그리고는 몰래 강물로 나가 몸을 던져 죽었다. 경시관은 이 소식을 듣고는 애석하게 여겼다. 사람들 가운데 그의 재주를 아깝게 여기지 않는 이가 없었다.

군자는 이렇게 논평했다.
"유광억은 과거 법규를 해친 죄과 때문에 죽은 것이니, 마땅한 일이다."
매화외사는 다음과 같이 말한다.
천하에는 팔지 못할 물건이 없다. 몸을 팔아 남의 노예가 되는 자도 있다. 심지어 가느다란 터럭과 형체가 없는 꿈에 이르기까지도 모두 사고판다. 그러나 아직 마음을 팔았다는 일은 없었다. 어찌 물건치고 다 팔 수 있거늘, 마음이라 하여 팔지 못하겠는가? 유광억 같은 자는 바로 그 마음을 판 자가 아니겠는가?
아! 누가, 천하에서 가장 천박한 매매를 글 읽는 자가 하리라고 생각하겠는가? 법으로 따지면 '주는 자나 받는 자나 같은 죄'로다.

- 이옥, '유광억전'

① 한 인물의 전기(傳記)를 기록한 것이다.
② 높은 지위에 올랐던 실존 인물이 주인공이다.
③ 당대 시험 제도의 부조리함을 비판하고 있다.
④ 인물과 관련된 일화와 논평으로 구성되어 있다.

18

밑줄 친 부분에 대한 설명으로 가장 적절하지 않은 것은?

제6 ⊙과장 양반춤

말뚝이: (벙거지를 쓰고 채찍을 들었다. 굿거리장단에 맞추어 양반 삼 형제를 인도하여 등장)
양반 삼 형제: (말뚝이 뒤를 따라 굿거리장단에 맞추어 점잔을 피우나, ⓛ어색하게 춤을 추며 등장. 양반 삼 형제 맏이는 샌님[生員], 둘째는 서방님[書房], 끝은 도련님[道令]이다. 샌님과 서방님은 흰 창옷에 관을 썼다. 도련님은 남색 쾌자에 복건을 썼다. 샌님과 서방님은 언청이이며 (샌님은 언청이 두 줄, 서방님은 한줄이다.) 부채와 장죽을 가지고 있고, 도련님은 입이 삐뚤어졌고 부채만 가졌다. 도련님은 일절 대사는 없으며, 형들과 동작을 같이 하면서 형들의 면상을 부채로 때리며 방정맞게 군다.)
말뚝이: (가운데쯤에 나와서) 쉬이. (음악과 춤 멈춘다.) 양반 나오신다아! 양반이라고 하니까 노론(老論), 소론(少論), 호조(戶曹), 병조(兵曹), 옥당(玉堂)을 다 지내고 삼정승(三政丞), 육판서(六判書)를 다 지낸 퇴로 재상(退老宰相)으로 계신 양반인 줄 아지 마시오. ⓒ개잘량이라는 '양'자에 개다리소반이라는 '반'자 쓰는 양반이 나오신단 말이오.
양반들: 야아, 이놈, 뭐야아!
말뚝이: 아, 이 양반들, 어찌 듣는지 모르갔소. 노론, 소론, 호조, 병조, 옥당을 다 지내고 삼정승, 육판서 다 지내고 퇴로재상으로 계신 이 생원네 삼 형제분이 나오신다고 그리하였소.
양반들: (합창) 이 생원이라네. (굿거리장단으로 ②모두 춤을 춘다. 도령은 때때로 형들의 면상을 치며 논다. 끝까지 그런 행동을 한다.)

① ⊙: 현대 연극의 '막'과 유사하지만 각 '과장'은 독립적이다.
② ⓛ: 양반의 행동을 희화화하여 보여 주고 있다.
③ ⓒ: 언어유희를 통해 양반을 조롱하고 있다.
④ ②: 말뚝이를 통해 유발된 갈등이 완전히 해소되었다.

19

[2015년 지방직 9급]

다음 글에 대한 설명으로 적절하지 않은 것은?

> "심청은 시각이 급하니 어서 바삐 물에 들라."
>
> 심청이 거동 보소. 두 손을 합장하고 일어나서 하느님 전에 비는 말이,
>
> "비나이다, 비나이다. 하느님 전에 비나이다. 심청이 죽는 일은 추호라도 섧지 아니하되, 병든 아비 깊은 한을 생전에 풀려 하고 이 죽음을 당하오니 명천(明天)은 감동하사 어두운 아비 눈을 밝게 띄워 주옵소서."
>
> 눈물지며 하는 말이,
>
> "여러 선인네 평안히 가옵시고, 억십만금 이문 남겨 이 물가를 지나거든 나의 혼백 불러내어 물밥이나 주시오."
>
> 하며 안색을 변치 않고 뱃전에 나서 보니 티 없이 푸른 물은 월러렁 콸넝 뒤둥구리 굽이쳐서 물거품 북적찌데한데, 심청이 기가 막혀 뒤로 벌떡 주저앉아 뱃전을 다시 잡고 기절하여 엎딘 양은 차마 보지 못할 지경이었다.
>
> - '심청가' 중에서

① 사건에 대한 서술자의 주관적 서술이 나타나 있다.
② 등장인물들의 발화를 통해 사건의 상황을 보여 준다.
③ 죽음을 초월한 심청의 면모와 효심이 드러나 있다.
④ 대상을 나열하여 장면을 다양하게 제시하고 있다.

17

난이도 ★★☆

해설 ② 제시된 작품의 주인공은 허구적 인물인 '유광억'으로, 그는 시험지의 답안까지 팔 정도로 가난하고 지위가 낮은 인물이다. 따라서 높은 지위에 올랐던 실존 인물이 주인공이라는 ②의 설명은 적절하지 않다.

오답분석 ① 제시된 작품은 '유광억'이라는 인물의 간략한 전기를 통해 세태를 비판한 고전 소설이다.
　　• 전기(傳記): 한 사람의 일생 동안의 행적을 적은 기록
③ 돈을 받고 답안을 대신 작성해 주는 '유광억'의 부정행위를 통해 당대에 만연했던 과거 시험 제도의 부조리함을 비판하고 있다.
④ 불법적·부도덕적인 행위로 돈을 버는 주인공 '유광억'의 일화와 이에 대한 군자, 매화외사의 논평을 제시하고 있다.

18

난이도 ★★☆

해설 ④ ②은 양반들이 말뚝이의 변명에 속아 안심하고 춤을 추는 부분이다. 이는 말뚝이와 양반 간의 갈등이 일시적으로 해소되었음을 보여줄 뿐 갈등이 완전히 해소되었음을 나타내는 것이 아니다. 따라서 ④의 설명은 적절하지 않다.

오답분석 ① ㉠ '과장'은 전통 가면극의 전개 단위로, 현대 연극의 '막'과 같은 의미를 지닌다. 다만 전체 내용이 단일한 주제로 긴밀하게 연결되어 있는 '막'과는 달리, '과장'은 각 과장이 독립적으로 구성되어 과장 간의 연관성이 없다는 것이 특징이다.
② ㉡은 양반의 몸짓을 어색하게 표현함으로써 희화화한 부분으로, 이를 통해 양반을 풍자하고 있다.
③ ㉢은 동음이의어를 활용하여 '양반'의 뜻풀이를 다르게 제시하는 언어유희를 통해 양반을 조롱하고 있다.

19

난이도 ★★☆

해설 ④ 대상을 나열한 부분은 나타나지 않으므로 ④는 적절하지 않은 설명이다.

오답분석 ① 끝에서 1~2번째 줄에 서술자의 주관적 서술이 나타나 있다.
　　[관련 부분] 심청이 ~ 기절하여 엎딘 양은 차마 보지 못할 지경이었다.
② 뱃사람과 심청의 발화를 통해, 심청이 인당수에 빠지기 직전의 상황을 보여 주고 있으므로 적절한 설명이다.
③ 심청은 아비의 눈을 뜨게 하기 위해 죽는 일은 서럽지 않다고 말하고 있으므로 적절한 설명이다.

20

[2017년 국가직 9급 (4월)]

다음 글에서 드러나지 않는 것은?

일주일에 한 번쯤 돼지고기를 반 근, 혹은 반의 반 근 사러 가는 푸줏간이었다. 어머니는 돈을 들려 보내며 매양 같은 주의를 잊지 않았다.

적게 주거든, 애라고 조금 주느냐고 말해라, 그리고 또 비계는 말고 살로 주세요, 해라.

푸줏간에서는 한쪽 볼에 힘껏 쥐어질린 듯 여문 밤톨만 한 혹이 달리고 그 혹부리에, 상기도 보이지 않는 손에 의해 끄들리고 있는 듯 길게 뻗힌 수염을 기른 홀아비 중국인이 고기를 팔았다.

애라고 조금 주세요?

키가 작아 발돋움질로 간신히 진열대에 턱을 올려놓고 돈을 밀어 넣는 것과 동시에 나는 총알처럼 내뱉었다.

고기를 자르기 위해 벽에 매단 가죽 끈에 칼을 문질러 날을 세우던 중국인은 미처 무슨 말인지 몰라 뚱한 얼굴로 나를 바라보았다. 나는 비계는 말고 살로 달래라 하던 어머니가 일러준 말을 하기 전 중국인이 고기를 자를까 봐 허겁지겁 내쏘았다.

고기로 달래요.

중국인은 꾸룩꾸룩 웃으며 그때야 비로소 고기를 덥석 베어 내었다.

왜 고기만 주니, 털도 주고 가죽도 주지.

— 오정희, '중국인 거리'

① 어머니의 주의에 대한 '나'의 수용
② '나'에게 심부름을 시키는 어머니의 태도
③ 시간적 배경의 특성과 공간적 배경의 역할
④ '나'의 말에 대해 푸줏간의 '중국인'이 보여 주는 정서

21

[2017년 국가직 9급 (10월)]

다음 글에 대한 설명으로 적절하지 않은 것은?

길동이 "형님께서는 염려하지 마시고, 내일 소제(小弟)를 잡아 보내시되, 장교 중에 부모와 처자 없는 자를 가리어 소제를 호송하시면 좋은 묘책이 있습니다."라고 말하였다. 감사가 그 뜻을 알고자 하나 길동이 대답을 아니 하니, 감사가 그 생각을 알지 못해도 호송원을 그 말과 같이 뽑아 길동을 호송해 한양으로 올려 보냈다.

조정에서 길동이 잡혀 온다는 말을 듣고 훈련도감의 포수 수백을 남대문에 매복시키고는, "길동이 문 안에 들어 오거든 일시에 총을 쏘아 잡으라." 하고 명했다.

이때에 길동이 풍우같이 잡혀 오지만 어찌 그 기미를 모르리오. 동작 나루를 건너며 '비 우(雨)' 자 셋을 써 공중에 날리고 왔다. 길동이 남대문 안에 드니 좌우의 포수가 일시에 총을 쏘았지만 총구에 물이 가득하여 할 수 없이 계획을 이루지 못했다.

길동이 대궐 문 밖에 다다라 자기를 잡아온 장교를 돌아보면서 말하기를, "너희는 날 호송하여 이곳까지 왔으니 문죄 당해 죽지는 아니하리라." 하고, 수레에서 내려 천천히 걸어갔다. 오군영(五軍營)의 기병들이 말을 달려 길동을 쏘려 했으나 말을 아무리 채찍질해 몬들 길동의 축지하는 법을 어찌 당하랴. 성 안의 모든 백성들이 그 신기한 수단을 헤아릴 수 없더라.

① 서술자가 길동의 장면 묘사에 직접적으로 개입하고 있다.
② 호송하는 장교를 배려하는 길동의 면모가 드러나고 있다.
③ 비현실적 요소를 도입하여 길동의 남다름을 나타내고 있다.
④ 길동이 수레에서 탈출하는 모습을 비유적으로 표현하고 있다.

22

[2017년 지방직 7급]

다음 글에 대한 설명으로 가장 적절한 것은?

"오빠, 편히 사시오."

계연은 이미 시뻘겋게 된 두 눈으로 성기의 마지막 시선을 찾으며 하직 인사를 했다. 성기는 계연의 이 말에, 꿈을 깬 듯, 마루에서 벌떡 일어나, 계연의 앞으로 당황히 몇 걸음 어뜩어뜩 걸어오다간, 돌연히 다시 정신이 나는 듯 그 자리에 화석처럼 발이 굳어 버린 채, 한참 동안 장승같이 계연의 얼굴만 멍하게 바라보고 있었다.

"오빠, 편히 사시오."

이렇게 두 번째 하직을 하는 순간까지도, 계연의 그 시뻘건 두 눈은 역시 성기의 얼굴에서 그 어떤 기적과도 같은 구원만을 기다리는 것이었고, 그러나 성기는 그 자리에 그냥 주저앉아 버릴 뻔하던 것을 겨우 버드나무 가지를 움켜잡을 수 있었을 뿐이었다.

계연의 시뻘겋게 상기된 얼굴은, 옥화와 그녀의 아버지가 그들을 지켜보고 있다는 것도 잊은 듯이 성기의 얼굴만 뚫어지게 바라보고 있었으나, 버드나무에 몸을 기대인 성기의 두 눈엔 다만 불꽃이 활활 타오를 뿐, 아무런 새로운 명령도 기적도 나타나지 않았다.

"오빠, 편히 사시오."

하고, 거의 울음이 다 된, 마지막 목소리를 남기고 돌아선 계연의 저만치 가고 있는 항라적삼을, 고운 햇빛과 늘어진 버들가지와 산울림처럼 울려오는 뻐꾸기 울음 속에 성기는 우두커니 지켜보고 있을 뿐이다.

- 김동리, '역마'

① 계연이 하직 인사를 세 번 한 것은 성기와의 인연을 끝내고자 하는 의지가 강함을 의미한다.

② 성기의 말없음은 어떠한 말로도 표현할 수 없는 복잡다단한 성기의 심리를 상징적으로 보여준다.

③ 계연이가 마을을 떠나는 장면의 자연적 배경은 굴곡이 심한 계연의 미래를 암시한다.

④ 성기의 성격과 태도에 대한 작가의 냉소적이고 비판적인 시각을 보여주는 서술이 있다.

20

난이도 ★★☆

해설 ③ 제시된 작품에 시간적 배경이 드러나지 않으므로 시간적 배경의 특성 역시 드러나지 않는다. 또한 공간적 배경이 '푸줏간'임은 알 수 있으나 그 역할은 드러나지 않으므로 답은 ③이다.

오답분석 ① 고기를 적게 주면 항의하고, 비계가 아닌 살로 주문하라는 어머니의 주의에 따라 '나'는 푸줏간의 중국인에게 '애라고 조금 주세요?', '고기로 달래요'라고 말하고 있다.

② '나'에게 심부름을 시킬 때마다 '적게 주거든, 애라고 조금 주느냐고 말해라, 그리고 또 비계는 말고 살로 주세요, 해라'라고 당부하는 어머니의 말을 통해, 손해를 보지 않으려는 어머니의 태도를 알 수 있다.

④ 중국인은 '애라고 조금 주냐'는 '나'의 말에 뚱한 얼굴을 하다가, 이어 '고기로 달라'는 말을 듣고는 웃으며 농담을 하고 있다. 이를 통해 중국인의 정서를 파악할 수 있다.

21

난이도 ★★☆

해설 ④ 4문단에서 수레를 탈출하여 기병보다 빠르게 도망치는 길동의 모습이 나타나지만, 이를 비유적으로 표현하지는 않았다. 따라서 작품에 대한 설명으로 적절하지 않은 것은 ④이다.

오답분석 ① 3문단과 4문단을 통해 서술자가 길동의 장면 묘사에 직접적으로 개입하였음을 알 수 있다.

[관련 부분]
• 이때에 길동이 풍우같이 잡혀 오지만 어찌 그 기미를 모르리오.
• 길동의 축지하는 법을 어찌 당하랴. 성 안의 모든 백성들이 그 신기한 수단을 헤아릴 수 없더라.

② 4문단에서 길동이 수레를 탈출하기 전, 호송한 장교에게 '너희는 날 호송하여 이곳까지 왔으니 문죄 당해 죽지는 아니하리라'라고 말한 것을 통해 장교를 배려하는 길동의 모습을 알 수 있다.

③ 3문단에서 '비 우(雨)' 자를 써서 비가 내리게 하는 것, 4문단에서 축지법을 사용하여 기병을 따돌리는 모습 등은 비현실적 요소로, 길동의 비범함을 나타내기 위한 장치이다.

22

난이도 ★★☆

해설 ② 성기의 말없음은 영문도 모르고 계연을 떠나보내는 안타까움과 슬픔이 뒤섞인 성기의 심리를 상징적으로 보여 주므로, 설명이 적절한 것은 ②이다.

오답분석 ① 계연이 하직 인사를 세 번 한 것은 성기가 떠나가는 자신을 붙잡아 주기를 바라는 마음이 크다는 것을 의미한다.

③ 자연적 배경인 '고운 햇빛과 늘어진 버들가지와 산울림처럼 울려오는 뻐꾸기 울음'은 인물들의 심리와 대조되어 이별의 슬픔을 부각시키는 역할을 한다.

④ 성기에 대한 작가의 냉소적이고 비판적인 서술은 작품에서 확인할 수 없다.

23

[2017년 지방직 7급]

다음 글에 대한 설명으로 가장 적절한 것은?

하루는 나는 "평생소원이 무엇이냐"고 그에게 물어 보았다. 그는 "그까짓 것쯤 얼른 대답하기는 누워서 떡먹기." 라고 하면서 "평생소원은 자기도 원 배달이 한번 되었으면 좋겠다."는 것이었다.

남이 혼자 배달하기 힘들어서 한 20부 떼어 주는 것을 배달하고, 월급이라고 원 배달에게서 한 3원 받는 터이라 월급을 20여 원을 받고, 신문사 옷을 입고, 방울을 차고 다니는 원 배달이 제일 부럽노라 하였다. 〈중 략〉

그러나 웬일일까, 정말 배달복에 방울을 차고 신문을 들고 들어서는 사람은 황수건이가 아니라 처음 보는 사람이다.

"왜 전엣 사람은 어디 가고 당신이오?" / 물으니 그는 "제가 성북동을 맡았습니다." / 한다.

"그럼 전엣 사람은 어디를 맡았소?"

하니 그는 픽 웃으며,

"그까짓 반편을 어딜 맡깁니까? 배달부로 쓸려다가 똑똑지가 못하니까 안 쓰고 말았나 봅니다."

한다. 〈중 략〉

그런데 요 며칠 전이었다. 밤인데 달포 만에 수건이가 우리 집을 찾아왔다. 웬 포도를 큰 것으로 대여섯 송이를 종이에 싸지도 않고 맨손에 들고 들어왔다. 그는 병긋거리며

"선생님 잡수라고 사왔읍죠."

하는 때였다. 웬 사람 하나가 날쌔게 그의 뒤를 따라 들어오더니 다짜고짜로 수건이의 멱살을 움켜쥐고 끌고 나갔다. 수건이는 그 우둔한 얼굴이 새하얗게 질리며 꼼짝 못하고 끌려 나갔다.

나는 수건이가 포도원에서 포도를 훔쳐온 것을 직감하였다. 쫓아 나가 매를 말리고 포도 값을 물어 주었다. 포도 값을 물어 주고 보니 수건이는 어느 틈에 사라지고 보이지 않았다.

나는 그 다섯 송이의 포도를 탁자 위에 얹어 놓고 오래 바라보며 아껴 먹었다. 그의 은근한 순정의 열매를 먹듯 한 알을 가지고도 오래 입안에 굴려 보며 먹었다.

- 이태준, '달밤'

① 현실에 쉽게 좌절하는 무기력한 인물을 조롱하고 있다.
② 서술의 초점을 사건의 논리적 인과관계를 드러내는 데 맞추고 있다.
③ 순박하고 따뜻한 심성을 지닌 인물에 대한 화자의 포용적 태도를 느낄 수 있다.
④ 개인의 삶을 짓밟는 현실의 부조리를 직접적으로 비판하고 있다.

24

[2017년 경찰직 1차]

이 작품에 대한 설명으로 가장 적절하지 않은 것은?

우리 아저씨 말이지요, 아따, 저 거시기, 한참 당년에 무엇이냐 그놈의 것, 사회주의라더냐, 막걸리라더냐, 그걸 하다 징역 살고 나와서 폐병으로 시방 앓고 누웠는 우리 오촌 고모부 그 양반……

뭐, 말도 마시오, 대체 사람이 어쩌면 글쎄……, 내 원! 신세 간 데 없지요.

자, 십년 적공, 대학교까지 공부한 것 풀어먹지도 못했지요, 좋은 청춘 어영부영 다 보냈지요, 신분(身分)에는 전과자(前科者)라는 붉은 도장 찍혔지요, 몸에는 몹쓸 병까지 들었지요, 이 신세를 해가지굴랑은 굴속 같은 오두막집 단칸 셋방 구석에서 사시장철 밤이나 낮이나 눈 따악 감고 드러누웠군요.

재산이 어디 집 터전인들 있을 턱이 있나요. 서발 막대 내저어야 짚검불 하나 걸리는 것 없는 철빈인데,

우리 아주머니가, 그래도 그 아주머니가 어질고 얌전해서 그 알뜰한 남편 양반 받드느라 삯바느질이야, 남의 집 품빨래야, 화장품 장사야, 그 칙살스런 벌이를 해다가 겨우겨우 목구멍에 풀칠을 하지요.

어디로 대나 그 양반은 죽는 게 두루 좋은 일인데 죽지도 아니해요.

우리 아주머니가 불쌍해요. 아, 진작 한 나이라도 젊어서 팔자를 고치는 게 아니라, 무슨 놈의 수난 후분을 바라고 있다가 고생을 하는지.

① 작가는 판소리 사설을 차용하여 풍자적 성격을 강화하고 있다.
② 소설 속 관찰자가 자신의 판단을 독자에게 전달하고 있다.
③ 결과적으로 긍정적 서술자가 부정적 인물인 아저씨를 비판한다.
④ 현실적 삶의 방식과 사회주의적 삶의 방식이 동시에 나타난다.

25

[2016년 국가직 7급]

다음 글에 대한 설명으로 적절하지 않은 것은?

> "남대문 정거장까지 말씀입니까?"
>
> 하고 김 첨지는 잠깐 주저하였다. 그는 이 우중에 우장도 없이 그 먼 곳을 철벅거리고 가기가 싫었음일까? 처음 것, 둘째 것으로 고만 만족하였음일까? 아니다, 결코 아니다. 이상하게도 꼬리를 맞물고 덤비는 이 행운 앞에 조금 겁이 났음이다. 그리고 집을 나올 제 아내의 부탁이 마음에 켕기었다. — 앞집 마나님한테서 부르러 왔을 제, 병인은 그 뼈만 남은 얼굴에 유일의 생물 같은 유달리 크고 움푹한 눈에 애걸하는 빛을 띠우며,
>
> "오늘은 나가지 말아요. 제발 덕분에 집에 붙어 있어요. 내가 이렇게 아픈데……."
>
> 라고 모기 소리같이 중얼거리고 숨을 거르렁거르렁하였다. 〈중 략〉
>
> "이 눈깔! 이 눈깔! 왜 나를 바루 보지 못하고 천정만 보느냐, 응?"
>
> 하는 말끝엔 목이 메이었다. 그러자, 산 사람의 눈에서 떨어진 닭의 똥 같은 눈물이 죽은 이의 뻣뻣한 얼굴을 어룽어룽 적시인다. 문득 김 첨지는 미친 듯이 제 얼굴을 죽은 이의 얼굴에 한데 부벼대며 중얼거렸다.
>
> "설렁탕을 사다 놓았는데 왜 먹지를 못하니, 왜 먹지를 못하니…… 괴상하게도 오늘은 운수가 좋더니만……."
>
> — 현진건, '운수 좋은 날'

① 사건의 결말을 암시하는 복선이 나타나 있다.
② 비극적 상황을 심화시키는 소재가 사용되고 있다.
③ 객관적인 서술 태도로 인물의 행동만을 그리고 있다.
④ 행운과 불안감이 교차되면서 긴장감이 조성되고 있다.

23

난이도 ★★☆

해설 ③ '황수건'은 평생소원이 '원 배달'이라고 말하는 순박한 심성을 지닌 인물로, '나'를 위해 포도를 훔쳐 온다. 이러한 '황수건'을 위해 '나'는 포도 값을 물어 주고, 포도를 오랫동안 아껴 먹는 등 포용적 태도를 보이고 있으므로 제시된 작품에 대한 설명으로 가장 적절한 것은 ③이다.

오답분석 ① 현실에 쉽게 좌절하는 무기력한 인물은 제시된 작품에 나타나지 않는다.

② 제시된 작품은 논리적 인과 관계를 드러내기보다 시간의 흐름에 따라 사건을 제시하며 '황수건'의 삶과 그를 바라보는 '나'의 연민을 묘사하는 것에 서술의 초점을 맞추고 있다.

④ '황수건'이 실직한 이유는 모자란 인물이기 때문이지, 현실의 부조리 때문이 아니므로 개인의 삶을 짓밟는 현실의 부조리는 제시된 작품에서 찾을 수 없다.

24

난이도 ★★☆

해설 ③ 제시된 작품은 미성숙하고 무지한 '나'를 서술자로 내세워 '아저씨'를 비난하고 있다. 이는 독자들로 하여금 '나'의 사고 방식을 은근히 비판하게 하고 오히려 '아저씨'에 대한 연민을 일으키는 효과를 낸다. 따라서 결과적으로 서술자 '나'는 부정적으로 비춰지고 '아저씨'는 긍정적으로 나타나게 되므로 작품에 대한 설명으로 적절하지 않은 것은 ③이다.

오답분석 ① 작가는 '아저씨'에 대한 '나'의 비판적인 생각을 판소리 사설과 같은 독백체로 서술함으로써 작품의 풍자적 성격을 강화하고 있다.

② 작품 속 등장인물인 '나'는 '아저씨'와 '아주머니'를 관찰한 바에 따라 판단하여 이야기하고 있다.

④ 현실에 순응하여 살아가는 '나'에게서 현실적 삶의 방식이 드러나고, 몰락한 사회주의자 '아저씨'에게서 사회주의적 삶의 방식이 드러난다.

25

난이도 ★☆☆

해설 ③ 5~7번째 줄에서 인물의 내면 심리를 직접적으로 제시하고 있으므로 ③의 설명은 적절하지 않다.

[관련 부분] 이상하게도 꼬리를 맞물고 덤비는 이 행운 앞에 조금 겁이 났음이다. 그리고 집을 나올 제 아내의 부탁이 마음에 켕기었다.

오답분석 ① 김 첨지가 일 나가는 것을 만류하는 아내의 모습은 사건의 비극적 결말(아내의 죽음)을 암시하는 복선 역할을 한다.

[관련 부분] "오늘은 나가지 말아요. 제발 덕분에 집에 붙어 있어요. 내가 이렇게 아픈데……."

② 아내에 대한 김 첨지의 사랑을 나타내는 '설렁탕'은 아내의 죽음이라는 비극적 상황을 심화시키는 소재로 사용되고 있다.

④ 김 첨지는 손님을 연달아 태우는 행운을 얻지만 이에 불안감을 느끼고 아픈 아내의 모습을 떠올린다. 이를 통해 긴장감이 조성되고 있음을 알 수 있다.

[관련 부분] 이상하게도 꼬리를 맞물고 덤비는 이 행운 앞에 조금 겁이 났음이다. 그리고 집을 나올 제 아내의 부탁이 마음에 켕기었다.

26

다음은 어느 작품의 일부분이다. 이 작품에 대한 설명으로 가장 적절한 것은?

> 슬프다! 착한 사람과 악한 사람이 거꾸로 되고 충신과 역적이 바뀌었도다. 이같이 천리에 어기어지고 덕의가 없어서 더럽고, 어둡고, 어리석고, 악독하여 금수(禽獸)만도 못한 이 세상을 장차 어찌하면 좋을꼬? 나도 또한 인간의 한 사람이라, 우리 인류 사회가 이같이 악하게 됨을 근심하여 매양 성현의 글을 읽어 성현의 마음을 본받으려 하더니, 마침 서창에 곤히 든 잠이 춘풍에 이익한 바 되매 유흥을 금치 못하여 죽장망혜(竹杖芒鞋)로 녹수를 따르고 청산을 찾아서 한 곳에 다다르니, 사면에 기화요초는 우거졌고 시냇물 소리는 종종하며 인적이 고요한데, 흰 구름 푸른 수풀 사이에 현판(懸板) 하나가 달렸거늘, 자세히 보니 다섯 글자를 크게 썼으되 '금수회의소'라 하고 그 옆에 문제를 걸었는데, '인류를 논박할 일'이라 하였고, 또 광고를 붙였는데, '하늘과 땅 사이에 무슨 물건이든지 의견이 있거든 의견을 말하고 방청을 하려거든 방청하되 각기 자유로 하라' 하였는데, 그 곳에 모인 물건은 길짐승·날짐승·버러지·물고기·풀·나무·돌 등물이 다 모였더라.

① 연설을 서사의 방법으로 채용하여 계몽적 의도를 효과적으로 숨기고 있다.

② 해방 직후에 나타난 정치소설의 한 변형으로서, 우화적 풍자 형식을 채택하고 있다.

③ 문제를 해결하기 위해 개인적인 회개를 강조하기보다는 구조적이고 근본적인 해결책을 제시하고자 한다.

④ 표면적으로 동물들이 인류의 부패와 타락을 논박하는 형식으로 되어 있으나 실은 이 시기 사회의 비판과 풍자에 초점을 맞추고 있다.

27

다음 글에 대한 설명으로 적절하지 않은 것은?

> 나는 집이 가난하여 말이 없어서 간혹 남의 말을 빌려 탄다. 노둔하고 여윈 말을 얻게 되면 일이 비록 급하더라도 감히 채찍을 대지 못하고 조심조심 금방 넘어질 듯 여겨서 개울이나 구렁을 지날 때는 말에서 내려 걸어가므로 후회할 일이 적었다. 발굽이 높고 귀가 쫑긋하여 날래고 빠른 말을 얻게 되면 의기양양 마음대로 채찍질하고 고삐를 늦추어 달리니 언덕과 골짜기가 평지처럼 보여 매우 장쾌하지만 말에서 위험하게 떨어지는 근심을 면치 못할 때가 있었다. 아! 사람의 마음이 옮겨지고 바뀌는 것이 이와 같을까? 남의 물건을 빌려서 하루아침의 소용에 쓰는 것도 이와 같은데, 하물며 참으로 자기가 가지고 있는 것이야 어떻겠는가?
> — 이곡, '차마설(借馬說)'

① 경험을 통한 통찰력이 돋보인다.

② 우의적 기법을 적절히 활용하고 있다.

③ 대상들 사이의 유사점을 통해 대상의 특성을 설명하고 있다.

④ 일상사와 관련지어 글쓴이의 주장을 설득력 있게 드러내고 있다.

28

다음 글의 이해로 적절하지 않은 것은?

> 나무는 덕(德)을 지녔다. 나무는 주어진 분수에 만족할 줄 안다. 나무로 태어난 것을 탓하지 아니하고, 왜 여기 놓이고 저기 놓이지 않았는가를 말하지 아니한다. 등성이에 서면 햇살이 따사로울까, 골짜기에 내려서면 물이 좋을까 하여, 새로운 자리를 엿보는 일도 없다. 물과 흙과 태양의 아들로, 물과 흙과 태양이 주는 대로 받고, 후박(厚薄)과 불만족(不滿足)을 말하지 아니한다.
> — 이양하, '나무'

① 대상에 인격을 부여하고 있다.

② 대상에서 인생의 교훈을 발견하고 있다.

③ 대상의 변화를 감각적으로 묘사하고 있다.

④ 대상을 예찬하는 태도를 취하고 있다.

26

난이도 ★★☆

해설 ④ 제시된 작품은 안국선의 '금수회의록'으로, 동물들을 내세워 인간의 부패와 타락을 고발함으로써 당대 개화기 사회를 비판하고 풍자하는 우화 소설이다. 따라서 가장 적절한 설명은 ④이다.

오답 분석 ① 동물들의 연설을 통해 당대의 부조리를 비판하고 국민 의식을 계몽하려는 의도를 드러내고 있다. 따라서 연설을 서사의 방법으로 채용했다는 설명은 옳으나, 계몽적 의도를 숨기고 있다는 설명은 옳지 않다.

② 정치 소설로서 우화적 풍자 형식을 채택하고 있다는 설명은 옳으나, 개화기(1908년)에 출간되었으므로 해방 직후에 나타났다는 설명은 옳지 않다.

③ 문제 해결을 위해 반성과 회개라는 추상적 방안만을 강조하였을 뿐, 구조적이고 근본적인 해결책은 작품에 나타나지 않는다.

27

난이도 ★★☆

해설 ③ 대상들(남의 말을 빌려 타는 것, 자기가 가지고 있는 물건을 쓰는 것) 사이의 유사점을 통해 모든 소유물은 빌린 것에 불과하니 사람은 겸허하게 살아야 한다는 깨달음을 유추해내고 있을 뿐, 이를 통해 대상의 특성을 설명하고 있지는 않다. 따라서 답은 ③이다.

오답 분석 ①④ 글쓴이는 말을 빌려 탄 일상의 경험을 통찰하여 진리를 깨닫고 이에 대한 주장을 펼치고 있으므로 적절한 설명이다.

② 글쓴이는 말하고자 하는 바를 직접적으로 드러내지 않고 말을 빌려 탄 자신의 경험에 빗대어 설명하는 우의적 기법을 활용하고 있다.

이것도 알면 합격

'우의적 기법'에 대해 알아두자.

말하고자 하는 바를 직접 말하지 않고 다른 대상이나 사물에 빗대어 간접적으로 말하거나 풍자하는 방법

예 설총의 '화왕계(花王戒)': '꽃'을 의인화하여 충신(할미꽃)과 간신(장미)의 모습을 간접적으로 드러냄

28

난이도 ★★☆

해설 ③ 설명의 대상인 '나무'가 변화하는 모습이나 이를 감각적으로 묘사한 부분은 확인할 수 없으므로 글에 대한 이해로 적절하지 않은 것은 ③이다.

오답 분석 ① '나무는 덕(德)을 지녔다'는 표현을 통해 나무에 인격을 부여하는 의인화의 방법이 사용되었다.

② 주어진 분수에 만족할 줄 아는 나무의 모습에서 인생의 교훈을 발견하고 있다.

④ 주어진 분수에 만족할 줄 아는 나무의 긍정적인 면모를 부각하여 예찬하고 있다.

MEMO

2022 대비 최신판

해커스공무원

단원별
기출문제집
국어 3권 | 문학

초판 2쇄 발행 2021년 12월 20일
초판 1쇄 발행 2021년 9월 3일

지은이	해커스 공무원시험연구소
펴낸곳	해커스패스
펴낸이	해커스공무원 출판팀

주소	서울특별시 강남구 강남대로 428 해커스공무원
고객센터	1588-4055
교재 관련 문의	gosi@hackerspass.com
	해커스공무원 사이트(gosi.Hackers.com) 교재 Q&A 게시판
	카카오톡 플러스 친구 [해커스공무원강남역], [해커스공무원노량진]
학원 강의 및 동영상강의	gosi.Hackers.com

ISBN	3권: 979-11-6662-632-6 (14710)
	세트: 979-11-6662-629-6 (14710)
Serial Number	01-02-01

최단기 합격 공무원학원 1위,
해커스공무원 **gosi.Hackers.com**

해커스공무원

· **해커스공무원 학원 및 인강**(교재 내 인강 할인쿠폰 수록)
· 해커스 스타강사의 **공무원 국어 무료 동영상강의**
· '회독'의 방법과 공부 습관을 제시하는 **해커스 회독증강 콘텐츠**(교재 내 할인쿠폰 수록)
· 필수어휘와 사자성어를 편리하게 학습할 수 있는 **해커스 매일국어 어플**

해커스공무원

단원별 기출문제집

국어 3권 | 문학

공무원 합격의 확실한 해답!

해커스공무원 국어 교재

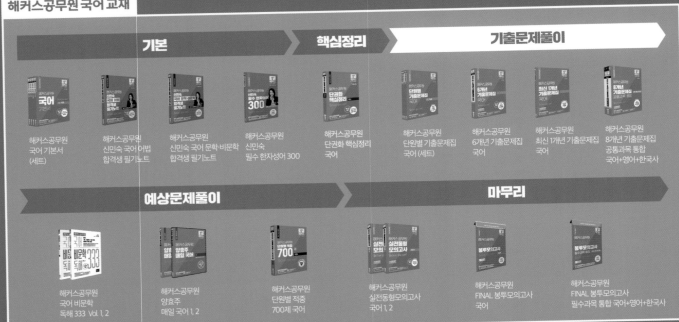

| 기본 | 핵심정리 | 기출문제풀이 |

해커스공무원
국어 기본서
(세트)

해커스공무원
신민숙 국어 어법
합격생 필기노트

해커스공무원
신민숙 국어 문학·비문학
합격생 필기노트

해커스공무원
신민숙
필수 한자성어 300

해커스공무원
단권화 핵심정리
국어

해커스공무원
단원별 기출문제집
국어 (세트)

해커스공무원
6개년 기출문제집
국어

해커스공무원
최신 17개년 기출문제집
국어

해커스공무원
8개년 기출문제집
공통과목 통합
국어+영어+한국사

| 예상문제풀이 | 마무리 |

해커스공무원
국어 비문학
독해 333 Vol. 1, 2

해커스공무원
양효주
매일 국어 1, 2

해커스공무원
단원별 적중
700제 국어

해커스공무원
실전동형모의고사
국어 1, 2

해커스공무원
FINAL 봉투모의고사
국어

해커스공무원
FINAL 봉투모의고사
필수과목 통합 국어+영어+한국사

정가 **40,000** 원 (전 4권)

14710

9 791166 626326
ISBN 979-11-6662-632-6
ISBN 979-11-6662-629-6 (세트)

2022 대비 최신판

7·9급 | 군무원

해커스공무원

단원별 기출문제집

국어

4권 | 어휘

Believe you can!

베스트셀러
1위

상세한 해설까지!
최근
7개년
주요 기출문제
수록